INCARCERON

Pegasus Yayınları: 399
Bestseller Roman: 170

INCARCERON

CATHERINE FISHER

Özgün Adı: INCARCERON

Editör: Nilüfer Altınel
Düzelti: Çiçek Eriş
Bilgisayar Uygulama: Meral Gök
Kapak Tasarım: Yunus Bora Ülke
Kapak Baskı: Gündüz Ofset
Film-Grafik: Mat Grafik

Baskı-Cilt: Alioğlu Matbaacılık
Orta Mah. Fatin Rüştü Sok. No: 1/3-A
Bayrampaşa/İstanbul
Tel: 0212 612 95 59

1. Baskı: Kasım 2011
ISBN: 978-605-5360-27-6

Bu eser ilk defa 2007 yılında Hodder Children's Books tarafından
Büyük Britanya'da İngilizce olarak yayınlanmıştır.

Yayıncı Sertifika No: 12177

Pegasus Yayıncılık San. Tic. Ltd. Şti.
Gümüşsuyu Mah. Osmanlı Sk. Alara Han
No: 27/9 Taksim / İSTANBUL
Tel: 0212 244 23 50 (pbx) Faks: 0212 244 23 46
www.pegasusyayinlari.com / info@pegasusyayinlari.com

CATHERINE FISHER

INCARCERON

İngilizceden Çeviren:
DOST KÖRPE

PEGASUS YAYINLARI

Kristal Kartal, Siyah Kuğu

1

Kim haritasını çizebilir engin Incarceron'un?

Onun viyadüklerinin, salon ve kanyonlarının?

Sadece özgürlüğü tanımış kişi

Tanımlayabilir kendi hapishanesini.

SAPPHIQUE ŞARKILARI

Finn yere yüzüstü atılarak transit yolun taşlarına zincirlenmişti.

İyice açılmış olan kollarındaki zincirler öyle ağırdı ki bileklerini yerden kaldırmakta zorlanıyordu. Ayak bileklerine dolanmış karmakarışık metal zincirler, asfalttaki bir halkaya bağlanmıştı. Göğsünü yeterince hava alacak kadar şişiremiyordu. Yanağında, taşın soğukluğunu hissederek, bitkin halde yatıyordu.

Ama Şehirliler nihayet geliyordu.

Onları duymadan önce hissetti; yerden gelen hafif titreşimler giderek güçlendi, sonunda diş ve sinirlerinde gezinmeye başladı. Sonra karanlıktan gürültüler geldi, göç kamyonlarının gürlemeleri, ağır ağır dönen jantların boğuk tangırtıları. Gözlerine düşen kirli saçlardan başını sallayarak kurtulunca yerdeki paralel çizgilerin dosdoğru vücudunun altından geçtiğini gördü. Yol çizgilerinin tam ortasına zincirlenmişti.

Alnı terden kayganlaşmıştı. Buz tutmuş zincir halkalarını eldivenli eliyle kavrayıp göğsünü yukarı çekti ve hemen nefes aldı. Havada kesif benzin kokusu vardı.

Bağırmak henüz işe yaramazdı. Fazla uzaktaydılar ve tekerleklerin tangırtısı yüzünden, onu ancak engin salonun epeyce içine girince işitebilirlerdi. Zamanlamasının kusursuz olması gerekecekti. Gecikirse kamyonlar duramazdı ve o ezilirdi. Diğer düşünceyi aklından kovmaya çabaladı. Onu görüp işitseler bile, umursamayabilecekleri düşüncesini.

Işıklar.

Küçük, inip kalkan fener ışıkları. Odaklanınca dokuz, on bir, on iki tane saydı; sonra emin olmak ve mide bulantısını bastırmak için yeniden saydı.

Biraz rahatlamak için yüzünü yırtık yenine sürterken Keiro'yu, zinciri taktıktan sonra karanlığın içine doğru gerileyen delikanlının yüzünde hafif bir tokat gibi beliren son, alaycı gülümsemeyi düşündü. "*Keiro,*" diye fısıldadı hınçla.

Engin salonlarla görünmez galeriler sesini yuttu. Metalik havada sis asılı duruyordu. Kamyonlar homurdanarak, tangır tungur geliyorlardı.

Artık ağır ağır yürüyen insanlar görebiliyordu. Karanlıktan çıkıyorlardı, soğuk yüzünden öyle sıkı giyinmişlerdi ki çocuklar mı yoksa iki büklüm olmuş yaşlı kadınlar mı oldukları anlaşılmıyordu. Çocuktular herhalde. Yaşlı insanlar (hâlâ yaşlılar varsa) kamyonlarda, malların arasında yolculuk ederlerdi. En öndeki kamyona siyah beyaz, eski bir bayrak örtülmüştü; adam bayraktaki armayı, gagası gümüşi çizgili kuşu gördü.

"Durun!" diye seslendi. "Bakın! Yere bakın!"

Makine gürültüsü yeri sarsıyordu. Finn'in kemiklerinde ve dişlerinde inliyordu. Kamyonların ağırlığını ve hızını hissedince, onları iten adamların ter kokusunu alınca, istiflenmiş malların takırtı ve hışırtılarını duyunca yumruklarını sıktı. Dehşetini bastırarak, sinirlerini ölümün karşısında anbean sınayarak, nefes almadan, kontrolünü yitirmeden bekledi çünkü Yıldızgörücü Finn'di o, bunu yapabilirdi. Ama sonra birden vücudundan ter boşandı, paniğe kapıldı ve doğrulup, "Duydunuz mu beni? Durun! *Durun!*" diye haykırdı.

Yaklaşmayı sürdürüyorlardı.

Gürültü dayanılmazdı. Finn artık uluyor, tekmeler savuruyor ve çırpınıyordu çünkü yüklü kamyonların korkunç momentumu amansızdı; tepesinde belireceklerdi, üzerini karartacaklardı, kemiklerini ve vücudunu ağır ağır, durdurulmaz bir şekilde, acı çektire çektire ezeceklerdi.

Sonra el fenerini hatırladı.

Küçücüktü ama hâlâ onun yanındaydı. Keiro bırakmıştı. Finn zincire tutunarak döndü ve elini ceketinin iç cebine sokarken bükülen bilek kasları spazm geçirdi. Parmakları ince ve soğuk tüpe değdi.

Vücudu sarsıldı. Feneri çıkardı ve bırakınca fener yuvarlanıp erişemeyeceği bir yere gitti. Finn küfretti, uzandı ve fenere çenesiyle bastı.

Işık yandı.

Rahatlayan Finn uzun uzun nefes verdi ama kamyonlar hâlâ geliyordu. Şehirliler onu görebiliyor olmalıydılar. Görebiliyor *olmalıydılar!* El feneri salonun engin, gürleyen karanlığındaki bir yıldızdı; Finn merdivenlere, galerilere ve binlerce, labirente benzer odaya sahip olan Incarceron'un onun karşı karşıya olduğu tehlikeyi sezdiğini ve bunu eğlenceli bulduğunu, Hapishane'nin onu seyrettiğini ve müdahale etmeyeceğini hissetti birden.

"Beni görebildiğinizi biliyorum!" diye haykırdı.

Tekerlekler insan boyundaydı. Yolun üzerinde çığlık çığlığaydılar; asfalttan fıskiye gibi kıvılcımlar saçılıyordu. Bir çocuk seslenince Finn inledi ve büzüldü; hiçbir şeyin işe yaramadığını, işinin bittiğini biliyordu ve sonra fren seslerini duydu, titrek çığlıklarını kemiklerinde ve parmaklarında hissetti.

Tekerlekler tepesindeydiler. Çok yüksektiler. Üstündeydiler.

Hareketsizdiler.

Finn kımıldayamıyordu. Vücudu korkudan pelte gibi olmuştu. El feneri, yağlı bir flanştaki yumruk büyüklüğünde bir perçin çivisini aydınlatıyordu sadece.

Sonra flanşın ardından sert bir ses geldi: "Adın ne Mahkûm?"

Karanlıkta toplanmışlardı. Finn başını kaldırmayı başarınca kapüşonlu insanlar gördü.

"Finn. Adım Finn." Sesi kısık çıkmıştı; yutkunmak zorunda kaldı. "Durmayacaksınız sandım..."

Bir homurtu. Başka birisi, "Pislik'e benziyor," dedi.

"Hayır! Lütfen! Lütfen kaldırın beni!" Ses gelmeyince ve kimse kımıldamayınca nefes alıp gergince konuştu: "Pislikler, Kanat'ımıza saldırdılar. Babamı öldürdüler, beni de burada böyle, gelip geçenlerin insafına bıraktılar." Göğsündeki acıyı paslı zinciri sımsıkı tutarak azaltmaya çalıştı. "Lütfen. Size yalvarıyorum."

Birisi yaklaştı. Finn'in gözünün yanında bir çizmenin burnu durdu; kirliydi, bir deliği yamanmıştı.

"Hangi Pislikler?"

"Comitatuslar. Liderleri kendine, Kanatlordu Jormanric, diyordu."

Adam, Finn'in kulağının yanına tükürdü. "Oydu demek! Manyak bir kabadayıdır."

Neden hiçbir şey olmuyordu? Finn acizce kıvrandı. "Lütfen! Geri dönebilirler!"

"Bence ezip geçelim şunu. Başımıza dert almanın ne gereği var?"

"Çünkü biz Şehirli'yiz, Pislik değiliz." Finn, bir kadın sesi duyunca şaşırdı. Kadının kaba ceketinin altındaki ipek giysilerinin hışırdadığını işitti. Diz çöken kadının eldivenli elinin zincirleri çekiştirdiğini hissetti. Bileği kanıyordu; kirli teninde tozlu pas halkaları vardı.

Adam huzursuzca konuştu. "Maestra, dinle..."

"Cıvata kesicileri getir, Sim. Çabuk."

Kadının yüzü Finn'inkine yakındı. "Merak etme, Finn. Seni burada bırakmayacağım."

Finn başını acıyla kaldırıp yukarı bakınca yirmi yaşlarında, kızıl saçlı, siyah gözlü bir kadın gördü. Kadının kokusunu aldı bir an; sabun ve yumuşak yün kokusu, bu yürek paralayıcı koku hafızasını canlandırdı, içindeki o kilitli siyah kutuyu açtı. *Bir oda. Şömineli bir oda. Porselen tabaktaki bir pasta.*

Afalladığı yüzünden okunuyordu herhalde; kadın kapüşon gölgesinin içinden, düşünceli bir edayla onu inceliyordu. "Bizimle güvende olursun."

Finn, kadının bakışına karşılık verdi. Nefes alamıyordu.

Bir çocuk odası. Taş duvarlar. Süslü, kırmızı duvar kâğıtları.

Telaşla gelen bir adam kesiciyi zincirin altına soktu. "Gözlerine dikkat et," dedi hırıltıyla. Finn başını kolunun üstüne koyarken etrafta insanların toplandığını hissetti. O korkunç nöbetlerden birine kapılmaya başladığını sandı bir an; gözlerini kapayınca vücudunun tanıdık, baş döndürücü bir şekilde ısındığını hissetti. Dev kesiciler halkaları keserken mücadele etti, tükürük yuttu, zincirleri kavradı. Anı soluyordu; oda ve şömine ateşi, kenarları altın sarısı tabağın üstündeki, minik gümüşi küreleri olan pasta. Anıya tutunmaya çalıştıysa da başaramadı ve Incarceron'un buz gibi karanlığı, yağlı tekerleklerin ekşi ve metalik kokusu geri geldi.

Zincirler şangırdayarak kaydılar. Finn doğrulunca rahatladı, derin soluklar aldı. Kadın onun bileğini tutup çevirdi. "Bunu bandajlamak gerekecek."

Finn donakaldı. Kımıldayamıyordu. Parmakları serin ve temiz olan kadın, Finn'in yırtık yeniyle eldiveninin arasındaki deriye dokunmuştu ve oradaki küçük dövmeye, taçlı kuş resmine bakıyordu.

Kadın kaşlarını çattı. "Bu Şehirli arması değil. Şeye benziyor..."

"Neye?" Finn birden pürdikkat kesilmişti. "Neye benziyor?"

Salonda kilometrelerce öteden bir gümbürtü koptu. Finn'in ayaklarının dibindeki zincirler kımıldadı. Kesicili adam onların üstüne eğilince duraksadı. "Tuhaf. Bu cıvata. Gevşemiş..."

Maestra kuşa baktı. "Kristale benziyor."

Arkalarından birisi bağırdı.

"Ne kristali?" dedi Finn.

"Tuhaf bir nesne. Bir yerde bulduk."

"Kuş da mı aynı? Emin misin?"

"Evet." Kadın dalgınca dönüp cıvataya baktı. "Sen cidden..."

Finn bunu tahmin etmeliydi. Kadını yaşatması gerekiyordu. Onu tutup yere çekti. "Yat," diye fısıldadı. Sonra da öfkeyle, "*Anlamıyor musun? Bütün bunlar bir tuzak.*"

Kadın bir an onun gözlerine baktı; Finn kadının korkusunu ve şaşkınlığını gördü. Kadın, Finn'in elinden kurtuldu; birden ayağa fırlayıp, "Kaçın! Herkes kaçsın!" diye haykırdı. Ama yerdeki ızgaralar çatırdayarak açılıyordu; dışarı kollar çıkıyordu, gövdeler yukarı çekiliyordu, taşa silahlar konuluyordu.

Finn harekete geçti. Kesicili adamı geriye itti, sahte cıvataya tekme attı ve zincirlerden kurtuldu. Keiro ona sesleniyordu; başının yanından parlak bir pala uçan Finn kendini yere attı, yuvarlandı ve yukarı baktı.

Salon dumandan kararmıştı. Şehirliler haykırıyor, dev sütunlara kaçıyorlardı ama Pislikler kamyonlara çıkmışlardı bile, ayrım gözetmeksizin ateş ediyorlardı, kaba tabancalarının kırmızı patlamaları salonun havasını kesifleştiriyordu.

Finn, kadını göremiyordu. Kadın ölmüş olabilirdi, kaçıyor da olabilirdi. Birisi onu itti ve eline bir silah tutuşturdu; Finn onun Lis olduğunu düşündü ama bütün Pislikler siyah kasklarını takmış olduklarından bundan emin olamadı.

Sonra kadını gördü. Kadın, çocukları en öndeki kamyonun altına itiyordu; hıçkıra hıçkıra ağlayan küçük bir oğlanı tutup önüne çekti. Ama düşüp yumurta gibi çatlayan küçük kürelerden tıslayarak yayılan gaz Finn'in gözlerini yaşartıyordu. Finn kaskını başına takınca, burnuna ve ağzına denk gelen ıslak yastıkçıklar soluk seslerini yükseltti. Kaskın görme yerinden bakınca salon kırmızı, insanlar net görünüyordu.

Kadın silahlıydı ve ateş ediyordu.

"Finn!"

Seslenen Keiro'ydu ama Finn ona aldırmadı. En öndeki kamyona koştu, altına daldı ve Maestra'yı kolundan tuttu; ona doğru dönen kadının silahını tek vuruşta düşürünce kadın öfkeyle haykırdı ve pençeli eldivenleriyle onun yüzüne saldırdı, kaskını tırmaladı. Finn kadını sürükleyerek dışarı çıkarırken çocuklar tekme savurarak mücadele ediyorlardı, etraflarından atılan yiyecekler ustaca yakalanıp ızgaraların altındaki borulara atılıyordu.

Bir alarm çaldı.

Incarceron kımıldadı.

Duvarlardaki pürüzsüz paneller yana kaydı; bir tıkırtıyla birlikte görünmez tavandan inen parlak hüzmeler çok aşağıdaki zeminde sağa sola gezindi, sıçan gibi kaçışan Pisliklerde odaklandı, onların gölgelerini devleştirdi.

"Gidelim!" diye haykırdı Keiro.

Finn, kadını öne itti. Yanlarından panikle koşan birisi ışığa yakalanınca sessizce buharlaştı. Çocuklar inlediler.

Şok yüzünden nefesi kesilmiş olan kadın dönüp halkının geri kalanına baktı. Sonra Finn onu çeke çeke boruya götürdü.

Maskenin ardından kadınla bakıştı.

"İn," dedi soluk soluğa. "Yoksa ölürsün."

Bir an kadının inmeyeceğini sandı neredeyse.

Sonra kadın ona tükürdü, ellerinden çırpınarak kurtuldu ve boruya atladı.

Parlak beyaz bir ışık taşları kavuruyordu; Finn hemen kadının peşinden atladı.

Boru beyaz ipekten yapılmaydı, sağlam ve gergindi. Kayarken nefesi kesilen Finn diğer uçtan dışarı fırladı, bir çalıntı kürk ve sert metal parçalar yığınının üzerine düştü.

Şimdiden kenara çekilmiş ve başına bir silah dayanmış olan Maestra küçümsemeyle bakıyordu.

Finn acıyla doğruldu. Etraftaki Pislikler ganimetleri toplayarak tünele giriyorlardı, bazıları topallıyordu, bazılarıysa pek kendinde değildi. Son gelen kişi Keiro oldu, ayaklarının üstüne indi.

Izgaralar gürültüyle kapandı.

Borular aşağı düştü.

Loş figürler maskelerini aksıra tıksıra çıkardılar.

Keiro kendisininkini çıkarınca tozlanmış, yakışıklı yüzü belirdi. Finn hiddetle onun üstüne yürüdü. "Ne oldu? Panik oldum resmen! Neden o kadar geç kaldınız?"

Keiro gülümsedi. "Sakin ol. Aklo gaz bombalarını çalıştıramadı. Konuşarak zaman kazanman iyi oldu." Kadına baktı. "Bunu neden getirdin ki?"

Finn omuz silkti, hâlâ sinirliydi. "O bir rehine."

Keiro tek kaşını kaldırdı. "Uğraşmaya değmez." Başını silahı tutan adama çevirdi; adam parmağını tetikte gezdirdi. Maestra'nın yüzü beyazdı.

"Yukarıda canımı tehlikeye atmamın karşılığını alamayacağım yani." Finn'in sesi sakindi. Kımıldamıyordu ama Keiro ona bakıyordu. Bir an bakıştılar. Sonra kan kardeşi sakince konuştu: "Kadını istiyorsan senin olsun."

"İstiyorum."

Keiro, kadına tekrar göz attıktan sonra omuz silkti. "Zevkler ve renkler tartışılmaz." Başını sallayınca silah indirildi. Sonra Finn'in omzuna bir şaplak vurup giysilerinden bir toz bulutu havalanmasına yol açtı. "İyi iş çıkardın, kardeşim," dedi.

2

Geçmişten bir Dönem seçip yeniden canlandıracağız.

Değişim kaygısından uzak bir dünya yaratacağız!

Cennet olacak!

KRAL ENDOR'UN FERMANI

Meşe ağacı sahici görünüyordu ama genetik olarak yaşlandırılmıştı. Dalları öyle büyüktü ki onlara tırmanmak kolaydı; Claudia eteğini toplayıp daha yukarı tırmanırken küçük dallar kırıldı ve ellerine yeşil likenler bulaştı.

"Claudia! Saat dört!"

Alys'in cırlak sesi gül bahçesinde bir yerlerden gelmişti. Claudia ona aldırmadan yaprakları aralayıp baktı.

Bu yükseklikten bütün araziyi görebiliyordu; mutfak bahçesini, seraları ve portakal ağaçlarını, meyve bahçesindeki boğumlu elma ağaçlarını, kışın içinde dans edilen ahırları. Göle kadar inen uzun, yeşil çimenlikleri ve Hithercross'a giden yolu gizleyen kayın ormanını görebiliyordu. Daha batıda Altan Çiftliği'nin bacaları tütüyordu ve Harmer Tepesi'ndeki eski kilise kulesinin rüzgâr gülü güneşte parlıyordu. Ötede Müdürlük kilometrelerce uzanıyordu; çayırlar, köyler, yollar, nehirlerin yukarısındaki sisli bir mavili yeşilli tarla.

İç geçirip tekrar ağaç gövdesine yaslandı.

Manzara öyle huzurlu görünüyordu ki. Yanıltıcılığı öyle kusursuzdu ki. Buradan gitmekten nefret edecekti.

"Claudia! Çabuk ol!"

Ses hafiflemişti. Dadısı eve doğru gerisin geri koşmuş olmalıydı çünkü güvercinler, yuvalarının yanındaki basamakları tırmanan birisi varmış gibi, havalanıp kaçışıyorlardı. Claudia kulak kabartırken ahırdaki saat çalmaya başladı, çınlamaları sıcak ikindiye yavaş yavaş yayıldı.

Manzara titreşiyordu.

Çok uzaktaki, ana yoldaki faytonu gördü.

Dudaklarını birbirine bastırdı. Babası erken gelmişti.

At arabası siyahtı ve Claudia arabanın tekerleklerinin havalandırdığı toz bulutunu buradan bile seçebiliyordu. Araba dört siyah at tarafından çekiliyordu ve iki yanında atlı uşaklar gidiyordu; Claudia sekiz uşak sayınca sessizce güldü. Incarceron Müdürü'nün yolculuğu ihtişamlıydı. Arabanın kapılarında makam arması vardı ve uzun bir flama rüzgârda dalgalanıyordu. Arabanın siyah ve altın sarısı üniformalı sürücüsü dizginlerle cebelleşiyordu; Claudia rüzgârda bir kırbaç sesini net bir şekilde işitti.

Tepesinde bir kuş cıvıldayarak daldan dala uçtu; Claudia hiç kımıldamadan durunca kuş onun yüzünün yanındaki yaprakların arasına kondu. Sonra şakıdı; kısa, hafif bir ses çıkardı. Bir tür ispinoz olabilirdi.

Claudia cebinden vizörünü çıkardı. Dönem-dışı cihazların yasak olması umurunda değildi. Vizörü gözlerine takınca, lensler optik sinirlerine uyum sağlarken bir an başı döndü; sonra görüntü büyüdü ve Claudia adamların yüzlerini net bir biçimde gördü; babasının kâhyasını, yani demir kırı atın sırtındaki Garth'ı, esmer sekreter Lucas Medlicote'u, alaca ceketli süvarileri.

Vizör öyle etkiliydi ki sürücünün ettiği küfrü dudaklarından okuyabiliyordu neredeyse; sonra köprünün direkleri geride kalınca adamların nehre ve nöbetçi kulübesine vardıklarını fark etti. Bayan Simmy, elinde hâlâ bir bulaşık bezi varken, bahçe kapısını açmaya koşuyordu, tavuklar onun önünden panikle kaçışıyordu.

Claudia kaşlarını çattı. Vizörü çıkarırken, kuş uçup gitti; dünya geri geldi ve at arabası küçüldü. Alys sızlandı: "Claudia! Geldiler! Haydi gel de giyin artık!"

Claudia bir an bunu yapmak istemedi. At arabasının tangır tungur geldiğini, kendisinin ağaçtan inip salına salına arabaya doğru gittiğini, kapıyı açtığını ve babasının karşısında saçı başı dağınık halde, üstünde eteği yırtılmış, yeşil renkli, eski elbisesiyle durduğunu hayal etti.

Daldan inerken, babasının ona armağan getirip getirmediğini merak etti. Adam genellikle hediye getirirdi. Saray leydilerinden birinin seçtiği pahalı, güzel bir şey. Son seferki altın bir kafeste, tiz ötüşlü bir kristal kuştu. Oysa malikâne kuşlarla doluydu ve çoğu gerçekti, pencere kanatlarının dışında uçarak ağız dalaşı yapar ve şarkı söylerlerdi.

Çimenliğe atlayıp geniş, taş basamaklara koştu; basamaklardan inerken karşısında malikâne yükseldi, evin taşları sıcak havada parlıyordu, taretlerinden ve çarpık kenarlarından mor salkımlar sarkıyordu, üç zarif kuğunun yüzdüğü derin hendek karanlıktı. Çatıya yuva yapan kumrular, ötüyor ve kasıla kasıla yürüyorlardı; bazıları da kenarlardaki taretlere uçup mazgallara ve ok atma yerlerine, toplaması nesiller sürmüş –en azından öyle görünüyordu– saman yığınlarına yerleşmişti.

Bir pencere kanadı açıldı; Alys'in kıpkırmızı yüzü belirdi: "*Neredesin!* Onları duymuyor musun?"

"Duyuyorum. Paniklemeyi kes."

Basamakları koşarak çıkarken at arabası ahşap köprüden tangır tungur geçiyordu; Claudia, arabanın titrek siyahlığını parmaklığın aralarından görüyordu; sonra araba, evin biberiye ve lavanta kokulu serin loşluğuna girdi. Mutfaktan çıkan bir hizmetçi kız telaşla reverans yapıp gözden kayboldu. Claudia merdivenden yukarı fırladı.

Odasına girdiğinde Alys dolaptan giysiler çıkarıyordu. İpek bir jüpon, üstüne giyilecek mavili altın sarılı bir elbise, telaşla açılmış korse. Claudia öylece durup korsenin takılmasına izin verdi, o nefret ettiği kafese tekrar tıkıldı. Dadısının omzunun üstünden bakınca minik hapishanedeki açık gagalı, kristal kuşu gördü ve ona kaşlarını çattı.

"Kıpırdama."

"Kıpırdamıyorum!"

"Jared'la birlikteydin herhalde."

Claudia omuz silkti. İçi kararmaya başlamıştı. Açıklama yapmak istemiyordu.

Korse fazla dardı ama o buna alışkındı. Saçları titizlikle tarandı; saçının üzerine geçirilen incili file omuzlarındaki kadifeye sürtündükçe elektriklenip çıtırdıyordu. Soluk soluğa kalmış olan yaşlı kadın geri çekildi. "Kaşlarını çatmazsan daha güzel görünürsün."

"Canım isterse çatarım." Claudia kapıya doğru dönerken bütün elbisenin dalgalandığını hissetti. "Bir gün babamın suratına karşı uluyacağım, çığlık atacağım ve bağıracağım."

"Hiç sanmam." Alys yeşil renkli, eski elbiseyi sandığa kondu. Aynaya göz attı ve gri saçlarını eşarbının altına tıkıştırdı, bir lazerli ciltçubuğunu alıp kapağını açtı ve gözünün altındaki bir kırışıklığı ustaca yok etti.

"Madem ki kraliçe olacağım, beni kim durdurabilir ki?"

"Baban durdurur." Claudia kapıdan çıkarken dadısı arkasından konuşuyordu. "Herkes gibi, senin de ondan ödün kopuyor."

Bu doğruydu. Claudia merdivenden sakince inerken bunun hep doğru olduğunu biliyordu. Hayatı ikiye ayrılıyordu; babasının burada olduğu zamanlar ve uzaklarda olduğu zamanlar. İki hayat yaşıyordu, hizmetçiler de öyle, bütün ev, malikâne, dünya.

Çift sıra halinde dizilmiş, nefes nefese kalmış, terleyen bahçıvanların, sütçü kadınların, uşakların ve fenercilerin arasından geçerek, tangır tungur gelip parke taşlı avluda durmuş at arabasına yaklaşırken babasının bunun farkında olup olmadığını merak etti. Farkındaydı herhalde. Onun gözünden pek bir şey kaçmazdı.

Claudia basamaklarda durup bekledi. Atlar burunlarından soluyordu; toynak sesleri duvarlarla çevrili alanda iyice yüksek çıkıyordu. Birisi bağırınca yaşlı Ralph öne fırladı; uşak üniformalı ve pudralı iki adam arabanın arka tarafından atlayıp kapıyı açtılar ve arabanın merdivenini indirdiler.

Bir an için kapı eşiği karanlık kaldı.

Sonra Claudia'nın babasının eli karoseri kavradı; siyah şapkası, omuzları, çizmesi, dar pantolonuyla dışarı çıktı.

Incarceron Müdürü John Arlex dimdik durup üstündeki tozu eldivenleriyle vurarak silkeledi.

Uzun boylu ve dik duruşlu bir adamdı, sakalı bakımlıydı, frak ceketiyle yeleği birinci sınıf brokardan yapılmaydı. Claudia onu altı aydır görmemişti, oysa adam hiç değişmemiş gibiydi. Onun konumunda birisinin bakımlı olması ve yaşlılık belirtisi göstermemesi gerekirdi ama adam ciltçubuğu bile kullanmıyordu sanki. Claudia'ya bakıp kibarca gülümsedi; siyah kurdeleyle bağlanmış, siyah saçlarının kırçıllığı zarifti.

"Claudia. Seni çok iyi gördüm, canım."

Claudia öne çıkıp yerlere kadar eğilerek reverans yaptı, sonra da babasının onu doğrultarak soğuk bir öpücük kondurduğunu hissetti. Adamın parmakları hep serin ve biraz terli olurdu, dokunuşları rahatsız ediciydi; kendisi de bunun farkındaymışçasına, genellikle, sıcak havada bile eldiven takardı. Claudia onun kendisini değişmiş bulup bulmadığını merak etti. "Ben de sizi baba," diye mırıldandı.

Adam ona bir an daha baktı; gri, sakin gözleri her zamanki gibi sert ve berraktı. Sonra döndü.

"Sana misafirimizi tanıtayım. Kraliçe'nin Şansölyesi. Lord Evian."

Araba sallandı. İçinden son derece şişman bir adam çıktı ve beraberinde getirdiği koku, basamaklardan aşağı neredeyse gözle görülür bir şekilde yuvarlandı sanki. Claudia arkasındaki uşakların meraklandığını hissetti. Kendisininse canı sıkılmıştı sadece.

Şansölye'nin üstündeki mavi ipek takımın zarif, fırfırlı yakası öyle yüksekti ki Claudia, adamın nasıl nefes alabildiğini merak etti. Adamın yüzü kıpkırmızıydı gerçekten de ama reveransı kendinden emindi ve gülümseyişi ihtiyatlı ve hoştu. "Claudia'cığım. Seni son gördüğümde kundakta bebektin. Seni yeniden görmek ne güzel."

Claudia misafir beklememişti. Ana misafir odasının dağınık yatağının üstünde, gelinliğinin yarısı dikilmiş kuyruğu duruyordu. Oyalama taktiklerine başvurması gerekecekti.

"O şeref bize ait," dedi. "Salona buyurun. Yolculukta acıkmışsınızdır, elma şarabımız ve fırından yeni çıkmış keklerimiz var." Umarım vardır, diye düşündü. Dönünce üç uşağın gitmiş ve onların bıraktıkları boşlukların çabucak kapanmış olduğunu gördü. Babası ona sakince baktıktan sonra sıraya dizilmiş, reverans yapan, gözlerini indiren insanlara yüce gönüllülükle kafa sallayarak merdiveni çıktı.

Gerginlikle gülümseyen Claudia hızlı düşündü. Evian, Kraliçe'nin adamıydı. O cadı bu adamı, gelini incelesin diye göndermiş olmalıydı. Eh, Claudia için hava hoştu. Yıllardır bunun için hazırlanıyordu.

Babası kapıda durdu. "Jared yok mu?" dedi usulca. "Umarım iyidir."

"Çok hassas bir iş üstünde çalışıyor sanırım. Geldiğinizi fark etmemiştir herhalde." Claudia doğruyu söylüyordu ama bahane sunuyormuş gibi olmuştu. Babasının buz gibi gülümsemesine sinirlenerek başa geçti ve önden yürüdü, çıplak tahtaları eteğiyle süpürerek salona girdi; burası büyük bir maun büfeye, oymalı sandalyelere ve uzun bir masaya sahip, ahşap panelli, siyah bir odaydı. Büfeye saçılmış lavanta ve biberiye çiçeklerinin arasında elma şarabı sürahileri ve bir tabak dolusu ballı kek görünce rahatladı.

Lord Evian hoş kokuları aldı. "Harika," dedi. "Bu otantiklik Saray'da bile yok."

Olmaz tabii, Saray'ın arka planının çoğu bilgisayar tarafından üretiliyor, diye keyifle düşünen Claudia, "Lordum, Müdürlük'te her şeyin Dönem'e uygun olmasından gurur duyarız," dedi. "Bina gerçekten eski. Hiddet Yılları'ndan sonra tamamen restore edildi."

Babası susuyordu. Masanın başındaki oymalı sandalyeye oturmuştu ve Ralph'ın gümüş kadehlere elma şarabı dökmesini ciddiyetle seyretti. Tepsiyi kaldıran yaşlı adamın eli titriyordu.

"Evinize hoş geldiniz, efendim."

"Seni görmek güzel, Ralph. Kaşların biraz daha grileşse iyi olur. Ayrıca daha büyük bir peruk kullan ve daha fazla pudra."

Ralph eğildi. "Hemen hallederim, Müdür Bey."

Müdür'ün gözleri odada gezindi. Claudia onun, pencere köşesindeki tek bir pleksiglas paneli ve alçı süslemeli tavandaki prefabrik örümcek ağlarını bile gözden kaçırmayacağını biliyordu. Bu yüzden çabucak konuştu: "Majesteleri nasıllar, Lordum?"

"Kraliçe'nin sağlığı mükemmel." Evian kek yerken konuşmuştu. "Senin düğününün hazırlıklarıyla uğraşıyor epeydir. Muhteşem bir düğün olacak."

Claudia kaşlarını çattı. "Ama..."

Adam tombul elini salladı. "Babanın sana plan değişikliğinden söz etmeye fırsatı olmadı tabii."

Claudia'nın içi buz kesti. "Plan değişikliği mi?"

"Korkunç bir şey değil, evladım. Kaygılanmana gerek yok. Bir tarih değişikliği o kadar. Kont, Akademi'den döneceği için."

Clauida kapıldığı kaygıyı belli etmemeye çalıştı. Ama dudaklarını birbirine bastırmış ya da parmak eklemleri beyazlaşmış olmalıydı çünkü babası birden ayaklanıp, "Ekselansları Lord'a odasını göster, Ralph," dedi.

Yaşlı uşak eğildi ve gidip kapıyı gıcırdatarak açtı. Güçlükle ayaklanan Evian'ın takım elbisesinden kırıntılar döküldü. Yere düşünce minik parıltılarla buharlaştılar.

Claudia içinden küfretti. Bununla da ilgilenmek gerekecekti.

Ağır ayakların gıcırtılı merdiveni çıkmalarını, Ralph'ın saygılı mırıltılarını ve şişman adamın yüksek sesle merdiveni, tabloları, Çin vazolarını, damasko duvar kumaşını candan takdir etmesini dinlediler. Adamın sesi, evin güneşli uzaklıklarında nihayet kaybolunca Claudia, babasına baktı. Sonra, "Düğünü öne aldınız demek," dedi.

Adam tek kaşını kaldırdı. "Ha gelecek yıl ha bu yıl, ne fark eder? Eninde sonunda evleneceksin bunu biliyorsun."

"Hazır değilim..."

"Epeydir hazırsın."

Claudia'ya doğru bir adım attı; saat zincirindeki gümüş küp ışıldadı. Claudia geriledi. Babasının Dönem'in katı resmiyetini bir kenara bırakması dayanılmaz olurdu; adamın gerçek kişiliğiyle yüzleşme tehlikesi içini ürpertti. Ama babası kibarlığı elden bırakmadı. "İzninle açıklayayım. Geçen ay Sapientlerden mesaj geldi. Nişanlından bıkmışlar. Ondan... Akademi'yi terk etmesini istemişler."

Claudia kaşlarını çattı. "Neden?"

"Sıradan kabahatler. İçki, uyuşturucu, şiddet, hizmetçi kızları hamile bırakmak. Ahmak delikanlıların yüzyıllardır işlediği türden günahlar. Eğitim umurunda değil çocuğun. Neden umurunda olsun ki? Sonuçta o Steen Kontu ve on sekizine basınca kral olacak."

Panelli duvara gitti ve oradaki portreye başını kaldırıp baktı. Yedi yaşında, çilli, arsız suratlı bir oğlan onlara tepeden bakmaktaydı. Üstünde buruşuk bir kahverengi, ipek takım elbise vardı ve bir ağaca yaslanmıştı.

"Steen Kontu Caspar. Diyar Veliaht Prensi. Hoş unvanlar. Yüzü değişmemiş, değil mi? O zamanlar sadece küstahtı. Şimdiyse düşüncesiz ve kaba; kimseye hesap vermek zorunda olmadığını düşünüyor." Claudia'ya baktı. "Müstakbel kocanla baş etmen zor olacak."

Claudia omuz silkince elbisesi hışırdadı. "Onunla başa çıkabilirim."

"Elbette, başa çıkabilirsin. Bunu garantiledim." Claudia'ya yaklaşıp karşısında durdu ve onu gri gözleriyle süzdü. Claudia gözlerini kaçırmadı.

"Seni bu evlilik için yarattım, Claudia. Seni zevk sahibi, zeki, acımasız birisi haline getirdim. Diyar'daki herkesten daha çok eğitim aldın. Yabancı diller, müzik, eskrim, binicilik; az çok yetenekli olduğunu düşündüğüm her alanda eğitilmeni sağladım. Incarceron Müdürü masraftan kaçınmaz. Sen büyük bir mirasın vârisisin. Seni kraliçe gibi yetiştirdim ve kraliçe olacaksın. Her evlilikte bir yöneten, bir de yönetilen vardır. Gerçi sizinki sadece hanedanların birleşmesi için yapılan bir evlilik olacak ama yine de bu kural değişmez."

Claudia başını kaldırıp portreye baktı. "Caspar'la başa çıkabilirim. Ama annesi..."

"Kraliçe'yi bana bırak. Biz birbirimizi iyi anlıyoruz." Claudia'nın elini alıp yüzük parmağını iki parmağının arasında hafifçe tuttu; gerilen Claudia hiç kımıldamadı.

"Kolay olacak," diye fısıldadı babası.

Sıcak odanın sakinliğinde, pencerenin ardından bir tahtalı güvercinin ötüşü yükseldi.

Claudia elini dikkatle geri çekerek dikeldi. "Ne zaman peki?"

"Gelecek hafta."

"Gelecek hafta mı?"

"Kraliçe hazırlıklara başladı bile. İki gün sonra Saray'a gideceğiz. Kendini hazırla."

Claudia bir şey demedi. Kendini bomboş ve afallamış hissediyordu.

John Arlex kapıya döndü. "Burada iyi iş çıkardın. Dönem'i mükemmel canlandırmışsın, şu pencere hariç. Onu değiştirsinler."

Claudia kımıldamadan usulca konuştu: "Saray nasıldı?"

"Bayıcıydı."

"Peki ya işiniz? Incarceron nasıl gidiyor?"

Adam bir an duraksadı. Claudia'nın kalbi küt küt attı. Sonra babası döndü; sesi soğuk ve meraklıydı. "Hapishane'de her şey yolunda. Neden sordun?"

"Hiç." Claudia gülümsemeye çalıştı; babasının Hapishane'yi nasıl izlediğini, onun yerini merak ediyordu çünkü bütün casusları ona, adamın Saray'dan hiç çıkmadığını söylemişlerdi. Ama Incarceron'un sırları şu anki sorunlarının en önemsiziydi.

"Ah, evet. Az daha unutuyordum." Adam masaya gitti ve oradaki bir deri çantayı açtı. "Sana müstakbel kayınvalidenin gönderdiği hediyeyi getirdim." Hediyeyi çıkarıp masaya bıraktı.

Ona birlikte baktılar.

Sandal ağacından yapılma, üzerine kurdele bağlanmış bir kutuydu.

Claudia elini minik fiyonga gönülsüzce uzattı ama babası, "Bekle," diyerek küçük bir tarama çubuğu çıkardı ve kutunun üstünde gezdirdi. Çubuğun üstünde şekiller parladı. "Zararsız." Çubuğu katladı. "Aç."

Claudia kapağı kaldırdı. İçeride, altından ve incilerden yapılmış bir çerçevenin içinde, gölde yüzen siyah bir kuğunun mineli minyatürü vardı; kızın ailesinin armasıydı bu. Minyatürü çıkarınca kendini tutamayıp gülümsedi; suyun hoş maviliği, kuşun uzun ve zarif boynu hoşuna gitmişti. "Güzelmiş."

"Evet ama seyret."

Kuğu hareket ediyordu. Süzülüyordu sanki, başta sakince; sonra büyük kanatlarını çırparak şahlandı ve Claudia ağaçların arasından yavaşça çıkan bir okun kuşun göğsüne saplandığını gördü. Kuğu altın sarısı gagasını açıp tuhaf, korkunç bir şarkı söyledi. Sonra suya batıp gözden kayboldu.

Babası acı acı gülümsedi. "Ne hoş," dedi.

3

Tehlikeli bir deney olacak ve öngöremediğimiz riskler olabilir. Ama Incarceron son derece karmaşık ve zeki bir sistem olacak. Mahkûmlarına ondan daha iyi ve şefkatli davranan bir gardiyan olamaz.

PROJE RAPORU; MARTOR SAPIENS

Havalandırma borusuna dönüş yolu uzundu ve tüneller basıktı. Maestra başı eğik yürüyordu; suskundu, kendine sarılmıştı. Keiro, Büyük Arko'ya gözünü ondan ayırmamasını söylemişti. Finn en geriden, yaralıların arkasından geliyordu.

Kanadın bu kısmında Incarceron karanlıktı ve büyük ölçüde ıssızdı. Hapishane burada harekete geçme zahmetine pek girmiyordu, nadiren ışıklarını yakıyordu ve dışarı birkaç Kınkanatlı gönderiyordu. Yukarıdaki taş transit yolun tersine, buradaki zeminler, üstüne basınca biraz göçen metal ızgaralardan yapılmıştı; Finn yürürken, üzerindeki metal pullara toz yağan, çömelmiş bir sıçanın gözlerinin parıltısını gördü.

Vücudu kaskatıydı ve ağrıyordu; her pusudan sonra olduğu gibi sinirliydi. Diğer herkes gevşemişti; yaralılar bile sendeleyerek yürürken çene çalıyorlardı ve kahkahalarında rahatlamanın getirdiği canlılık vardı. Finn başını çevirip geriye baktı. Arkalarındaki tünel rüzgârlı ve yankılıydı. Incarceron onları dinliyordu.

Finn konuşamıyordu ve gülmek istemiyordu. Şaka yapan birkaç kişiyi ters ters bakarak uyardı; Lis'in Amoz'u dirsekleyip kaşlarını kaldırdığını gördü. Umursamadı. Asıl kendine kızıyordu, ayrıca korkuyordu ve yakıcı, kavurucu bir gurur duyuyordu çünkü başka kimse öyle zincirlenerek ezilip ölmeyi bekleyecek denli cesur olmamıştı.

Başının tepesinde yükselen o dev tekerlekleri hayal ediyordu, zihninde o anı yeniden hissediyordu.

Ve Maestra'ya kızıyordu.

Comitatuslar tutsak almazlardı. Kurallardan biriydi bu. Keiro sorun değildi ama İn'e geri döndüklerinde Finn meseleyi Jormanric'e açıklamak zorunda kalacaktı ve bundan ürküyordu. Ama kadın onun bileğindeki şekil hakkında bir şeyler biliyordu ve Finn onun ne bildiğini öğrenmek zorundaydı. Böyle bir fırsatı bir daha bulamayabilirdi.

Yürürken o anlık imgelemi düşündü. Her seferinde acı çekerdi; o anı –eğer anıysa– sanki derin ve ızdıraplı bir yerden, geçmişin yitik bir çukurundan parlayarak ve mücadele ederek çıkardı. Ve netliğini korumak güçtü; Finn çoğunu şimdiden unutmuştu bile, bir tabakta duran ve gümüşi kürelerle süslenmiş pasta hariç. Salakça, işe yaramaz bir şeydi. Ona kim olduğuna ve nereden geldiğine dair hiçbir şey söylemiyordu.

Havalandırma borusunun bir tarafı merdivenliydi; merdivene önce keşifçiler, sonra da Mahkûmlar ve savaşçılar üşüştüler, malları ve yaralıları aşağı indirdiler. En son Finn indi, pürüzsüz duvarlarda yer yer görülen çatlaklardan çıkmış, büzülmüş, siyah eğrelti otlarını fark etti. Bunların temizlenmesi gerekecekti, yoksa Hapishane onları hissedip bu kanalı kapatabilir ve tünelin içindeki her şeyi emip kendine geri katabilirdi; geçen yıl öyle olmuştu, bir akından döndüklerinde eski İn'in ortadan kaybolduğunu ve geride sadece kırmızı ve altın sarısı, soyut şekillerle bezeli, geniş, beyaz bir geçidin kaldığını görmüşlerdi.

"Incarceron omuz silkti," demişti Gildas kasvetle.

Finn ilk kez o zaman Hapishane'nin güldüğünü duymuştu.

Koridorlarda yankılanan o soğuk, neşeli kıkırtıyı anımsayınca ürperdi. O ses hiddete kapılmış Jormanric'i susturmuştu, Finn'in tüylerinin korkudan diken diken olmasına yol açmıştı. Hapishane canlıydı. Zalim ve kayıtsızdı ve Finn onun içindeydi.

Son basamaklardan İn'e atladı. Büyük oda her zamanki kadar gürültülü ve dağınıktı; gür ateşlerinin yaydığı ısı rahatsız ediciydi. İnsanlar ganimetlerin etrafında hevesle toplanırken, tahıl çuvallarını açarken, yiyecekleri çıkarırken Finn, kalabalığın arasından ite kaka geçti ve Keiro'yla paylaştığı hücreye yöneldi dosdoğru. Onu durduran olmadı.

İçeri girince ince kapının sürgüsünü kapadı ve yatağa oturdu. Oda soğuktu ve kirli çamaşır kokuyordu ama sessizdi. Yavaşça sırtüstü uzandı.

Derin bir nefes alınca dehşete kapıldı. Bu dehşet ona afallatıcı bir dalga halinde gelmişti; kalbi küt küt atıyordu, öleceğini sandı, sırtından ve üst dudağından buz gibi ter boşandığını hissetti. Dehşeti şimdiye kadar kontrol altında tutmuştu ama bu titrek kalp atışları o dev tekerleklerin titreşimleriydi; avuçlarını kapalı gözlerine bastırırken, tekerleklerin metal kenarlarının tepesinde yükseldiğini, tiz sesler çıkararak kıvılcımlar saçtığını gördü.

Ölebilirdi. Veya daha da kötüsü, ezilip sakat kalabilirdi. Neden, ben yaparım, demişti ki? Neden onlara kendini beğendirmeye çalışıyordu salakça, ihtiyatsızca?

"Finn?"

Gözlerini açtı.

Hemen ardından yan döndü.

Keiro sırtı kapıya dönük halde duruyordu.

"Ne zamandır oradasın?" Finn'in sesi çatlamıştı; hemen genzini temizledi.

"Yeterince uzun zamandır." Kan kardeşi gelip diğer yatağa oturdu. "Yorgun musun?"

"Öyle denebilir."

Keiro başıyla onayladı. Sonra dedi ki, "Ödenecek bir bedel vardır hep. Bunu her Mahkûm bilir." Kapıya baktı. "Yaptığın şeyi onların hiçbiri yapamazdı."

"Ben Mahkûm değilim."

"Artık öylesin."

Finn doğrulup kirli saçlarını ovuşturdu. "Sen de yapabilirdin."

"Eh, evet, yapabilirdim." Keiro gülümsedi. "Ama ben sıradışıyım, Finn, benim sanatım hırsızlık. Acayip yakışıklıyım, tamamen acımasızım, korku nedir bilmem." Başını yana eğdi, Finn'in küçümseyerek gülmesini beklercesine; Finn gülmeyince kendisi güldü ve siyah ceketiyle deri yeleğini çıkardı. Sandığı açıp kılıcı ve tüfeği içine koyduktan sonra giysi yığınını karıştırdı ve siyah dantellerle bezeli, gösterişli bir kırmızı gömlek çıkardı.

Finn, "Öyleyse bir dahaki sefere sen yap," dedi.

"Sıramı savdığımı gördün mü hiç kardeşim? Comitatuslar bize saygı duymayı öğrenmeliler. Keiro ile Finn'e. Korkusuzlara. En iyilere." Sürahiden su dökerek yıkandı. Finn onu bezgince seyretti. Keiro'nun cildi pürüzsüzdü ve kasları esnekti. Deforme olmuş ve aç kalmış insanlarla, sakatlarla ve çiçek bozuğu dilencilerle dolu bu cehennemde kan kardeşi kusursuzdu. Ve öyle kalmaya epeyce özen gösteriyordu. Keiro kırmızı gömleği giydi, değersiz bir çalıntı süsü, yeleye benzeyen saçlarına taktı ve ayna parçasındaki yansımasına dikkatle baktı. Ardına dönmeden konuştu: "Jormanric seni istiyor."

Finn bunu bekliyordu; yine de ürperdi. "Şimdi mi?"

"Hemen şimdi. Temizlensen iyi olur."

Finn temizlenmek istemiyordu. Ama bir an duraksadıktan sonra temiz su alıp kollarına bulaşmış yağ ve benzini ovaladı.

"Kadın konusunda seni desteklerim," dedi Keiro. "Bir şartla."

Finn duraksadı. "Nedir?"

"Bana asıl meseleyi anlatacaksın."

"Anlatacak bir şey..."

Keiro eskimiş havluyu ona fırlattı. "Finn Yıldızgörücü kadınları ve çocukları satmaz. Amoz satar, kalbi nasır tutmuş diğerleri de. Ama sen bunu yapmazsın."

Finn başını kaldırıp baktı; Keiro'nun mavi gözleri onun bakışlarına karşılık verdi.

"Belki de yalnızca size benzemeye başlıyorum."

Sert bezle yüzünü kuruladıktan sonra, üstünü değiştirme zahmetine girmeden kapıya doğru gitti. Keiro'nun sesi onu yarı yolda durdurdu.

"O kadının senin hakkında bir şeyler bildiğini düşünüyorsun."

Finn esefle döndü. "Bazen keşke arkamı koruyacak daha saf birisini seçseydim diye düşünüyorum. Tamam. Evet. Bir şey söylemişti... Öyle bir şey ki... ona sormam gerek. O ölmemeli, ona ihtiyacım var."

Keiro yanından geçip kapıya gitti. "Eh, fazla hevesli konuşma, yoksa Jormanric onu, senin gözünün önünde gebertiverir. Bırak ben konuşayım." Dışarıda dinleyenler olup olmadığını kontrol ettikten sonra başını geriye çevirdi. "Kaşlarını çat ve sessiz ol, kardeşim. Sen bunda iyisin."

***

Jormanric'in hücre kapısının önünde her zamanki gibi iki koruma vardı ama Keiro pişmiş kelle gibi sırıtınca en yakındaki azman adam yana çekildi. Kan kardeşini takip eden Finn, havadaki tanıdık ket kokusu ve onun sarhoş edici dumanı yüzünden boğulacak gibi oldu. Boğazı gıcıklandı; yutkundu, derin nefes almamaya çalıştı.

Keiro çifter çifter duran kan kardeşlerin arasından ite kaka geçerek ön tarafa gitti ve Finn tekdüze kalabalığın içinde, onun parlak kırmızı ceketini takip etti.

İçeridekilerin çoğu yarımadamlardı. Bazılarının ellerinin yerinde metalik pençeler vardı ya da ciltlerini yitirdikleri kısımlar plastik dokuyla yamanmıştı. Bir tanesinin takma gözü gerçek gözden farksızdı ama görmüyordu ve irisi safirdendi. Bunlar en alt tabakaydı, safiler tarafından köleleştirilmişlerdi ve hor görülüyorlardı; Hapishane'nin bazen zalimce, bazen sırf canı istediği için onardığı adamlardı. Bir tanesi, dağınık saçlı, cüce gibi, iki büklüm duran bir adam, yana çekilmekte geç kaldı. Keiro onu bir yumrukta yere serdi.

Keiro yarımadamlardan nefret ederdi. Onlarla asla konuşmazdı, varlıklarını fark etmek için bile gönülsüzdü, onlara İn'deki köpeklere davrandığı gibi davranırdı. Sanki, diye düşündü Finn, onların varlıklarını kendi kusursuzluğuna hakaret olarak görüyor.

Kalabalık geri çekilince savaşçıların arasında kaldılar. Jormanric'in Comitatusları badi badi yürüyen, beceriksiz, kendini korkusuz sanan bir orduydu. Büyük ve Küçük Arko, Amoz ve onun ikizi Zoma, dövüşürken gözünü kan bürüyen narin kız Lis ve onun hiç konuşmayan kan kardeşi Ramill. Yaşlı mahkûmlardan ve böbürlenmeyi seven toy oğlanlardan, kurnaz katillerden ve zehir uzmanı birkaç kadından oluşan bir kalabalıktı. Ve liderleri, kaslı korumalarının arasında duruyordu.

Jormanric ket çiğniyordu her zamanki gibi. Ağzında kalmış birkaç dişi otomatik olarak çalışıyordu, dudaklarıyla sakalını kızıla boyayan tatlı sıvı onlara da bulaşmıştı. Arkasındaki koruması da onunla uyum içinde ket çiğnemekteydi.

Uyuşturucuya tamamen bağışıklığı olmalı, diye düşündü Finn. Onsuz yapamasa da.

"Keiro!" Kanatlordu'nun sesi hırıltılıydı. "Ve Yıldızgörücü Finn."

Son cümlesi alaycıydı. Finn kaşlarını çattı. Amoz'u iterek yanından geçip kan kardeşiyle omuz omuza durdu.

Jormanric koltuğuna yayılmış oturuyordu. İri yarı bir adamdı ve oymalı taht onun için özel olarak yaptırılmıştı; kolçaklarında akın çentikleri ve ket lekeleri vardı. Köpek-köle olarak bilinen kölelerden biri tahta zincirlenmişti; Jormanric zehirlenme ihtimaline karşı yiyeceklerini önce onlara tattırırdı ve çoğu uzun yaşamazdı. Bu seferki yeniydi, son akında ele geçirilmişti, paçavralar içindeydi, saçı başı dağınık bir halde büzülmüştü. Kanatlordu, metal bir savaş ceketi giymişti; örülmüş, uzun ve yağlı saçlarına tılsımlar bağlanmıştı. Kalın parmaklarına yedi tane, ağır kurukafa-yüzüğünü güç bela takmıştı.

Comitatuslara kısık gözlerle, ters ters bakıyordu.

"İyi bir akındı, millet. Yiyecek ve ham metal. Herkese bol bol yetecek kadar."

Odadan mırıltılar yükseldi. Ama *herkesten* kasıt sadece Comitatuslardı; beleşçiler artıklarla yetineceklerdi.

"Ama daha iyi olabilirdi. Salağın teki Hapishane'nin sinirini bozdu." Keti tükürdü ve dirseğinin dibindeki fil dişi kutudan bir tane daha aldı, özenle katlayıp ağzına soktu ve yanağına yasladı. "İki adam öldürüldü." Ağır ağır çiğnerken gözlerini Finn'e dikti. "Ve bir rehine alındı."

Finn ağzını açtı ama Keiro onun ayağına sertçe bastı. Jormanric'in sözünü kesmek hiç iyi bir fikir değildi. Adam yavaş konuşurdu, sinir bozucu duraksamaları olurdu ama göründüğü kadar aptal değildi.

Jormanric'in sakalından ince bir kırmızı tükürük sarkıyordu. "Açıkla, Finn," dedi.

Finn yutkundu ama yanıt veren Keiro oldu; sesi sakindi. "Kanatlordu, kardeşim orada büyük bir riske girdi. Şehirlilerin durmaları, hatta yavaşlamaları bile zordu. Onun sayesinde günlerce karnımız doyacak. Kadını o an canı çekiverdi, küçük bir ödül istedi. Ama Comitatuslar sizin elbette, karar size ait. Kadının hiçbir önemi yok."

Elbette kısmı üstü örtülü bir alaydı. Jormanric çiğnemeyi kesmedi; Finn, adamın bu ince, imalı tehdidi anlayıp anlamadığını kestiremedi.

Sonra Maestra'yı gördü. Kadın kenarda duruyordu, başında muhafızlar vardı, elleri zincirliydi. Yüzü kirliydi ve saçları dağılmıştı. Ödü patlıyor olmalıydı ama dimdik duruyordu, Keiro'ya bakıyordu ve sonra buz gibi gözlerini Finn'e çevirdi. Finn o aşağılamaya dayanamadı. Gözlerini indirdi ama Keiro tarafından dirseklenince kendini hemen dikelmeye zorladı. Zayıf ve kararsız görünürse kaybederdi. Keiro dışında hiçbirine güvenemezdi, asla. Keiro'ya da sırf yemin ettiği için güvenebilirdi.

Jormanric'in bakışlarına küstah gözlerle karşılık verdi.

"Ne kadar zamandır aramızdasın?" diye sordu Kanatlordu sertçe.

"Üç yıldır."

"Yani artık masum değilsin. Gözlerindeki donukluk gitmiş. Artık çığlıklar seni irkiltmiyor. Artık ışıklar sönünce ağlamıyorsun."

Comitatuslar kıkırdadılar. Birisi, "Hâlâ adam öldürmedi," dedi.

"Zamanı geldi," diye mırıldandı Amoz.

Jormanric başıyla onaylayınca, saçlarındaki metaller tıngırdadı. "Olabilir." Finn'e bakıyordu, Finn de gözlerini kaçırmadan ona bakıyordu çünkü Kanatlordu'nun yüzündeki maske inceydi, o tombul ve hantal görünüşünün altında kurnaz zalimliği yatıyordu. Finn şimdi ne olacağını biliyordu; Jormanric neredeyse uykulu bir edayla, "Bu kadını öldürebilirsin," deyince Finn gözlerini kırpmadı bile.

"Öldürebilirim, Lordum. Ama biraz kazanç sağlamayı yeğlerim. Ona Maestra dediklerini duydum."

Jormanric ket kırmızısına boyanmış kaşını kaldırdı. "Fidye mi?"

"Eminim bunu öderler. O kamyonlar mal doluydu." Duraksadı, fazla konuşmaması gerektiğini Keiro'nun ona söylemesine ihtiyacı yoktu. Bir an korkuyla ürperdi ama sonra korkusunu bastırdı. Jormanric her fidyeden pay alırdı. Kabul edecekti mutlaka. Açgözlülüğü efsaneviydi.

Hücre loştu, mumlarının alevleri titreşiyordu. Jormanric bir kadehe şarap koydu; kadehi, küçük köpek-yaratığa doğru uzattı ve şarabı yalamasını seyretti. Ancak köle sağ salim geri çekildikten sonra kendisi içmeye başladı. Sonra elini kaldırıp tersini çevirerek yedi yüzüğü gösterdi. "Bunları görüyor musun, çocuk? Bu yüzüklerin içinde canlar var. Çaldığım canlar. Her biri eskiden düşmanımdı, yavaş yavaş öldürüldüler, işkence çektiler. Her biri parmaklarımdaki bu halkalarda kısılı kaldı. Nefesleri, enerjileri, güçleri çekilip alındı ve bu yüzüklere aktarıldı, ihtiyacım olduğunda kullanayım diye. Bir insan dokuz hayat yaşayabilir Finn, bir hayattan diğerine geçerek ölümü savuşturabilir. Bunu babam yapmıştı, ben de yapacağım. Ama henüz elimde sadece yedi tane var."

Comitatuslar birbirleriyle bakıştılar. Arka taraftaki kadınlar fısıldaştı; bazıları yüzükleri görebilmek için başlarını kaldırdılar. Gümüş kurukafalar uyuşturucu dumanıyla ağırlaşmış havada ışıldıyordu: Bir tanesi Finn'e göz kırptı. Finn kuru dudaklarını ısırınca ket tadı aldı; kan gibi tuzluydu ve gözlerinin kenarlarında lekelerin salınmasına yol açtı. Sırtı terden sırılsıklamdı. Oda dayanılmayacak kadar sıcaktı; sıçanlar çok yukarıdaki kirişlerden aşağı bakıyordu ve karanlıktan bir anlığına fırlayan bir yarasa yeniden karanlığa döndü. Bir köşedeki tahıl yığınını karıştıran üç çocuğu fark eden yoktu.

Jormanric doğruldu. İri yarı bir adamdı, herkesten en az bir baş uzundu. Finn'e tepeden baktı. "Sadık bir adam bu kadının canını liderine sunar."

Sessizlik.

Çıkış yoktu. Finn bunu yapmak zorunda olduğunu biliyordu. Maestra'ya göz attı. Finn'in bakışlarına karşılık veren kadının yüzü solgundu, çökmüştü.

Ama Keiro'nun sakin sesi gerilimi azalttı. "Bir kadının canı mı dediniz, Lordum? Şu sağı solu belli olmayan, aptal, narin, aciz yaratıklardan mı söz ediyorsunuz?"

Maestra aciz görünmüyordu. Öfkeli görünüyordu ve Finn bu yüzden kadına küfretti. Kadın ağlasa, yalvarsa, sızlansa olmaz mıydı? Maestra onun düşüncelerini okumuşçasına başını eğdi ama vücudu gururdan kaskatıydı.

Keiro zarif elini salladı. "O bir erkeğin arzulayabileceği kadar güçlü değil ama istiyorsanız sizin olsun."

Bu fazla tehlikeliydi. Finn afallamıştı. Kimse Jormanric'le dalga geçmezdi. Kimse onu gülünç duruma düşürmezdi. Jormanric ketin etkisinde olsa da bu saldırıyı mutlaka fark etmişti. *İstiyorsanız.* Yani o kadar kötü durumdaysanız. Savaşçılardan bazıları anlamışlardı. Zoma'yla Amoz gizlice bakışıp gülümsediler.

Jormanric öfkeyle baktı. Kadına baktı ve kadın onun bakışlarına karşılık verdi. Sonra Jormanric kırmızı otu tükürdü ve kılıcına uzandı.

"Züppe çocuklar gibi seçici değilim ben," diye homurdandı.

Finn öne çıktı. Bir an içinden kadını alıp götürüvermek geldi ama Keiro, demir gibi eliyle onun kolunu kavramıştı ve Jormanric ayağa kalkıp kılıcının keskin ucunu kadının çenesinin altına dayayarak kadının narin derisini beyazlaştırmış ve onu başını kaldırmaya zorlamıştı. Her şey bitmişti. Finn acı içinde, kadının neyi bilip bilmediğini asla öğrenemeyeceğini düşündü.

Arkadaki bir kapı kapandı.

Sert bir ses konuştu. "Kadının canı değersiz yahu. Çocuğa ver gitsin. Ölümün karşısında yere yatıp bekleyen bir insan ya aptaldır ya da medyumdur. Her halükârda çocuk ödülü hak ediyor."

Kalabalık telaşla açıldı. Sapientlerin koyu yeşil giysilerini giymiş, kısa boylu bir adam ilerledi. Yaşlıydı ama dimdikti ve Comitatuslar bile ona yol verdiler. Adam gelip Finn'in yanında durdu; Jormanric ona yukarıdan haşmetle baktı.

"Gildas. Bu işe niye karışıyorsun?"

"Sen dediğimi yap." Yaşlı adamın sesi sertti; sanki bir çocukla konuşuyordu. "Yakında son iki canına kavuşacaksın. Ama onun," başparmağıyla kadını gösterdi, "canını almayacaksın."

Başkası böyle konuşsa ölürdü. Başkası olsa sürüklenerek dışarı çıkarılıp ayaklarından direğe asılırdı ve iç organlarını sıçanlar yerdi. Ama Jormanric bir an duraksadıktan sonra kılıcı indirdi. "Bana söz ver."

"Söz veriyorum."

"Bilgelerin verdiği sözler tutulmalıdır."

"Tutulacak," dedi yaşlı adam.

Jormanric ona baktı. Sonra kılıcı kınına soktu. "Kadını al götür."

Gildas, kadına huysuzca baktı; kadının kımıldamadığını görünce onu kolundan tutup çekti. "Götürün şunu buradan," diye mırıldandı.

Finn duraksadı ama Keiro hemen harekete geçti ve kadını kalabalığın arasından telaşla götürdü.

Yaşlı adam, Finn'in kolunu pençe gibi hızlı eliyle kavradı. "İmgeler gördün mü?"

"Önemli değildi."

"Buna ben karar veririm." Gildas, Keiro'ya ve sonra arkaya baktı. Küçük, siyah gözleri tetikteydi; huzursuz bir zekâyla hareket ediyorlardı. "Bütün ayrıntıları söyle, çocuk." Finn'in bileğindeki kuş şekline göz attı. Sonra onu bıraktı.

Finn hemen kalabalığın içinden ite kaka geçip dışarı çıktı.

Kadın, İn'in önünde bekliyordu, Keiro'yla ilgilenmiyordu. Dönüp Finn'in önünden yürüyerek köşedeki küçük hücreye gitti; Finn muhafıza yana çekilmesini işaret etti.

Maestra döndü. "Burası ne biçim bir Pislik yuvası?" diye fısıldadı öfkeyle.

"Dinle. Hayattasın..."

"Senin sayende değil." Kadın dikeldi; Finn'den uzun boyluydu ve çok sinirliydi. "Benden istediğin her neyse unut. Cehennemde yanın, katiller."

Finn'in arkasındaki Keiro sırıtarak kapı çerçevesine yaslandı. "Bazı insanlar nankör oluyor," dedi.

4

Sonunda her şey hazır olunca Martor, Sapient meclisini topladı ve gönüllüler istedi. Ailelerini ve dostlarını sonsuza dek terk etmeye hazır olmalıydılar. Yeşil çimenlerden, ağaçlardan, gün ışığından vazgeçmeye. Yıldızları bir daha asla görmemeye.

"Bizler Bilgeleriz," dedi. "Başarmak bizim sorumluluğumuz. En parlak zihinlerimizi mahkûmlara rehberlik etmeye göndermeliyiz."

Kararlaştırılan saatte Kapı odasına yaklaşırken oranın boş olmasından korktuğunu mırıldandığı söylenir.

Kapıyı açtı. Onu yetmiş adam ve kadın bekliyordu. Büyük bir törenle Hapishane'ye girdiler.

Onları bir daha gören olmadı.

ÇELİK KURT ÖYKÜLERİ

O akşam Müdür, saygın konukları için bir akşam yemeği düzenledi.

Uzun masa gümüş takımlarla, kadehlerle ve iç içe geçmiş kuğu resimleriyle süslü tabaklarla görkemli bir şekilde donatılmıştı. Kırmızı bir ipek elbise ve dantel korse giymiş olan Claudia, Lord Evian'ın karşısında oturuyordu; masanın başında oturan babasıysa az yiyor ve usulca konuşuyordu, sakin bakışlarını huzursuz konuklarda gezdiriyordu.

Bütün komşu ve kiracıları emre itaat edip gelmişlerdi. Emirdi, diye düşündü Claudia sıkıntıyla çünkü Incarceron Müdürü'nün daveti geri çevrilemezdi. Herhalde yaklaşık iki yüz yaşında olan Bayan Sylvia bile gelmişti, yanında oturan canı sıkkın genç lorda asılıyor, işve yapıyordu.

Claudia seyrederken genç lord esnemesini özenle bastırdı. Claudia'yla göz göze geldi. Claudia ona tatlı tatlı gülümsedi. Sonra kız göz kırpınca delikanlı bakakaldı. Claudia onunla şakalaşmaması gerektiğini biliyordu; Müdür'ün kızı olarak, babasının adamlarından biri olan bu delikanlıdan çok daha yüksek konumdaydı. Ama o da sıkılmıştı.

Balıklar, tavus kuşları, rostolar ve tatlılar peş peşe geldikten sonra dans başladı; müzisyenler dumanlı salonun yukarısındaki, mumlarla aydınlatılmış bir galerideydiler. Claudia uzun bir sıra halinde dizilmiş dansçıların kalkmış kollarının altından eğilerek geçerken birden enstrümanların uygun olup olmadığını merak etti, viyolalar daha sonraki bir döneme ait olabilir miydi? Ayrıntıları Ralph'a bırakmanın sonu buydu işte. Yaşlı uşak mükemmel bir hizmetçiydi ama iş araştırma yapmaya gelince bazen özensiz olabiliyordu. Babası burada olmasa Claudia için sorun yoktu. Ama Müdür kılı kırk yaran birisiydi.

Son konukları da faytonlarına kadar yolcu edip de malikânenin basamaklarında tek başına durduğunda vakit geceyarısını çoktan geçmişti. Kızın arkasında fenerci iki oğlan uykulu uykulu bekliyorlardı, meşalelerinin alevleri esintide dalgalanıyordu.

"Gidin yatın," dedi Claudia onlara dönmeden.

Meşalelerin aydınlığı ve alevlerin çıtırtısı giderek hafifledi. Gece sessizleşti.

Onlar gider gitmez, Claudia basamakları koşarak indi, bahçe kapısının kemerinin altından geçip hendeğin üstündeki köprüye gitti ve ılık gecenin derin dinginliğini soludu. Gökyüzünde yarasalar uçuşuyordu; onları seyrederken sert fırfırlı yakayı ve kolyeleri çekiştirdi ve kaskatı jüponları elbisesinin altından çıkarıp aşağı, artık kullanılmayan eski tuvalete doğru atınca rahatladı.

Şimdi çok daha iyiydi! Giysileri yarına kadar orada kalabilirdi.

Babası erkenden salondan ayrılmıştı. Lord Evian'ı yukarıdaki kütüphaneye götürmüştü, belki de hâlâ oradaydılar; paradan ve yerleşim merkezlerinden ve Claudia'nın geleceğinden bahsediyorlardı. Babası daha sonra, misafiri gidince ve bütün eve sessizlik çökünce, koridorun sonundaki siyah kadife perdeyi açacaktı ve çalışma odasının şifresi gizli –Claudia o şifreyi aylardır çözemiyordu– kapısını açacaktı. O odaya girecek ve saatlerce, belki günlerce çıkmayacaktı. Claudia'nın bildiği kadarıyla oraya başka giren yoktu. Hizmetçiler, teknisyenler, hatta sekreter Medlicote bile girmiyordu. Claudia da oraya girmemişti.

En azından şimdilik.

Başını kaldırıp kuzey taretine bakınca, tahmin ettiği gibi, en yukarıdaki odada minik bir alev gördü. Duvardaki kapıya çabucak yürüyüp açtı ve merdiveni karanlıkta çıktı.

Babası onu bir alet olarak görüyordu. Yarattığı bir şey olarak... öyle demişti. Dudaklarını birbirine bastırdı, parmakları soğuk ve kaygan duvarda el yordamıyla gezindi. Sağ kalmak için babasının mutlak acımasızlığıyla boy ölçüşmek zorunda olduğunu çoktan öğrenmişti.

Babası onu seviyor muydu? Bir sahanlıkta soluklanırken hafifçe güldü. Bunu hiç bilmiyordu. O babasını seviyor muydu? Ondan korktuğu kesindi. Babası ona gülümserdi, küçüklüğünde bazen onu kucağına alırdı, önemli durumlarda onun elini tutardı, elbiselerini överdi. Ondan hiçbir şeyi esirgememişti, ona hiç vurmamıştı ve kızmamıştı, Claudia sinir krizi geçirip de onun armağanı olan inci kolyeyi kopardığında ya da ata binip giderek, dağlarda günlerce kaldığında bile. Ama Claudia onun soğuk, gri gözlerinin sakinliğinden çok korkmuştu hep; onun hoşnutsuzluğundan korkarak yaşamıştı.

Üçüncü sahanlıktan sonraki merdivenler kuş pislikleriyle kaplıydı. Bunlar kesinlikle gerçekti. Aralarından özenle geçip koridorda el yordamıyla ilerleyerek dönemece ulaştı, üç basamak daha çıktı ve demir sürgülü kapıya vardı. Halkayı tutup hafifçe çevirdi ve içeri göz attı. "Jared? Benim."

Oda karanlıktı. Denizlikte yanan tek bir mumun alevi esintide dalgalandı. Taretin bütün pencereleri açıktı, Ralph'ı deliye döndürecek bir protokol ihlaliydi bu.

Rasathanenin çatısının altındaki çelik kirişler öyle inceydi ki çatı havada yüzüyordu sanki. Büyük bir tekerlekli teleskop doğuya çevrilmişti; ek teleskopları, kızılötesi okuyucuları ve titreşen, küçük bir monitörü vardı. Claudia kafa salladı. "Şuna bak! Kraliçe'nin casusu bunu görse yiyeceğimiz cezalar belimizi büker."

"Görmez. Bu gece epeyce elma şarabı içti."

Claudia başta Jared'ı bulamadı bile. Sonra penceredeki bir gölge hareket etti ve karanlığın içinde vizörden, doğrulmakta olan bir ince figür belirdi. "Şuna baksana, Claudia."

Claudia odada el yordamıyla ilerleyerek sıkışık masaların, usturlabın, asılı kürelerin arasından geçti. Rahatsız olan bir tilki yavrusu denizliğe çıktı.

Jared, Claudia'yı kolundan tutup teleskoba götürdü. "Nebula f345. Ona Gül diyorlar."

Claudia bakınca bunun sebebini gördü. Loş gökyüzü dairesini patlarcasına dolduran, binlerce ışık yılı uzaktaki, krem rengi yıldızlar dev bir çiçeğin taç yaprakları gibi açılmışlardı. Yıldızlar ve kuasarlardan, dünyalardan ve kara deliklerden oluşma, eriyik kalbinde gaz bulutları nabız gibi atan bir çiçek.

"Uzaklığı ne kadar?" diye mırıldandı.

"Bin ışık yılı."

"Yani bin yıl öncesine mi bakıyorum?"

"Belki daha da öncesine."

Afallayan Claudia gözünü mercekten geri çekti. Jared'a dönünce, gözlerini kamaştıran minik ışık patlamaları adamın dağınık, siyah saçlarında, zayıf yüzünde ve vücudunda, cübbesinin altındaki bağlanmamış tunikte gezindiler.

"Düğünü öne aldı," dedi Claudia.

Öğretmeni kaşlarını çattı. "Evet. Elbette."

"Biliyor muydun?"

"Kont'un Akademi'den kovulduğunu biliyordum." Claudia mum ışığına geçen adamın yeşil gözlerinin parladığını gördü. "Bana bu sabah haber verdiler. Sonucu tahmin ettim."

Bozulan Claudia kanepedeki kâğıt yığınını bir vuruşta yere attı ve bezgince oturup bacaklarını salladı. "Eh, haklıymışsın. İki günümüz var. Yetmez, değil mi?"

Adam gelip kızın karşısına oturdu. "Cihazın son testlerine yetmez, hayır."

"Yorgun görünüyorsun, Jared Sapiens," dedi Claudia.

"Sen de Claudia Arlexa."

Adamın göz altları gölgeliydi ve cildi soluktu. Claudia, "Biraz daha uyumalısın," dedi şefkatle.

Adam, hayır, anlamında başını salladı. "Dışarıda evren varken mi? Mümkün değil, Leydim."

Claudia adamın çektiği acı yüzünden uyuyamadığını biliyordu. Jared, tilki yavrusunu çağırınca hayvan gelip onun kucağına atladı, göğsüne ve yüzüne sürtündü.

"Claudia, teorini düşündüm. Nişanlanmana nasıl karar verildiğini anlatmanı istiyorum."

"Eh, sen de buradaydın, değil mi?"

Jared hafifçe gülümsedi. "Sana ezelden beridir buradaymışım gibi gelebilir ama aslında beşinci doğum gününden hemen sonra geldim. Müdür, Akademi'ye en iyi Sapient'i göndermelerini söyledi. Kızının öğretmeni ancak en iyisi olabilirdi."

Babasının sözlerini anımsayan Claudia kaşlarını çattı. Jared ona yan gözle baktı. "Yanlış bir şey mi söyledim?"

"Sen değil." Claudia elini tilkiye uzattı ama hayvan ona sırtını dönüp Jared'ın koltuk altına girdi. Buna içerleyen Claudia, "Eh, hangi nişanlanmayı kastettiğine bağlı," dedi. "İki kez nişanlandım."

"İlki."

"Anlatamam ki. Beş yaşındaydım. Hatırlamıyorum."

"Ama seninle Kral'ın oğlu Giles arasında söz kestiler."

"Dediğin gibi, Müdür'ün kızı en iyisine layıktır." Claudia kalkıp rasathanede dolandı, kâğıtları huzursuzca alıp baktı.

Jared'ın yeşil gözleri onu seyrediyordu. "Yakışıklı çocuktu diye hatırlıyorum."

Claudia ona dönmeden konuştu: "Evet. Sonra her yıl Saray ressamı onun küçük bir resmini gönderdi. Hepsini bir kutuya koydum. On resmi de. Saçları koyu kahverengiydi, yüzü merhametli ve güçlüydü. Hoş bir adam olacaktı." Döndü. "Aslında onunla doğru dürüst sadece bir kez görüştüm. Saray'da yapılan yedinci doğum gününe gitmiştik. Koca bir tahtta oturan küçücük bir çocuktu, hatırlıyorum. Ayaklarının altına kutu koymak zorunda kalmışlardı. İri, kahverengi gözleri vardı. Yanağımdan öpmesine izin verilmişti ve o çok utanmıştı." Bunları anımsayınca gülümsedi. "Oğlanlar nasıl kıpkırmızı kesilir bilirsin. Eh, o kızıllaştı. 'Selam, Claudia Arlexa. Ben Giles,' diyebildi o kadar. Bana bir gül buketi verdi. Onları yaprakları dökülene kadar sakladım."

Teleskoba gidip tabureye yan oturdu, eteğini dizlerine çekti. Claudia merceği ayarlayıp içinden bakarken, Sapient tilki yavrusunu okşadı. "Ondan hoşlanmışsın."

Claudia omuz silkti. "Hiç veliaht gibi durmuyordu. Sıradan bir çocuk gibiydi. Evet, ondan hoşlanmıştım. İyi anlaşabilirdik."

"Ama onun ağabeyinden, Kont'tan hoşlanmadın, öyle mi? O zaman bile?"

Claudia ince ayarları yapıyordu. "Hem de hiç! Pis pis sırıtıyordu. Nasıl bir insan olduğunu hemen anladım. Satrançta hile yapıyordu ve kaybedince masayı deviriyordu. Hizmetçilere bağırıyordu, ayrıca bazı kızlardan birtakım şeyler duydum. Babam... Müdür eve gelip de Giles'ın aniden öldüğünü... bütün planların değişmesinin gerekeceğini söyleyince sinirden deliye döndüm." Dikeldi ve hızla döndü. "Sana o zaman ettiğim yemin hâlâ geçerli. Üstat, ben Caspar'la evlenemem. Onunla evlenmeyeceğim. Ondan iğreniyorum."

"Sakin ol, Claudia."

"Nasıl sakin olayım!" Claudia şimdi ayağa fırlamıştı, ortalıkta dolanıyordu. "Dünyam başıma yıkılmış gibi hissediyorum! Zamanımız var sanıyordum ama sadece birkaç gün kalmış! *Harekete* geçmeliyiz, Jared. Çalışma odasına girmeliyim, makinen test edilmemiş olsa bile."

Jared başıyla onayladı. Sonra tilki yavrusunu kaldırıp yere bıraktı, hayvanın hoşnutsuzlukla hırlamasına aldırmadan. "Gel de şuna bir bak."

Teleskobun yanındaki monitör titreşti. Jared kontrol paneline dokununca ekranda Sapient dilinde sözcükler belirdi; Claudia'nın bütün yalvarmalarına karşın Jared ona bu dilden tek kelime öğretmemişti. Adam yazıları yukarı kaydırırken, açık pencereden içeri dalıveren bir yarasa, geldiği yerden çıkıp gecenin içinde gözden kayboldu. Claudia etrafa bakındı. "Dikkatli olmalıyız."

"Pencereleri şimdi kapayacağım." Jared akan metni dalgınca durdurdu. "Burada." Zarif parmakları bir tuşa dokununca çeviri belirdi. "Bak. Bu Kraliçe'nin yazdığı bir mektubun yanmış müsveddesinin bir parçası, üç yıl önce Saray'daki bir Sapient casus tarafından ele geçirilip kopyalandı. Bana, senin saçma teorini destekleyecek bir şeyler bulmamı söylemiştin..."

"Saçma değil."

"Eh, pek akla yakın gelmeyen teorin diyeyim o zaman, Giles'ın ölümünün..."

"Cinayet olduğu."

"Şüphe uyandıracak kadar ani olduğu. Her neyse, şunu buldum."

Claudia öyle hevesliydi ki onu hemen yana itti. "Nereden buldun?"

Jared tek kaşını kaldırdı. "Bilgelerin sırları vardır, Claudia. Şu kadarını söyleyebilirim, Akademi'deki bir arkadaşım arşivleri araştırdı."

Jared pencerelere giderken Claudia metni hevesle okudu.

... Konuştuğumuz meseleye gelince, hoş değil ama büyük değişimler çoğunlukla büyük fedakârlıkları gerektirir. G, babası öldüğünden beri insanlardan uzak tutuldu; halk gerçekten üzülecek ama kısa zamanda unuturlar, onları kontrol altında tutabiliriz. Senin oynayacağın rolün bizim için paha biçilmez olduğunu söylememe gerek yok. Oğlum kral olunca sana elimden gelen..."

Claudia'nın canı sıkılmıştı. "Hepsi bu mu?"

"Kraliçe her zaman çok dikkatlidir. Saray'da on yedi adamımız var ama doğru dürüst kanıtlar bulabildikleri nadirdir." Son pencereyi de indirince yıldızlar tamamen gözden kayboldu. "O metni bulmak epeyce zor oldu."

"Ama gayet net!" Claudia metni hevesle tekrar okudu. "Yani... *halk gerçekten üzülecek... Oğlum kral olunca..."*

Jared gelip de lambayı yakınca Claudia başını kaldırıp ona baktı; gözleri heyecandan parlıyordu. "Bu onun Giles'ı öldürdüğünü kanıtlıyor, Üstat. Kral'ın veliahdını, Havaarna Hanedanı'nın son ferdini öldürdü, çocuğun üvey kardeşi, yani kendi oğlu tahta geçebilsin diye."

Jared bir an kımıldamadı. Sonra lamba yanınca başını kaldırıp Claudia'ya baktı. Claudia'nın içi karardı. "Sen öyle düşünmüyorsun."

"Seni daha iyi eğittiğimi sanıyordum, Claudia. Savların inandırıcı olmalı. Bu mektup sadece Kraliçe'nin, oğlunun kral olmasını istediğini kanıtlıyor. Bu konuda bir şey yaptığını değil."

"Ama bu G..."

"İsmi o harfle başlayan herhangi biri olabilir." Jared, Claudia'nın bakışlarına amansızca karşılık verdi.

"Öyle düşünüyor olamazsın! Olamazsın..."

"*Benim* ne düşündüğüm önemli değil, Claudia. Böyle bir suçlama yapacaksan, elinde şüpheye yer vermeyecek kadar sağlam kanıtlar olmalı." Adam bir sandalyeye oturdu ve yüzünü ekşitti. "Prens atından düşüp öldü. Doktorlar bunu onayladı. Naaşı, Saray'ın Büyük Salonu'nda üç gün boyunca yattı. Yanından binlerce insan geçti. Baban..."

"Onu Kraliçe öldürtmüş *olmalı.* Onu kıskanıyordu."

"Bunu hiç belli etmedi. Ceset de yakıldı. Yani artık gerçeği öğrenmek imkânsız." Adam iç geçirdi. "Öyle bir suçlama yaparsan nasıl görüneceğini anlamıyor musun, Claudia? İstemediği birisiyle evlendirilmekten kurtulmak için herhangi bir skandala yol açmaya hazır, şımarık bir kız gibi görünürsün."

"Umurumda değil!" diye fısıldadı Claudia öfkeyle. "Ne..."

Adam dikeldi. "Sus!"

Claudia donakaldı. Tilki yavrusu ayaklanmıştı, kulaklarını dikmişti. Kapının altından hafif bir esinti geliyordu.

İkisi de anında harekete geçtiler. Claudia pencereye koşup camı kararttı; dönüp bakınca Jared'ın parmaklarının kontrol panelinde gezindiğini, merdivenlere yerleştirdiği sensörlerle alarmları kontrol ettiğini gördü. Küçük kırmızı ışıklar dans etti.

"Ne?" diye fısıldadı Claudia. "Ne var?"

Adam bir an cevap vermedi. Sonra kısık sesle konuştu. "Orada bir şey vardı. Küçük bir şey. Belki de bir dinleme cihazı."

Claudia'nın kalp atışları hızlandı. "Babam mı?"

"Kimbilir? Lord Evian da olabilir. Ya da Medlicote."

Loşlukta uzun süre öylece durup kulak kabarttılar. Gece sessizdi. Uzakta bir köpek havladı. Hendeğin ardındaki çayırdaki bir koyunun hafif melemesini, avlanan bir baykuşun sesini duydular. Bir süre sonra odadaki bir hışırtı onlara tilki yavrusunun tekrar uykuya daldığını haber verdi. Alevi titreşen mum söndü. Claudia sessizlikte konuştu: "Yarın çalışma odasına gireceğim. Giles hakkında bir şey öğrenemesem bile en azından Incarceron hakkında öğrenirim."

"Baban evdeyken..."

"Bu son şansım."

Jared uzun parmaklarını dağınık saçlarında gezdirdi. "Claudia, gitmelisin. Bunu yarın konuşuruz." Sonra birden yüzü bembeyaz kesildi, ellerini masaya yasladı. Eğilip derin soluklar aldı.

Claudia teleskobun etrafından usulca dolandı. "Üstat?"

"İlacım. Lütfen."

Claudia mumu kapıp sallayarak tekrar yaktı ve Dönem'e yüzüncü kez küfretti.

"Nerede?.. Bulamıyorum..."

"Mavi kutu. Usturlabın yanında."

Claudia el yordamıyla aradı; kalemleri, kâğıtları, kitapları, kutuyu tuttu. Kutunun içinde küçük bir şırınga ve ampuller vardı; bir tanesini şırıngaya dikkatle takarak adama götürdü. "Ben yapayım mı?.."

Adam hafifçe gülümsedi. "Hayır, ben yapabilirim."

Claudia lambayı yaklaştırdı; adam kolunu sıyırınca Claudia damarın etrafındaki sayısız iğne izini gördü. Adam mikroaşılayıcıyı derisine hafifçe dokundurup kendine özenle iğne yaptı ve şırıngayı kutuya geri koyarken sakin ve daha rahat bir sesle konuştu. "Sağ ol, Claudia. O kadar korkmuş görünme. Bu hastalık beni on yıldır yavaş yavaş öldürüyor, acelesi yok. On yıl daha yaşarım herhalde."

Claudia gülümseyemedi. Böyle zamanlarda dehşete kapılıyordu. "Birisini göndereyim mi?.." dedi.

"Hayır, hayır. Ben yatıp uyuyayım." Mumu Claudia'ya verirken, "Merdivenlerden inerken dikkatli ol," dedi.

Claudia gönülsüzce kafa sallayıp onayladı ve yürüdü. Kapıda durup döndü. Adam bunu bekliyormuş gibiydi; kutuyu kapatırken, yüksek yakalı Sapient cübbesinin koyu yeşili tuhaf bir ışık saçıyordu.

"Üstat, o mektup. Onun kime yazıldığını biliyor musun?"

Adam başını sallayıp mutsuz bir biçimde baktı. "Evet. Bu yüzden babanın çalışma odasına bir an önce girmeliyiz."

Claudia sıkıntıyla iç geçirince mumun alevi titreşti. "Yani..."

"Korkarım, evet, Claudia. Kraliçe o mektubu babana yazdı."

5

Bir adam vardı, ismi Sapphique'ti. Nereden geldiğini bilen yok. Kimileri Hapishane'de doğduğunu, Hapishane'nin depolanmış ögelerinden yaratıldığını söylüyor. Kimileri onun Dışarı'dan geldiğini söylüyor çünkü o oraya geri dönebilen tek insan oldu. Kimileri onun insan değil, delilerin rüyalarında gördükleri ve yıldız adını verdikleri parlak ışıklardan gelme bir yaratık olduğunu söylüyor.

Kimileriyse onun bir yalancı ve aptal olduğunu söylüyor.

SAPPHIQUE EFSANELERİ

"Bir şeyler yemelisin." Finn, kadına kaşlarını çatarak tepeden baktı. Kadın başka tarafa bakıyordu ısrarla, kapüşonu yüzünü örtüyordu.

Tek kelime etmiyordu.

Finn tabağı bırakıp ahşap sıraya, kadının yanına oturdu ve yorgun gözlerini avuçlarıyla ovuşturdu. Etraftan kahvaltı yapan Comitatusların gürültüsü geliyordu. Işıkyanması'ndan bir saat sonrasıydı; kırık olmayan kapıların, Finn'in ancak yıllar sonra alışabildiği yüksek çatırtılarla açılmasından beri bir saat geçmişti. Başını kaldırıp tavan kirişlerine bakınca Hapishane'nin Gözleri'nden birinin merakla baktığını gördü; o küçük kırmızı ışık hiç kırpışmadan aşağı bakıyordu.

Finn kaşlarını çattı. Başkaları Gözler'e dikkat etmezdi ama Finn onlardan nefret ediyordu. Kalkıp ona sırtını döndü. "Benimle gel," dedi sert bir sesle. "Daha sessiz bir yere gidelim."

Kadının takip edip etmediğine bakmadan hızla yürüdü. Keiro'yu daha fazla bekleyemezdi. Keiro ganimetlerden paylarını almaya gitmişti çünkü bu tür işlerle hep Keiro ilgilenirdi. Finn, kan kardeşinin onu neredeyse kesin olarak kandırdığının epeydir farkındaydı ama buna bir türlü aldırış etmiyordu. Şimdi bir kemerli geçitten eğilerek geçip karanlığa zarifçe döne döne inen geniş bir merdivenin tepesine geldi.

Burada sesler hafifti ve mağaramsı boşluklarda tuhaf tuhaf yankılanıyorlardı. Birkaç cılız köle kız telaşla geçip gitti; dehşete kapılmış gibiydiler, Comitatuslardan biri onlara ne zaman baksa bu hale gelirlerdi. Görünmez tavandan sarkan devasa zincirlerin her halkası insan boyundan büyüktü. Bazılarına dev-örümcekler yuva yapmıştı, metalleri yapışkan ağlarıyla kaplamışlardı. Yarısı sindirilmiş bir köpek, kozalardan birinden baş aşağı sarkıyordu.

Finn arkasını dönünce Maestra'yı gördü.

Yaklaşıp kısık sesle konuştu. "Dinle beni. Seni getirmem gerekiyordu. Canını yakmak istemiyorum. Ama transit yolda bir şey söylemiştin. Bunu tanıdığını söylemiştin."

Kolunu sıyırıp bileğini uzattı.

Kadın bileğe küçümseyerek baktı. "Sana acımakla aptallık ettim."

Finn sinirlense de kendine hâkim oldu. "Bilmem gerek. Kim olduğumu, bu işaretin ne anlama geldiğini bilmiyorum. Hiçbir şey hatırlamıyorum."

Kadın şimdi ona baktı. "*Hücre-çocuğu* musun?"

Finn bu adı sevmezdi. "Öyle diyorlar."

"Onları duymuştum ama hiç görmemiştim," dedi kadın.

Finn gözlerini kaçırdı. Kendisi hakkında konuşmaktan rahatsız olmuştu. Ama kadının ilgisini hissediyordu; bu onun tek şansı olabilirdi. En üst basamağa oturdu, yontulmuş taşın soğukluğunu avuçlarında hissetti. Karanlığa bakarak, "Uyanıverdim," dedi. "Hepsi buydu. Her şey karanlık ve sessizdi, zihnim bomboştu, kim olduğumu ve nerede olduğumu hiç bilmiyordum."

Kapıldığı panikten, içinde kabaran ve kendini o küçük, havasız hücrenin duvarlarına vurmasına, vücudunu morartmasına yol açan o korkunç, çığlık çığlığa panikten bahsedemezdi kadına. Hüngür hüngür ağlayıp kustuğunu; bir köşeye, zihninin köşesine, hücrenin köşesine –ikisi aynı şeydi, ikisi de bomboştu– sinip günlerce titrediğini ona söyleyemezdi.

Kadın tahmin etmişti belki de; gelip Finn'in yanına otururken elbisesi hışırdadı.

"Kaç yaşındaydın?"

Finn omuz silkti. "Ne bileyim? Üç yıl önceydi."

"Yani on beş civarındaydın. Oldukça gençmişsin. Bazılarının deli ve yaşlı doğduklarını duymuştum. Şansın varmış."

Az da olsa sempati. Finn kadının sert sesinde bunu fark etti, onun pusudan önceki ilgisini hatırladı. Merhametli bir kadındı.

Finn'in bu zaaftan faydalanması gerekiyordu. Keiro'dan öğrendiği gibi.

"Aslında ben de *deliydim*, Maestra. Zaman zaman deliriyorum hâlâ. Geçmişsiz olmak, kendi adını, nereden geldiğini, nerede olduğunu, ne olduğunu bilmemek nasıl bir şeydir bilemezsin. Kendimi bilmeye başladığımda üstümde gri bir tulum vardı, tulumun üzerinde bir isim ve bir sayı yazılıydı. İsim FINN'di, sayıysa 0087/2314'tü. Bu numaraları defalarca okudum. Ezberledim, taşlara sivri şeylerle kazıdım, kollarıma kazıdım. Yerde hayvan gibi süründüm, pistim, saçım uzuyordu. Gündüzüm ve gecem, ışıkların yanıp sönmesiydi. Duvardaki bir delikten tepsiyle yiyecek veriyorlardı; ben de dışkımı oradan dışarı veriyordum. Bir iki kez o delikten geçmeye çalıştım ama hemen kapanıverdi. Genellikle sersem gibiydim. Uyuyunca da kâbus görüyordum."

Kadın ona bakıyordu. Finn onun bütün bunların ne kadarının doğru olduğunu merak ettiğini sezdi. Kadının elleri güçlü ve becerikliydi; elleriyle epeyce çalışmış olduğu belliydi ama tırnaklarını kırmızıya boyamıştı aynı zamanda. "Adını bilmiyorum," dedi Finn usulca.

"Adım önemli değil." Kadının gözleri sakindi. "Bu hücrelerden bahsedildiğini duymuştum. Sapientler onlara Incarceron'un Rahimleri diyor. Hapishane o hücrelerde yeni insanlar yaratıyor; çocuk ya da yetişkin olarak ortaya çıkıyorlar, eksiksizler, yarımadamlar gibi değiller. Ama sadece gençler sağ kalıyor. Incarceron'un Çocukları."

"Bir şey sağ kaldı. Ama ben miyim emin değilim." Finn ona kâbuslarında gördüğü kopuk kopuk görüntülerden, şimdi bile hâlâ uyandığında kendini belleksiz bulup paniğe kapıldığından, ismini ve bulunduğu yeri anımsamaya çalıştığından ve ancak

Keiro'nun hafif soluklarını duyunca rahatladığından bahsetmek istedi. Ama bunun yerine, "Ve hep Göz vardı," dedi. "Başta ne olduğunu bilmiyordum, onu sadece geceleri fark ediyordum, tavanın yakınında parlayan minik bir noktaydı. Onun sürekli orada olduğunu giderek fark ettim, beni izlediğini ve ondan kurtulamayacağımı düşünmeye başladım. Onun ardında meraklı ve zalim bir zekâ olduğunu düşünmeye başladım. Ondan nefret ettim, saklanmaya çalıştım, onu görmeyeyim diye rutubetli duvarlara dönüp büzüldüm. Ama eninde sonunda dönüp hâlâ orada mı diye bakıyordum ister istemez. Sonunda içimi rahatlatmaya başladı. Gitmesinden korktum, beni terk edeceğini düşünmeye dayanamıyordum. O zaman onunla konuşmaya başladım."

Bunu Keiro'ya bile anlatmamıştı. Kadının sessizliği, yakınlığı, rahatlatıcı sabun kokusu... Bunlara benzer şeyler deneyimlemiş olmalıydı bir zamanlar çünkü onun giderek sertleşen bir sesle ve gönülsüzce de olsa konuşmayı sürdürmesine yol açıyorlardı.

"Sen Incarceron'la konuştun mu hiç, Maestra? Gecenin zifirî karanlığında, herkes uyurken? Ona fısıldayarak dua ettin mi? Hiçlik kâbusunu sona erdirsin diye ona yalvardın mı? Hücre-çocukları bunu yaparlar. Çünkü dünyada başka hiç kimse yoktur. Dünya *odur.*"

Sesi çatlamıştı. Kadın ona bakmamaya özen göstererek, "Ben hiç o kadar yalnız kalmadım," dedi. "Bir kocam var. Çocuklarım var."

Finn yutkundu, kendine acıma halinin kadının öfkesinin karşısında geçtiğini fark etti. Belki kadın da onu manipüle etmeye çalışıyordu. Finn dudağını ısırdı ve gözlerine düşmüş saçlarını geriye attı, gözlerinin yaşlı olmasını umursamıyordu. "Eh, sen şanlısın Maestra çünkü benim Hapishane'den başka kimsem olmadı ve Hapishane'nin kalbi taştandır. Ama devasa olduğunu ve onun içinde yaşadığımı, küçücük ve kayıp bir yaratık olduğumu, onun beni yutmuş olduğunu giderek anlamaya başladım. Ben onun çocuğuydum, o da benim babamdı, akıl almayacak kadar büyüktü. Buna emin olduğumda, apışıp kalacak ve suskunlaşacak denli emin olduğumda kapı açıldı."

"Bir kapı vardı yani!" Kadının sesi alaycıydı.

"Varmış. Başından beri. Küçüktü ve gri duvarda belli olmuyordu. O karanlık dikdörtgene uzun uzun, belki saatlerce baktım; içeri neler girebileceğini düşünüp korktum, ardından gelen hafif seslerden ve kokulardan korktum. Sonunda oraya sürünerek gidip de dışarı bakma cesaretini topladım." Kadının artık ona baktığını biliyordu. Ellerini kavuşturup titremeyen bir sesle konuşmayı sürdürdü. "Kapının ardında tepeden aydınlanan, boru şeklinde, beyaz bir koridor vardı sadece. İki yönde göz alabildiğince uzanıyordu ve çıkışı yoktu, başı sonu yoktu. Daralıp loşlaşarak gözden kayboluyordu. Ayağa kalktım..."

"Yürüyebiliyordun yani?"

"Güçlükle. Çok halsizdim."

Kadın neşesizce gülümsedi. Finn çabucak devam etti. "Dizlerimin bağı çözülene kadar sendeledim ama koridor önümde önceki gibi dümdüz ve yalın bir şekilde uzanıyordu. Işıklar söndü ve beni izleyen Gözler kaldı sadece. Birini geride bırakınca karşıma bir diğeri çıkıyordu ve bu beni rahatlatıyordu çünkü Incarceron'un beni kolladığını, güvenliğe götürdüğünü sanıyordum salak gibi. O gece yığılıp kaldığım yerde uyudum. Işıkyanması'nda baktım ki kafamın yanında bir tabak dolusu beyaz, tatsız yiyecek var. Karnımı doyurup yola devam ettim. O koridorda iki gün yürüdüm; aynı yerde yürüyüp durduğumu, hiçbir yere gitmediğimi, asıl koridorun hareket ettiğini, yanımdan akıp gittiğini, korkunç bir yürüyen bantta olduğumu ve sonsuza dek yürüyeceğimi düşünmeye başladım. Sonra bir taş duvara çarptım. Duvarı umutsuzca yumrukladım. Açılınca dışarı düştüm. Karanlığın içine."

Finn öyle uzun süre suskun kaldı ki kadın, "Ve kendini burada buldun, öyle mi?" dedi.

Kadın ister istemez ilgilenmişti. Finn omuz silkti. "Kendime geldiğimde bir yük arabasında, bir tahıl yığınında, birkaç düzine sıçanın arasında yatıyordum. Comitatuslar devriye gezerken beni bulmuşlar. Beni köle yapabilirlerdi ya da boğazımı kesebilirlerdi. Onları Sapient vazgeçirmiş. Gerçi Keiro, bunu ben yaptım, diyor."

Kadın sertçe güldü. "Eminim o yapmıştır. Peki, o tüneli bulmaya çalışmadın mı hiç?"

"Çalıştım. Bulamadım."

"Ama bu... hayvanların arasında yaşamak."

"Başka kimse yoktu ki. Hem Keiro'nun bir kan kardeşine ihtiyacı vardı. Buralarda kan kardeşi olmadan yaşanmaz. İmgelemlerimin... faydalı olabileceğini düşünüyordu, belki de işine yarayacak kadar pervasız olduğumu fark etmişti. Ellerimizi kesip kanlarımızı karıştırdık ve zincirlerden oluşma bir kemerin altına sürünerek gittik. Buradakiler öyle yapıyor, kutsal bir bağ kuruyorlar. Birbirimizi kolluyoruz. Biri ölürse diğeri onun intikamını alır. Kan kardeşliği asla bozulamaz."

Kadın etrafa bakındı. "Ben olsam onu seçmezdim. Peki, ya Sapient?"

Finn omuz silkti. "Arada sırada hatırladığım anıları Sapphique'in gönderdiğine inanıyor. Çıkış yolunu bulalım diye gönderdiğine." Kadın susuyordu. Finn usulca konuştu: "Artık hayat hikâyemi biliyorsun, şimdi bana derimdeki işareti anlat. Bir kristalden bahsetmiştin..."

"Sana iyilik etmek istedim." Kadının dudakları gergindi. "Mükafatım kaçırılmak oldu, üstelik insan canlarını biriktirip kullanabildiğine inanan bir haydut tarafından öldürüleceğim muhtemelen. Onları gümüş yüzüklerde saklıyormuş!"

"O konuda şaka yapma," dedi Finn huzursuzca. "Tehlikeli."

"Sen buna inanıyor musun?" Kadın çok şaşırmış gibiydi.

"Doğru söylüyor. Babası iki yüz yıl yaşadı..."

"Saçma!" Kadın son derece küçümseyiciydi. "Babası uzun yaşamış olabilir ama bu, hep en iyi yiyecek ve giysilere sahip olduğu ve tehlikeli işleri salak adamlarına yaptırdığı içindir herhalde. Senin gibilere." Kadın dönüp Finn'e öfkeyle baktı. "Yufka yürekliliğimden istifade ettin. Hâlâ da ediyorsun."

"Etmiyorum. Seni kurtarmak için kendimi tehlikeye attım. Bunu gördün."

Maestra, dudaklarını birbirine bastırarak, hayır dercesine başını salladı. Sonra onu kolundan tutarak, geri çekilmesine fırsat vermeden, adamın eskimiş yenini yukarı çekti.

Finn'in kirli cildinde morluklar vardı ama yara izi yoktu.

"Yaralarına ne oldu?"

"İyileştiler," dedi Finn usulca.

Kadın onun yenini tiksintiyle bırakıp sırtını döndü. "Bana ne olacak peki?"

"Jormanric, senin halkına mesaj gönderecek. Fidye olarak ağırlığınca hazine isteyecek."

"Ya ödemezlerse?"

"Öderler."

"*Ya* ödemezlerse?" Kadın döndü. "O zaman ne olacak?"

Finn mutsuzca omuz silkti. "Burada köle olursun. Maden cevheri işlersin, silah yaparsın. Tehlikeli iştir. Fazla yemek vermezler. Jormanric ölümüne çalıştırır."

Kadın, başını sallayarak onayladı. Karanlık merdivene bakarak derin bir nefes aldı; Finn soğuk havada onun nefesinin buharını gördü. Sonra kadın konuştu: "Öyleyse bir anlaşma yapalım. Ben kristali getirteyim, sen de beni serbest bırak. Bu gece."

Finn'in kalp atışları hızlandı. Ama, "O kadar kolay değil..." dedi.

"O kadar kolay. Yoksa sana hiçbir şey vermem, Hücre-çocuğu Finn. Hiçbir şey. Asla."

Kadın dönüp siyah gözlerini ona dikti. "Ben halkımın Maestra'sıyım ve Pisliklere asla boyun eğmem."

Cesur kadın, diye düşündü Finn ama kadının dünyadan haberi yoktu. Jormanric bir saatten az bir sürede onu her şeyi vermek için yalvaracak hale getirebilirdi. Ama Finn böyle durumlara çok fazla tanık olmuştu, bu, midesini bulandırıyordu.

"Kristali, fidyeyle birlikte getirmeliler."

"Buna mecbur kalmalarını istemiyorum. Beni bulduğun yere götürmeni istiyorum, bugün, kapılar kapanmadan önce. Oraya gittiğimizde..."

"*Yapamam.*" Finn birden ayaklandı. Arkasından sinyal çanının sesi gelince İn'de yaşayan, duman rengi bir kumru sürüsü karanlıktan uçarak çıktı. "Derimi canlı canlı yüzerler!"

"O senin sorunun." Kadın acı acı gülümsedi. "Bir yalan uydurabilirsin eminim. Bu konuda uzmansın."

"Sana söylediğim her şey doğru." Finn birden kendini ona inandırma ihtiyacı duydu.

Kadın yüzünü onunkine yaklaştırdı; gözleri vahşiydi. "Pusu kurarken anlattığın talihsizlik masalı gibi mi?"

Finn, kadının bakışlarına karşılık verdi. Sonra gözlerini indirdi. "Seni serbest bırakamam. Ama bana o kristali verirsen, söz veriyorum ki evine sağ salim dönersin."

Bir an buz gibi bir sessizlik oldu. Kadın ona sırtını dönüp kendine sarıldı. Finn, kadının anlatmak üzere olduğunu anladı. Maestra'nın sesi kasvetliydi.

"Pekâlâ. Bir süre önce adamlarım terk edilmiş bir salon buldular. Salonun girişine içeriden duvar örülmüştü, belki yüzyıllardır kapalıydı. Havası pisti. İçeri sürünerek girince toza dönüşmüş bazı giysiler, mücevherler, bir de erkek iskeleti bulduk."

"Eee?" Finn ilgiyle bekledi.

Kadın ona yan yan baktı. "Adamın elinde, kristalden veya ağır camdan yapılma, küçük, silindir şeklinde bir artefakt[1] vardı. Bunun içinde kanatlarını açmış bir kartal hologramı var. Kartal bir pençesinde bir küre tutuyor. Boynunda da bir taç var, tıpkı senin kartal gibi."

Finn bir an konuşamadı. Nefes almasına fırsat kalmadan kadın, "Beni koruyacağına yemin etmelisin," dedi.

Finn, kadının elini tutmak, hemen şimdi onunla birlikte kaçmak, tünele geri dönüp yukarı, transit yola tırmanmak istedi.

---

1 İnsan eliyle oluşturulmuş ya da çok az da olsa değişime uğratılmış olan ürün, yapay yapı ya da görünüm. (ed.n.)

Ama, "Fidyeyi ödemeleri gerek," dedi. "Şu an elimden bir şey gelmez, kaçmaya kalkarsak ikimizi de öldürürler. Keiro'yu da."

Maestra bezgince kafa sallayıp onayladı. "Ağırlığımca hazine vermeleri, varımızı yoğumuzu vermeleri demek."

Finn yutkundu. "Öyleyse sana şu konuda –canım üstüne, Keiro'nun canı üstüne– yemin ederim ki fidyeyi verirlerse kılına bile zarar gelmeyecek. Anlaşmaya uyulmasını sağlayacağım. Elimden ancak bu kadarı gelir."

Maestra doğruldu. "Bir zamanlar hücre-çocuğu olsan bile," dedi soluk soluğa, "Pislik'e dönüşüyorsun hızla. Ayrıca sen de burada benim gibi bir tutsaksın."

Finn'in karşılık vermesini beklemeden İn'e geri döndü. Finn bir elini ensesinde yavaşça gezdirdi, terinin ıslaklığını hissetti. Vücudunun gerilmiş olduğunu fark etti; kendini nefes vermeye zorladı. Sonra donakaldı.

Karanlık merdivende, on basamak aşağıda karanlık bir figür oturuyordu, parmaklığa yaslanmıştı.

Finn kaşlarını çattı. "Bana güvenmiyor musun?"

"Sen çocuksun, Finn. Safsın." Keiro bir altın parayı parmaklarının arasında düşünceli bir edayla çevirdi. Sonra, "Bir daha benim canımın üzerine yemin etme," dedi.

"Öyle demek istemedim..."

"Sahi mi?" Kan kardeşi birden ayağa fırlayıp basamakları çıktı ve Finn'in karşısında durdu. "Tamam. Ama şunu unutma. Sen ve ben birbirimize bağlılık yemini ettik. Jormanric onu herhangi bir şekilde kandırdığını düşünürse, ikimiz de kendimizi, onun o güzel, küçük yüzüklerinin içinde buluruz. Ama benim ölmeye niyetim yok, Finn. Hem bana borçlusun. Seni bu savaş grubuna getiren benim; kafan bomboştu ve korkudan aptallaşmıştın." Omuz silkti. "Niye uğraştım, diye düşünüyorum bazen."

Finn yutkundu. "Uğraştın çünkü kibrine, küstahlığına ve hırsızlığına katlanacak başka birini bulamazdın. Uğraştın çünkü senin kadar pervasız olabileceğimi gördün. Hem Jormanric'le kapışacağın zaman arkanı korumak için bana ihtiyacın olacak."

Keiro alaycı bir edayla kaşını kaldırdı. "Bunu da nereden..."

"Bir gün bunu yapacaksın. Belki yakınlarda. Bugün bana yardım et, ben de sana yardım edeyim, kardeşim." Kaşlarını çattı. "Lütfen. Benim için çok önemli."

"O aptalca fikre, Dışarı'dan geldiğin fikrine kafayı takmışsın."

"Aptalca değil. Bence değil."

"Sen ve Sapient. İki tane salak, tam birbirinize layıksınız." Finn karşılık vermeyince Keiro sert bir kahkaha attı. "Sen Incarceron'da doğdun, Finn. Bunu kabullen. Kimse Dışarı'dan gelmez. Kimse kaçmaz! Incarceron kapalıdır. Hepimiz burada doğduk ve burada öleceğiz. Annen seni bırakıp gitti ve onu hatırlamıyorsun bile. O kuş resmi de bir kabilenin arması sadece. Boş ver onu."

Finn boş vermeyecekti. Boş veremezdi. İnatla konuştu: "Burada doğmadım. Çocukluğumu hatırlamıyorum ama bir zamanlar çocuktum. Buraya nasıl geldiğimi hatırlamıyorum ama tellerden ve kimyasallardan oluşma yapay bir rahimde büyütülmedim. Ve bu," bileğini kaldırdı, "kanıtım olacak."

Keiro omuz silkti. "Hâlâ kaçık olduğunu düşünüyorum bazen."

Finn kaşlarını çattı. Sonra merdiveni çıktı.

Tepeye çıkınca karanlıkta, çömelmiş bir şeyin üstünden geçmek zorunda kaldı. Jomanric'in köpek-kölelerinden birine benziyordu bu, zincirini zorluyordu, bir şakacının onun erişemeyeceği uzaklığa koyduğu bir kâse suya ulaşmaya çalışıyordu. Finn kâseyi ayağıyla iterek ona yaklaştırdıktan sonra yürümeye devam etti.

Kölenin zinciri şıngırdadı.

Köle, Finn'in uzaklaşmasını karmakarışık tüylerinin arasından, ufak gözleriyle seyretti.

6

Incarceron'un yerini sadece Müdür'ün bilmesine en baştan karar verildi. Bütün suçlular, istenmeyen kişiler, siyasi radikaller, yozlaşmış insanlar, deliler oraya götürülecekti. Kapı kapatılacak ve Deney başlayacaktı. Incarceron'un, gereken her şeyi –eğitim, dengeli beslenme, egzersiz, ruh sağlığı ve verimli çalışma– sağlayarak bir cennet oluşturacak programının hassas dengesini hiçbir şeyin bozmaması şarttı.

Yüz elli yıl geçti. Müdür'ün raporuna göre mükemmel bir ilerleme kaydediliyor.

SARAY ARŞİVLERİ 4302/6

"Tadı nefisti!" Lord Evian tombul dudaklarını beyaz bir peçeteyle sildi. "Gerçekten bana bunun tarifini vermelisin, canım."

Claudia masa örtüsüne tırnaklarıyla vurmayı kesip neşeyle gülümsedi. "Tarifini sizin için yazdırırım, Lordum."

Babası onu masanın başından seyrediyordu; sadece iki sigara böreğinden ibaret kahvaltısının kırıntıları tabağının kenarında düzgünce toplanmıştı. Claudia gibi o da kahvaltısını en az yarım saat önce bitirmişti ama sabırsızlığını çelik gibi iradesiyle gizliyordu. Belki de sabırsızlanmıyordu. Claudia bilemiyordu.

Babası şimdi, "Ekselansları Lord ile ben bu sabah ata bineceğiz, Claudia, saat tam birde de kısa bir öğle yemeği yiyeceğiz," dedi. "Sonra konuşmaya devam edeceğiz."

Geleceğim hakkında, diye düşündü Claudia ama kafa sallayıp onaylamakla yetindi; şişman lordun sıkıntısını fark etmişti. Adam göründüğü kadar aptal olamazdı, yoksa Kraliçe onu göndermezdi; ayrıca kendini tutmaya çalışsa da ağzından birkaç zekice söz kaçırmıştı. Ama iyi bir binici değildi.

Müdür bunun farkındaydı. Claudia'nın babasının karanlık bir espri anlayışı vardı.

Adam son derece kibarca ayağa kalktı ve küçük, altın saatini cebinden çıkardı. Saat ışıl ışıldı. Güzeldi, şaşmaz bir dijital saatti ve Dönem'e hiç uygun değildi. Bu saat, zinciri ve ucundan sarkan minik gümüş küp, adamın tek eksantrikliğiydi.

"Belki zili çalsan iyi olur, Claudia," dedi. "Korkarım seni çalışmalarından epeyce alıkoyduk."

Claudia şöminenin yanından sarkan yeşil püsküle çabucak giderken adam başını kaldırmadan ekledi: "Sabahleyin bahçede Üstat Jared'la konuştum. Oldukça solgun görünüyordu. Bugünlerde sağlığı nasıl?"

Claudia'nın parmakları zilin hemen yanında kalakaldı. Sonra zilin ipini sertçe çekti. "İyi, efendim. Gayet iyi."

Adam saati cebine koydu. "Düşünüyorum da. Evlendikten sonra öğretmene ihtiyacın olmayacak, hem Saray'da bir sürü Sapient var. Belki de Jared'ın Akademi'ye geri dönmesine izin vermeliyiz."

Claudia donuk aynadan adama dehşetle bakmak istedi ama Müdür'ün beklediği tam da buydu. Bu yüzden gülümsemeyi sürdürerek neşeyle döndü. "Nasıl isterseniz. Onu özlerim, elbette. Ayrıca Havaarna Kralları'yla ilgili çok ilginç bir çalışmanın ortasındayız. Onlarla ilgili her şeyi biliyor."

Adamın siyah gözleri kızı dikkatle seyrediyordu.

Claudia tek kelime daha ederse sıkıntısı belli olacaktı ve adam kararını verecekti. Dışarıdaki fayansların üzerinden bir güvercin havalandı. Lord Evian sandalyesini gıcırdatarak ayağa kalktı.

"Eh, onu gönderirseniz başka bir aile kapıverir Müdür, inanın bana. Jared Sapiens bütün Diyar'da tanınır. Ne isterse verirler. Adam şair, filozof, mucit ve bir dâhi. Onu elinizden kaçırmayın bence."

Claudia gülümseyerek adama katılsa da içten içe şaşırmıştı. Sanki o mavi, ipek takım elbiseli tombul adam, kendisinin isteyip de söyleyemediği şeyleri bilmişti. Adam onun gülümsemesine karşılık verdi; küçük gözleri parlıyordu.

Müdür dudaklarını birbirine bastırmıştı. "Eminim haklısınızdır. Gidelim mi, Lordum?"

Claudia reverans yaptı. Babası, Evian'ın peşinden çıkarken, çift kanatlı kapıyı kapamak için döndüğünde onunla göz göze geldi. Sonra kapı tıkırdayarak kapandı.

Rahatlayan Claudia iç geçirdi. Fareyi gözetleyen bir kedi gibi, diye düşündü. Ama, "Şimdi lütfen," demekle yetindi.

Paneller anında açıldı; koşarak gelen hizmetçilerle uşaklar kapları, tabakları, şamdanları, masa süslerini, bardakları, peçeteleri, *kedgeree*[2] yemeği bulunan servisleri, meyve kâselerini gö-

2 Balık ve yumurta ilaveli bir tür pilav. (ed.n.)

türmeye başladılar. Pencereler açıldı ve bitmiş mumlar tekrar büyüdü; odun dolu şöminede gürleyen ateş geride tek bir yanmış odun parçası bırakmadan sönüverdi. Tozlar buharlaştı; perdeler renk değiştirdi. Havaya çeşitli güzel kokular yayıldı.

Görevliler çalışırken Claudia telaşla dışarı çıktı. Holden geçerken eteğini kibarca kaldırdı, maun döner merdiveni koşarak çıktı ve sahanlıktaki gizli kapıdan dalarak, yapay lüksü terk edip hizmetçi bölümünün gri, buz gibi koridorlarına, tellerle, kablolarla ve prizlerle, küçük kamera ekranlarıyla ve sonik tarayıcılarla kaplı duvarların arasına dalıverdi.

Arka merdivenler taştandı; Claudia tıpır tıpır çıkarak kapitone kapıyı açtı ve Dönem'i kusursuzca yansıtan lüks koridora girdi.

İki adımda yatak odasına ulaştı.

Hizmetçiler içerisini temizlemişlerdi. Claudia kapıyı iki kez kilitledi, bütün güvenlik bloklarını çalıştırdı ve pencereye gitti.

Yemyeşil, düz çimenlikler sonbaharın gün ışığında güzeldi. Bahçıvanın oğlu Job bir çuval ve sivri bir sopa taşıyarak geziniyor, dökülen yaprakları topluyordu. Claudia delikanlının kulağındaki küçük müzik implantını seçemese de, ani dans hareketlerini ve kasıla kasıla yürümesini görünce sırıttı. Oysa Müdür bunu görse delikanlıyı kovardı.

Claudia dönüp makyaj masasının çekmecesini açtı, minikomu alıp çalıştırdı. Cihaz aydınlandı ve Claudia'nın yüzünün kıvrılmış camda çarpılmış bir kopyasını sergiledi. İrkilen Claudia, "Üstat?" dedi.

Bir gölge. İki dev parmak ve bir başparmak inip imbiği kaldırdılar. Sonra Jared gizli alıcının karşısına oturdu.

"Buradayım, Claudia."

"Her şey hazır mı? Birkaç dakika sonra gidecekler."

Adamın zayıf yüzü karardı. "Bu konuda kaygılarım var. Disk işe yaramayabilir. Test etmemiz gerek..."

"Zaman yok! Bugün gidiyorum. Hemen şimdi."

Jared iç geçirdi. Claudia onun tartışmak istediğini biliyordu ama aldıkları bütün önlemlere karşın konuşmaları başkaları tarafından dinleniyor olabilirdi, dolayısıyla fazla konuşmak tehlikeliydi. Adam, "Lütfen dikkatli ol," demekle yetindi.

"Bana öğrettiğin gibi, Üstat." Claudia bir an Müdür'ün Jared'la ilgili tehdidini düşündü ama şimdi bunun sırası değildi. "Hemen başla," diyerek bağlantıyı kesti.

Yatak odası siyah maundandı; dört direkli, büyük yatağın yorganı kırmızı kadifedendi ve cibinliğine şarkı söyleyen siyah kuğu resimleri işlenmişti. Arkasında gömme dolaba benzer bir şey vardı ama Claudia onun içinden geçerken illüzyon bozuldu ve her türlü lükse sahip bir yatak odası banyosu belirdi, Müdür'ün Protokol düşkünlüğünün bile sınırları vardı. Claudia klozete çıkıp dar pencereden dışarı bakarken, etrafında gün ışığıyla aydınlanan toz zerreleri salınıyordu.

Avluyu görebiliyordu. Üç at eyerlenmişti; babası birinin yanında duruyordu, dizginleri eldivenli elleriyle tutuyordu ve Claudia adamın sekreterinin, Medlicote adlı dikkatli, esmer adamın gri kısrağa bindiğini görünce rahatlayıp iç geçirdi. Arkadaki Lord Evian, kan ter içindeki iki seyis tarafından eyere doğru kaldırılıyordu. Claudia, adamın komik beceriksizliğinin ne kadarının numara olduğunu ve adamın siber-at yerine gerçek ata bineceğini tahmin edip etmediğini merak etti. Evian'la Müdür karmaşık ve ölümcül bir kibarlık ve hakaret, sinir bozma ve görgü oyunu oynuyorlardı. Claudia'ya sıkıcı gelen bir oyundu bu ama Saray'da işler böyle yürürdü.

Bütün hayatını bu şekilde geçirme düşüncesi kanını dondurdu.

O görüntüyü görmemek için aşağı atladı ve üstündeki süslü elbiseyi çıkardı. Altına siyah bir sütyen giymişti. Bir an aynada kendine baktı. Giysiler insanı değiştirirdi. Çok eskiden yaşamış olan Kral Endor bunu biliyordu. Zaman'ı durdurmasının, erkekleri yeleklere ve kadınları eteklere mahkûm etmesinin, benzerliği ve katı davranış kurallarını dayatmasının nedeni buydu.

Claudia şimdi kendini esnek ve özgür hissediyordu. Hatta tehlikeli. Tekrar klozete çıktı.

Bahçe kapısından at sırtında çıkıyorlardı. Babası duraksayıp Jared'ın kulesine göz attı. Claudia içten içe gülümsedi. Adamın ne gördüğünü biliyordu.

Claudia'yı görüyordu.

Jared uzun geceler boyu uyumadan çalışıp hologörüntüyü mükemmelleştirmişti. Claudia'nın güneşli kulenin denizliğinde oturan, konuşan, gülen, kitap okuyan görüntüsünü gösterdiğinde kız büyülenmiş ve afallamıştı.

"O ben değilim ki!"

Adam sessizce gülümsemişti. "Kimse kendini dışarıdan görmeyi sevmez."

Claudia kendini beğenmiş, şımarık, sakinlik maskesi taşıyan, her hareketi hesaplı, her sözü prova edilmiş bir yaratık görmüştü. Kibirli ve alaycı.

"Ben *cidden* öyle miyim?"

Jared omuz silkmişti. "O sadece bir görüntü, Claudia. Öyle de görünebiliyorsun, diyelim."

Şimdi aşağı atlayıp yatak odasına koşarak geri döndü ve atların bakımlı çimenliklerden zarifçe geçmelerini, Evian'ın konuşmasını, babasının suskun kalmasını seyretti. Job gözden kaybolmuştu ve mavi gökyüzü yüksek bulutlarla bezeliydi.

En az bir saat geri dönmezlerdi.

Cebindeki küçük diski alıp havaya attı, tuttu ve cebine geri koydu. Sonra yatak odasının kapısını açıp dışarı göz attı.

Galeri, ev boyunca uzanıyordu. Meşe panelliydi ve duvarlarında portreler, kitaplıklar, kaideler üstünde duran mavi vazolar vardı. Her kapının üstünde, aşağı sertçe bakan bir Roma imparatoru büstü asılıydı. Uzak uçtaki duvara baklava şeklinde gün ışığı hüzmeleri düşüyordu ve bir zırh takımı merdivenin başında kaskatı bir hayalet gibi nöbet tutmaktaydı.

Claudia bir adım atınca döşeme tahtaları gıcırdadı. Tahtalar eskiydi; Claudia kaşlarını çattı çünkü gıcırtıları bir düğmeye basıp kesemezdi. Büstler konusunda da elinden bir şey gelmezdi ama geçerken her birinin çerçeve kumandasına dokunup onları kararttı, ne de olsa bazılarında kamera bulunduğu kesindi. Diski, sıkmadan elinde tutuyordu; disk sadece bir kez hafifçe bip sesi çıkararak uyarıda bulundu ama Claudia o tehlikenin zaten farkındaydı ve çalışma odası kapısının önündeki birbirini kesen soluk çizgilere basmamaya özen gösterdi.

Claudia dönüp koridora göz attı. Çok uzaklarda, evin içinde bir yerde bir kapı kapandı, bir hizmetçi seslendi. Burada, yukarıda, geçmişin sessiz lüksünde, havada ardıç ve biberiye kokusu, çamaşır dolabının taze lavanta kokusu vardı.

Çalışma odasının kapısı gölgeliydi. Siyahtı ve abanoza benziyordu; kuğu hariç resimsiz bir paneldi. O devasa, habis kuş Claudia'ya tepeden bakıyordu, boynunu tükürür gibi, asice uzatmış, kanatlarını açmıştı. Minik gözü elmas ya da siyah opalmişçesine parlıyordu.

Gözetleme deliğidir herhalde, diye düşündü Claudia.

Jared'ın diskini gergince kaldırıp dikkatle kapıya yaklaştırdı; disk kapıya hafif bir mekanik tıkırtıyla yapıştı.

Cihaz uğuldadı. İçinden yükselen hafif bir inilti hızla yükselip alçaldı ve ton değiştirdi; sanki kilidin karmaşık mekanizmasını ses perdelerinde inip çıkarak kovalıyordu. Jared cihazın nasıl çalıştığını uzun uzun açıklamıştı ama Claudia pek dinlememişti.

Sabırsızca kımıldandı. Sonra donakaldı.

Merdiveni pıtır pıtır koşarak çıkan birisi vardı. Belki de hizmetçilerden biri emirlere karşı gelmişti. Claudia duvar oyuğuna sindi, içinden küfürler savurdu, nefesini tuttu.

Kulağının hemen yanındaki disk hafifçe, tatminkârca tıkırdadı.

Claudia hemen dönüp kapıyı açtı ve içeri dalarken bir kolunu dışarı uzatıp diski kaptı.

Hizmetçi kucağında çarşaflarla telaşla geçip gittiğinde, çalışma odasının kapısı her zamanki gibi karanlık, iç karartıcı ve kilitliydi.

Claudia gözünü gözetleme deliğinden yavaşça ayırırken rahatlayarak iç geçirdi. Sonra gerildi, omuzları kasıldı. Arkasındaki odanın boş olmadığına, babasının hemen arkada, ona dokunacak kadar yakında durduğuna, acı acı gülümsediğine emin oldu, tuhaf ve korkunç bir şekilde. Gittiğini gördüğü o atlının aslında babasının hologörüntüsü olduğuna, adamın onu her zamanki gibi faka bastırdığına emin oldu.

Kendini dönmeye zorladı.

Oda boştu. Ama beklediği gibi değildi.

Bir kere, fazla büyüktü.

Kesinlikle Dönem-dışı'ydı.

Ve eğikti.

En azından ona bir an için öyle geldi çünkü Claudia'nın odada attığı ilk adımlar tuhaf bir şekilde sarsaktı, sanki zemin eğimliydi veya çıplak gri duvarların perspektifinin açıları garipti. Bir şey uğuldadı ve tıkırdadı; sonra oda yavaşça düzeldi, normalleşti sanki, sıcaklığı ve havasındaki hafif bir tatlı koku ve Claudia'nın kaynağını kestiremediği kısık bir uğultu dışında.

Tavan yüksek ve kubbeliydi. Duvarlarda dizili ince, gümüşi cihazların her birinde yanıp sönen küçük kırmızı ışıklar vardı. Dar bir aydınlatma çubuğu sadece hemen altındaki kısmı aydınlatıyor, tek bir masayı ve düzgünce yerleştirilmiş bir metal sandalyeyi sergiliyordu.

Odanın geri kalanı boştu. Kusursuz döşemeyi lekeleyen tek şey küçük bir siyahlıktı. Claudia eğilip onu inceledi. Bir cihazdan düşmüş bir metal parçasıydı bu.

Yalnız olduğuna hâlâ emin olmayan Claudia etrafa şaşkınca bakındı. Pencereler neredeydi? İki tane olması gerekirdi, cumbalı pencereler. Dışarıdan bakınca görülüyorlardı, arkalarındaki beyaz bir alçı tavanla kitaplık rafları da. Claudia sarmaşıklara tırmanarak içeri girmeyi düşünmüştü sık sık. Dışarıdan bakınca oda normal görünmüştü. Fazlasıyla büyük gelen bu uğultulu, eğik kutuyla ilgisi yoktu.

Jared'ın diskini sımsıkı tutarak ilerledi ama diskten uyarı gelmiyordu. Masaya varıp da onun düz, boş yüzeyine dokununca, kontrol tuşları görünmeyen bir ekran sessizce yükseldi. Claudia arayıp da bir şey bulamayınca ekranın sesle kullanıldığını farz etti. "Başla," dedi usulca.

Bir şey olmadı.

"Haydi. Çalış. Başlasana. Harekete geç."

Ekran hâlâ boştu. Sadece oda uğulduyordu.

Bir şifre olmalıydı. Claudia eğilip ellerini masaya dayadı. Aklına gelen tek sözcüğü söyledi.

"Incarceron."

Görüntü belirmedi. Ama sol elinin parmaklarının altında bir çekmece kayarak açıldı.

İçinde, siyah kadifenin üstünde bir anahtar duruyordu. Kristali ince ince işlenmiş, ayrıntılı bir anahtardı. Ortasında taçlı bir kartal resmi vardı; Havaarna Hanedanı'nın kraliyet armasıydı bu. Eğilip ışıl ışıl anahtarı daha yakından inceledi. Elmas mıydı? Yoksa cam mı? Güzelliğine kapılıp öyle eğildi ki nefesi buzsu anahtarı buğulandırdı, gölgesi tepeden gelen ışığı engelleyince gökkuşağı pırıltıları söndü. Belki de Incarceron'un anahtarıydı bu? Onu eline almak istedi. Ama önce Jared'ın diskini anahtarın üzerinden ihtiyatla geçirdi.

Bir şey olmadı.

Etrafına bakındı. Çıt çıkmıyordu.

Bunun üzerine anahtarı aldı.

Oda canlandı. Alarmlar çaldı; yerden çıkan lazer ışınları onu kırmızı bir kafese hapsetti. Kapının önüne metal bir parmaklık indi; gizli ışıklar yandılar ve dehşetten donakalan, kalbi küt küt atan Claudia'nın elindeki disk, başparmağını hafifçe acıtarak onu uyardı.

Claudia diske baktı. Jared dehşet içinde bir mesaj göndermişti.

Geri dönüyor! Çık oradan, Claudia! Çık!

7

Sapphique bir keresinde bir tünelin ucuna gelip aşağıdaki geniş salona baktı. Salonun zemini bir zehir birikintisiyle kaplıydı. Zehirden eritici buharlar yükseliyordu. Gergin bir tel karanlığın içine uzanıyordu ve diğer tarafta, arkasından ışık gelen bir kapı görülüyordu.

Kanat sakinleri onu vazgeçirmeye çalıştılar. "Birçokları buradan düştü," dediler. "Kemikleri siyah gölde çürüyor. Neden sen farklı olasın ki?"

"Çünkü ben rüyamda yıldızları görüyorum," dedi. Sonra tele tutunup salonun üstünden geçmeye başladı. Defalarca durup dinlendi ya da acıyla öylece kalakaldı. Defalarca onu geri çağırdılar. Nihayet, saatler sonra diğer tarafa ulaştı ve onun, kapıdan sendeleyerek geçtiğini gördüler.

Sapphique esmerdi ve sırım gibiydi. Saçları düz ve uzundu. Gerçek ismi hakkında ancak tahmin yürütülebilir.

SAPPHIQUE'İN GEZİLERİ

Gildas sertçe konuştu: "Sana kaç kez söyledim. Dışarı diye bir yer var. Sapphique çıkmanın bir yolunu buldu. Ama kimse Dışarı'dan gelmez. Sen bile."

"Bunu bilmiyorsun."

Yaşlı adam gülünce zemin sallandı. Odada, epey yüksekte asılı olan metal kafes, ancak içinde birlikte çömelebilecekleri büyüklükteydi. Zincirlerinden kitaplar, cerrahi aletler, pis kokulu numunelerle dolu, sallanan teneke kutular sarkıyordu. Zemini kaplayan eski şiltelerden düşen saman parçaları, çok aşağıdaki yemek ateşlerine ve tencerelere sinir bozucu karlar gibi yağıyordu. Bir kadın yukarı bakıp öfkeyle bağırdı. Sonra Finn'i görünce sustu.

"Biliyorum, salak çocuk çünkü Sapientler öyle yazdılar." Gildas bir çizme giydi. "Hapishane, insanlığın Pislikleri'ni hapsetmek için yapıldı; kapalı kalsınlar, yeryüzünden sürgün edilsinler diye. Bu yüzyıllar önceydi, Martor'un zamanındaydı, Hapishane'nin, insanlarla konuştuğu günlerdeydi. Yetmiş Sapient, Hapishane'ye girip tutuklularla ilgilenmeye gönüllü oldu ve onlar girdikten sonra giriş ebediyen kapatıldı. Onlar bildiklerini haleflerine öğrettiler. Bunu çocuklar bile bilir."

Finn kılıcının kabzasını ovuşturdu. Kendini yorgun ve hınçlı hissediyordu.

"O zamandan beri kimse girmedi. Rahimleri de biliyoruz, yerlerini bilmesek de. Incarceron verimlidir; öyle olması tasarlandı. Ölü maddeleri ziyan etmez, her şeyi geri dönüştürür. O hücrelerle yeni mahkûmlar üretir. Belki hayvanlar da."

"Ama bir şeyler... bazı şeyler hatırlıyorum." Finn bu inanca tutunmak istercesine kafesin çubuklarını kavradı; çok aşağıdaki salondan, kıkırdayan iki kızla sarmaş dolaş geçen Keiro'yu seyretti.

Gildas onun baktığı yere baktı. "Hatırlamıyorsun. Incarceron'un gizemlerini rüyanda görüyorsun. İmgelemlerin bize Kaçış yolunu gösterecek."

"Hayır. *Hatırlıyorum.*"

Yaşlı adamın canı sıkılmış gibiydi. "Neyi hatırlıyorsun?"

Finn kendini aptal gibi hissetti. "Şey... bir pastayı. Gümüşi küreleri ve yedi mumu vardı. İnsanlar vardı. Ve müzik... bol bol müzik..." Bunu yeni fark etmişti. Tuhaf bir memnuniyete kapıldı, yaşlı adamla bakışları buluşana dek.

"Bir pasta. Sembol olabilir herhalde. Yedi sayısı önemli. Sapientler onun Sapphique'in sayısı olduğunu bilirler; asi Kınkanatlı'yla tanıştığı zaman nedeniyle."

"Ben oradaydım!"

"Herkesin anıları vardır, Finn. Önemli olan senin kehanetlerin. Sana gelen imgeler, büyük bir armağan ve Yıldızgörücülerin tuhaflığı. Onlar eşsizdir. İnsanlar bunu bilir, köleler ve savaşçılar, hatta Jormanric bile. Sana bakışlarından belli. Bazen senden korkuyorlar."

Finn sustu. Nöbet geçirmekten nefret ediyordu. Durup dururken başlayıveriyorlardı, başı dönüp midesi bulanıyor ve dehşet verici bir şekilde gözleri kararıyordu, ayrıca her seferinde sonradan Gildas tarafından amansızca sorguya çekilmek tir tir titremesine ve hasta olmasına yol açıyordu.

"Bir gün nöbet geçirirken öleceğim," dedi usulca.

"Sadece birkaç hücre-çocuğunun yaşlanacak kadar yaşadığı doğru." Gildas sert konuşsa da gözlerini kaçırdı. Süslü yakasını yeşil cübbesine eğerek mırıldandı: "Geçmiş geçmiştir; her ne idiyse, artık önemi yok. Onu aklından çıkar, yoksa delirirsin."

"Başka kaç hücre-çocuğu tanıdın?" dedi Finn.

"Üç." Gildas sakalının örülmüş ucunu sinirli sinirli çekiştirdi. Duraksadı. "Sizler nadide varlıklarsınız. Seni bulana kadar bir ömür harcadım. Cüzzamlılar Salonu'nun önünde dilenen bir adam vardı, hücre-çocuğu olduğu söyleniyordu ancak nihayet adamı konuşmaya ikna edince onun aklını kaçırmış olduğunu gördüm; saçmalıyordu, konuşan bir yumurtadan, giderek solup sadece bir gülümseyişten ibaret kalan bir kediden bahsediyordu. Yıllar sonra, bir sürü söylentinin peşinden koştuktan sonra bir tane daha buldum, Buz Kanadı'nda Şehirlilerin yanında işçilik yapıyordu. Kadın normal görünüyordu; onu imgelemlerini anlatması için ikna etmeye çalıştım. Ama asla bundan bahsetmedi. Bir gün kadının kendini astığını duydum."

Finn yutkundu. "Neden?"

"Söylediklerine göre kadın bir çocuğun, eteklerine tutunup seslenen, geceleri onu uyandıran görünmez bir çocuğun kendisini takip ettiğine inanmaya başlamış. Çocuğun sesine dayanamaz olmuş. Sesi engelleyemiyormuş."

Finn ürperdi. Gildas'ın kendisine baktığını biliyordu. Sapient boğuk bir sesle konuştu: "Seni burada bulmam milyonda bir ihtimaldi, Finn. Kaçış'ıma sadece sen rehberlik edebilirsin."

"Edemem..."

"Edebilirsin. Sen benim medyumumsun, Finn. Incarceron'la aramdaki bağsın. Yakında, ömür boyu beklediğim imgelemi, zamanımın geldiğinin işaretini, Sapphique'in peşinden gidip Dışarı'yı arama zamanımın geldiğinin işaretini bana getireceksin. Her Sapient o yolculuğa çıkar. Hiçbiri başaramadı ama onların, kendilerine rehberlik edecek hücre-çocukları yoktu."

Finn olumsuz anlamda başını salladı. Bunu yıllardır duymasına karşın hâlâ korkuyordu. Yaşlı adam Kaçış'a kafayı takmıştı ama Finn ona nasıl yardım edebilirdi ki? Aklına bir anda gelen anıların ve derisini karıncalandıran, boğulacak gibi olmasına yol açan bilinç kayıplarının kime ne faydası olabilirdi?

Gildas onu iterek yanından geçip metal merdiveni kavradı. "Bundan kimseye söz etme. Keiro'ya bile."

Aşağı inerken gözleri, Finn'in ayaklarının hizasına gelince Finn, "Jormanric seni hayatta bırakmaz," dedi.

Gildas basamakların arasından yukarı doğru öfkeyle baktı. "İstediğim yere giderim."

"Sana ihtiyacı var. Kanat'ı senin sayende yönetiyor. Sen olmasan..."

"Bensiz de yapar. Korkutmayı ve şiddet uygulamayı iyi beceriyor." Gildas bir basamak indikten sonra birden yukarı çıktı; küçük, bilge yüzü birden neşeyle aydınlanmıştı. "Günün birinde bir kapağı açıp da karanlıktan çıkmak, Incarceron'dan çıkmak nasıl bir şey olacak, hayal edebiliyor musun, Finn? Yıldızları görmek? *Güneşi* görmek!"

Finn bir an sustu; sonra bir halata tutunarak aşağı kaydı, Sapient'in yanından geçerek indi. "Gördüm zaten."

Gildas acı acı güldü. "Sadece imgelemlerde gördün, salak çocuk. Sadece rüyalarda."

İple bağlı çarpık basamaklardan şaşırtıcı bir çabuklukla indi. Finn onu daha yavaş bir hızla takip etti; halattan inerken sürtünme ısısını eldivenli ellerinde hissediyordu.

Kaçış.

Onu arı gibi sokan bir sözcüktü bu, zihnini delen bir keskinlikti, her şeyi vadeden ve hiçbir anlam ifade etmeyen bir özlemdi. Sapientler, Sapphique'in bir zamanlar çıkış yolunu bulduğunu, kaçtığını öğretirlerdi. Finn buna inandığına emin değildi. Sapphique'le ilgili öyküler anlatıldıkça abartılı oluyordu; her gezgin öykücü ve şair yeni bir öykü anlatıp duruyordu. Tek bir adam onca macerayı yaşayabilmişse, onca Kanatlordu'nu kandırabilmişse, Incarceron'un Bin Kanadı'nda o destansı yolculuğu yapabilmişse nesiller boyu yaşamış olmalıydı. Hapishane'nin engin ve bilinemez olduğu, sayısız salonlardan, merdivenlerden, odalardan ve kulelerden oluşma bir labirent olduğu söylenirdi. En azından Sapientlerin öğrettiği buydu.

Ayakları yere çarptı. İn'den hızla çıkan Gildas'ın cübbesinin yılan yeşili ışığını göz ucuyla görünce yaşlı adamın peşinden koştu, kılıcının kınında ve iki hançerinin de kemerinde olup olmadığını kontrol ederek.

Artık kafasını kurcalayan şey Maestra'nın kristaliydi. Ve onu elde etmek kolay olmayacaktı.

Fidye Uçurumu yalnızca üç salon ötedeydi; karanlık, boş mekânlardan hızla geçerken örümceklere ve yukarıdaki kirişlerdeki, akraba evliliği ürünü gölgeşahinlerine karşı gözlerini dört açtı. Herkes çoktan oraya gitmiş gibiydi. Son kemerli geçitten geçerken Comitatusların seslerini işitti; bağırıyorlar ve uçurumun diğer tarafına hakaretler savuruyorlardı; aşağılayıcı sesleri tırmanılamaz, dümdüz taşlardan yankılanıyordu.

Diğer tarafta Şehirliler bekliyorlardı; gölgeler halinde dizilmişlerdi.

Uçurum, zemindeki girintili çıkıntılı bir yarıktı, sarp duvarları siyah obsidiyendendi. Aşağı taş atılsa ses gelmezdi. Comitatuslar oranın dipsiz olduğunu düşünüyorlardı; hatta içine düşenlerin dünyanın lavlı merkezine kadar düştüğünü söyleyenler vardı ve sahiden de içeriden ısı, havayı titreten bir miyasma yükseliyordu. Ortada, uçurumu oluşturan Hapishanedepremi tarafından yarılmış, düz platformu çatlamış ve aşınmış, Çivi adı verilen incecik bir kaya parçası yükseliyordu. Çivi'yle uçurum kenarlarının arasında, kavrulmuş paslı metalden yapılma, yağdan kararmış birer köprü uzanıyordu. Burası kimseye ait olmayan bir tarafsız bölgeydi; Kanat'ın birbirine düşman kabilelerinin ateşkes ve barış görüşmelerini yaptıkları, tutsakları ihtiyatla takas ettikleri bir yerdi.

Uçurumun parmaklıksız kenarında (Jormanric, canını sıkan pek çok köleyi buradan aşağı atmıştı, haykırarak düşmüşlerdi) tahtına kurulmuş oturan Jormanric'in etrafında Comitatuslar vardı ve zincirli küçük köpek-köle yere çömelmişti.

"Şuna bak," diye fısıldadı Keiro, Finn'in kulağına. "Şişko ve salak."

"Ve senin kadar kibirli."

Kan kardeşi küçümseyerek güldü. "Ben kibirli olmakta haklıyım en azından."

Ama Finn, Maestra'yı seyrediyordu. Kadın getirilirken kalabalığa, çürük köprülere, ötedeki titrek havada bekleyen halkına çabucak baktı. Karşı taraftan sadece bir anlığına bir adam seslenince kadının yüzü sakinliğini yitirdi; kendini muhafızlardan kurtarıp, "Sim!" diye haykırdı.

Finn o adamın Maestra'nın kocası olup olmadığını merak etti. Keiro'ya, "Haydi gel," diyerek kalabalığı ite kaka ilerledi.

Onları gören kalabalık geri çekildi. *Sana bakışlarından belli,* diye düşündü Finn acı acı. Yaşlı adamın haklı olduğunu bilmek onu sinirlendiriyordu. Maestra'ya arkadan yaklaşıp kolunu kavradı. "Söylediğimi unutma. Kılına bile zarar gelmeyecek. Ama o şeyi getireceklerine emin misin?"

Kadın ona öfkeyle baktı. "Ne olsa getirirler. Bazı insanlar sevgi nedir bilir."

Bu iğneleyici söz Finn'i incitmişti. "Bir zamanlar ben de biliyordum belki."

Jormanric onları seyrediyordu, donuk gözleri biraz dalgındı. Köprüyü yüzüklü parmağıyla gösterip, "Kadını hazırlayın!" diye bağırdı.

Keiro, kadının ellerini arkaya çekip kelepçeledi. Bunu seyreden Finn, "Bak. Üzgünüm," diye mırıldandı.

Bakıştılar. "Asıl ben senin için üzgünüm," dedi kadın.

Keiro muzipçe gülümsedi. Sonra Jormanric'e baktı.

Kanatlordu yavaşça kalkıp Uçurum'un kenarına gitti ve Şehirlilere öfkeyle baktı. İri kollarını göğsünde kavuştururken yağlı zincir örme zırhı gıcırdadı. "Oradakiler, dinleyin!" diye gürledi. "Kadını ancak ağırlığınca hazine verirseniz geri alırsınız. Ne daha azı ne daha fazlası. Alaşımlar, ıvır zıvırlar da istemem."

Sözleri sıcak, buharlı havada yankılandı.

"Önce hıyanet olmayacağına söz ver." Bu karşılığı soğuk bir hiddetle vermişti.

Jormanric sırıttı. Dişlerinde ket suyu parlıyordu. "Söz vermemi istiyorsun! Ben on yaşında, öz ağabeyimi bıçakla öldürdüğümden beri sözümü hiç tutmadım. Ama çok istiyorsan söz vereyim."

Comitatuslar gülüştüler. Finn arkalarında, yarısına kadar gölgede duran Gildas'ın yüzünü ekşittiğini gördü.

Sessizlik.

Sonra titrek, sıcak, puslu havanın derinliklerinden bir tangırtı ve boğuk bir gürültü geldi. Şehirliler hazinelerini Çivi'ye götürüyorlardı çeke çeke. Finn, ne getirdiklerini merak etti, maden cevheri getirdikleri kesindi ama Jormanric altın ve platin, en çok da mikrodevreler isterdi. Sonuçta Şehirliler, Kanat'taki en zengin gruplardan biriydi. Pusunun sebebi buydu zaten.

Köprü sarsıldı. Maestra korkuluğa tutundu.

Finn usulca, "Gidelim," dedi. Arkasına göz attı. Keiro kılıcını çekmişti.

"Buradayım, kardeşim."

"Hazinenin hepsini almadan kaltağı bırakma," dedi Jormanric hırıltılı sesiyle.

Finn kaşlarını çattı. Maestra'yı öne iterek köprüden geçmeye başladı.

Köprü örme zincirden yapılmaydı; her adımda sallanıyordu. Finn'in ayağı iki kez, öyle bir kaydı ki bütün köprü zangır zangır sallandı ve az daha üçü de uçuruma düşeceklerdi. Keiro küfretti; Maestra'nın metal halkaları tutan parmaklarının eklemleri beyazdı.

Finn aşağı bakmadı. Aşağıda ne olduğunu biliyordu; sadece siyahlık vardı, bir de yükselip insanın yüzünü kavuran, solunmaması gereken, tuhaf, uyuşturan buharları getiren ısı.

Önden santim santim ilerleyen Maestra sert, soğuk bir sesle konuştu. "Kristali... getirmezlerse? O zaman ne olacak?"

"Ne kristali?" diye sordu Keiro kurnazca.

Finn, "Kapa çeneni," dedi. İlerideki loşlukta duran Şehirlileri görebiliyordu. Üç adam anlaşmaya uygun şekilde, tartma platformunun yanında bekliyorlardı. Maestra'ya arkadan yaklaştı. "Sakın kaçmaya kalkma. Jormanric'in yirmi adamı seni vurmaya hazır halde bekliyordur."

"Aptal değilim," diye fısıldadı kadın öfkeyle. Sonra Çivi'ye çıktı.

Finn kadının peşinden giderken rahat bir nefes aldı. Bu bir hataydı. Sıcak buharlar genzine doldu; öksürdü.

Keiro elinde kılıçla yanından geçip kadını kolundan tuttu. "Gel bakayım."

Kadını tartma platformuna itti. Burası çok büyük bir alüminyüm yapıydı, böyle durumlar için buraya büyük güçlüklerle parça parça getirilip birleştirilmişti; gerçi Finn, Comitatuslarla birlikte geçirdiği onca zamanda onun kullanıldığını hiç görmemişti. Jormanric genellikle fidyeyle uğraşmazdı.

"İbreye baksana, arkadaşım." Keiro, Şehirlilerin liderine gülümseyerek döndü. "Kadın çok hafif değilmiş ha?" Sırıttı. "Rejim yaptırsan iyi olurmuş."

Adam tıknazdı; üzerindeki çizgili ceketin altında silahlar olduğu, kabarıklığından belliydi. Keiro'nun alaycılığına aldırmayıp paslı kadranın ibresine göz attı ve Maestra'yla çabucak bakıştı. Finn, adamı pusudan tanıdı. Kadının "Sim" dediği kişiydi.

Adam, Finn'e ters ters baktı. Riske girmek istemeyen Keiro, Maestra'yı geri çekip hançerini kadının boynuna dayadı. "Hazineyi koyun şimdi. Ve sakın yanlış bir şey yapmaya kalkmayın."

Hazinenin dökülmeye başlanmasından hemen önce Finn gözlerindeki teri sildi. Tekrar yutkundu, derin nefes almamaya çalıştı, ağzıyla burnuna bez bağlamadığına hayıflandı. Gözlerinin önünde silik, kırmızı, korkunç bir şekilde tanıdık noktalar uçuşmaya başladı. Şimdi olmaz, diye düşündü panikle. N'olur. *Şimdi olmaz.*

Altınlar şıngır şıngır dökülüyordu. Yüzükler, bardaklar, tabaklar, süslü şamdanlar. Ters çevrilen bir çantanın içinden gümüş paralar yağdı, tacirlerin kaçakçılardan aldığı maden cevherlerinden yapılmışlardı herhalde; sonra Kanat'ın karanlık ve ıssız yerlerinden çalınma zarif nesneler döküldü: Kırık Kınkanatlılar, Göz-lensleri, radarı parçalanmış bir Süpürücü.

İbre kımıldamaya başladı. Onu seyreden Şehirliler bir ket çuvalını ve Gildas'ın bile sadece söylentilerden bildiği bodur bir ormandaki bir yerlerden elde edilen değerli abanoz ağacından yapılma iki tane küçük heykeli attılar.

Keiro, Finn'e sırıttı.

Kırmızı ibre yükseldikçe bakır teller, pleksiglas nesneler, bir avuç kristal lifi, onarılmış bir miğfer ve ilk sert darbede kırılacağı kesin olan üç tane paslı kılıç atıldı.

Adamlar hızlı çalışıyorlardı ama ellerindeki malların azaldığı belliydi. Maestra dudaklarını sımsıkı bastırarak seyrediyordu; Keiro'nun bıçağının ucu kadının kulağının altına, giderek beyazlaşan derisine dayalıydı.

Finn kesik kesik soluyordu. Gözlerinin arkasında acı kıvılcımları çakıyordu. Yutkundu ve Keiro'ya fısıldamaya çalıştı ama nefesi kesilmişti ve kan kardeşi son çuvalın –işe yaramaz kalay nesnelerle doluydu– yığının üstüne konulmasını seyrediyordu.

İbre döndü.

Durdu.

"Daha," dedi Keiro usulca.

"Hepsi bu."

Keiro güldü. "Ne yani, üstündeki ceketi bu kadından daha mı çok seviyorsun?"

Sim ceketi hışımla çıkarıp fırlattı. Sonra Maestra'ya göz atıp kılıcını ve tüfeğini de attı. Diğer iki adam da aynısını yaptılar. Boş ellerle durup ibrenin titremesini seyrettiler.

İbre hedefe ulaşmadı.

"Daha," dedi Keiro.

"Tanrı aşkına!" Sim'in sesi sertti. "Bırak onu işte!"

Keiro, Finn'e göz attı. "Şu kristal. Orada mı?"

Başı dönen Finn, hayır anlamında başını salladı.

Keiro adamlara buz gibi gülümsedi. Bıçağı bastırdı; ucunda bir damla parlak, siyah kan belirdi. "Yalvar, kadın."

Kadın hiç istifini bozmadı. "Kristali istiyorlar, Sim. Şu kayıp salonda bulduğun kristali."

"Maestra..."

"Ver onlara."

Sim duraksadı. Sadece bir anlığına ama Finn, adamın bu tavrının Maestra'yı darbe almışçasına etkilediğini gördü. Sonra adam elini gömlek cebine sokup gökkuşağı gibi ışıldayan bir nesne çıkardı. "Bir şey keşfettik," dedi. "Bunun yaptığı bir şey..."

Kadın onu bakışlarıyla susturdu. Adam kristali yığının üstüne yavaşça bıraktı.

İbre hedefe ulaştı.

Keiro hemen kadını itti. Sim onu kolundan tutup ikinci köprüye çekti. "Koş!" diye bağırdı.

Finn çömeldi. Kristali alırken boğazında tükürük birikti. Kristalin içinde, uzun kanatlarını açmış bir kartal vardı. *Finn'in bileğindeki resmin aynısıydı.*

"Finn."

Başını kaldırıp baktı.

Maestra durup geriye dönmüştü, yüzü bembeyazdı. "Umarım o şey sonun olur."

"Maestra!" Sim onu kolundan tutuyordu ama kadın silkinerek kendini kurtardı. İkinci köprünün zincirlerine tutunup Finn'e öfkeyle konuştu.

"O kristali lanetliyorum, seni de lanetliyorum."

"Zaman yok," dedi Sim boğuk sesle. "Boş ver artık."

"Güvenimi kötüye kullandın. Merhametimi. Gerçeği yalandan ayırt edebilirim sanıyordum. Artık yabancılara iyilik yapmaya asla cesaret edemem. Bu yüzden seni asla affetmeyeceğim!"

Kadının nefreti Finn'i yaktı. Sonra kadın geriye dönünce köprü sallandı.

Köprü şiddetle sarsılıyordu. Maestra bir an dehşetten donakalıp çığlığı basınca Finn, *"Hayır!"* diye inleyerek ona doğru sarsak bir adım attı. Sonra Keiro'nun kendisini tuttuğunu hissedince bağırmaya başladı, bir şey çatlıyordu ve başının ağrısı sanki zamanı yavaşlatırken, köprüyü tutan zincirlerle perçin çivilerinin parçalandığını gördü, Jormanric'in kahkahasını duydu ve bunun ihanet olduğunu anladı.

Bunu Maestra da anlamış olmalıydı. Dimdik durdu. Finn'in gözlerinin içine baktı; sonra birden düştü, Sim ve diğerleriyle birlikte uçuruma düştü ve aşağı savrulan demir köprü uçurumun duvarına büyük bir tangırtıyla çarptı.

Çığlıkların yankıları giderek kayboldu.

Dizlerinin üstüne çöken Finn afallamış halde bakakaldı. Midesi bulanıyordu. Kristali sımsıkı tuttu ve kulakları uğuldarken Keiro'nun sakince, "O şerefsiz moruğun bunu yapacağını tahmin etmeliydim," dediğini işitti. "Bir cam parçası için neden onca zahmete girdin anlamadım. Nedir o?"

O zaman zihni bir anlığına açılan Finn haklı olduğunu, Dışarı'da doğmuş olması gerektiğini anladı; bunu biliyordu çünkü elinde Incarceron'da nesiller boyu hiç kimsenin görmediği, hatta işlevini tahmin bile edemeyecekleri ama kendisine tanıdık gelen, ismini bildiği, ne olduğunu bildiği bir nesneyi tutuyordu.

Bu bir anahtardı.

Karanlık bir acı dalgasında boğuldu.

Keiro'nun güçlü kollarına yığıldı.

Yeraltı,
Yıldızlar Efsanedir

8

Hiddet Yılları sona erdi ve artık hiçbir şey eskisi gibi olamaz. Savaş ayı kararttı ve gelgitleri durdurdu. Daha sade bir yaşam tarzı bulmalıyız. Geçmişe sığınmalıyız; herkes ve her şey yerli yerinde, düzen içinde olmalı. Özgürlük hayatta kalmak için küçük bir bedel.

KRAL ENDOR'UN FERMANI

Finn uçurumda binlerce kilometre düştükten sonra bir kaya çıkıntısına çarptığını hissetti. Nefes nefese başını kaldırdı. Etrafta karanlık gürlüyordu. Yanındaki kayaya yaslanmış oturan birisi vardı.

Finn hemen, "Anahtar..." dedi.

"Yanında."

Taşların arasında el yordamıyla onu aradı, onun pürüzsüz ağırlığını hissetti. Sonra döndü.

Yanında bir yabancı oturuyordu. Gençti ve uzun, siyah saçlıydı. Yakası Sapientlerinki gibi yüksekti ama eski ve yamalıydı. Kaya duvarı gösterip, "Bak, Finn," dedi.

Kayada bir anahtar deliği vardı. İçinden ışık geliyordu. Ve Finn kayanın küçük ve siyah bir kapı olduğunu, şeffaflığında yıldızların ve galaksilerin gömülü olduğunu gördü.

"Bu Zaman. Kilidini açman gereken şey bu," dedi Sapphique.

Finn, Anahtar'ı kaldırmaya çalıştı ama öyle ağırdı ki iki elini birden kullanmak zorunda kaldı ve o zaman bile titreyerek kaldırabildi. "Yardım et," diye inledi.

Ama delik kapanıyordu, hızla kapanıyordu ve Finn, Anahtar'ı sarsmamayı başardığında geride küçücük bir ışık noktası kalmıştı sadece.

"Öyle çok kişi denedi ki," diye fısıldadı Sapphique onun kulağına. "Denerken öldüler."

Claudia bir an acizce donakaldı.

Sonra harekete geçti. Kristal anahtarı cebine koydu ve Jared'ın diskini kullanarak siyah kadifenin üstünde anahtarın kusursuz bir holokopisini oluşturduktan sonra çekmeceyi kapadı. Böyle acil durumlar için getirdiği şeffaf plastik kutuyu ısınıp terlemiş parmaklarıyla çıkarıp açtı ve uğurböceklerini serbest bıraktı. Havalanıp kontrol paneline ve yere kondular. Sonra diskteki düğmeyi maviden kırmızıya getirdi ve diski kapıya çevirdi.

Lazerışıklarından üçü cızırdayarak söndü. Onlardan kalan boşluktan geçerken, silahların ateş edeceği kaygısıyla gerildi. Parmaklık kâbustu; Claudia sürekli vızıldayan, tıkırdayan diske öfkeyle bağırdı, onun bozulacağından veya şarjının biteceğinden emindi ama atomlar dağılıp tekrar birleştikçe eriyen metalde giderek beyaz ve sıcak bir delik açıldı.

Birkaç saniyede parmaklıktan geçip kapıyı açtı ve koridora çıktı.

Ortalık sessizdi.

Hayretle kulak kabarttı. Çalışma odası kapısı arkasından tıkırdayarak kapanınca alarmlar kesiliverdi; sanki başka bir dünyadan çalıyormuş gibiydi.

Ev huzurluydu. Kumrular ötüyordu. Aşağıdan insan sesleri geldiğini işitti.

Koştu. Arka merdivenlerden çatı katına çıktı ve hizmetçilerin bölümündeki bir koridordan geçerek sondaki küçük, pelin ve karanfil kokulu bir depoya gitti. İçeri dalarken eski gizlenme yerini açan mekanizmayı el yordamıyla, telaşla aradı; tırnakları kir tabakasına ve örümcek ağlarına sürtündü ve evet, sonunda aradığını buldu! Kapağın kilidi başparmağının ancak sığabileceği kadardı.

Parmağını içeri itince panel gıcırdadı; ağırlığını oraya verip küfrederek itince panel açıldı ve Claudia içeri düştü.

Kapağı kapayıp da sırtını yaslayınca rahat bir nefes aldı.

Karşısında Jared'ın kulesine giden karanlık tünel uzanıyordu.

Finn yatakta yan yatıyordu.

Uzun süredir orada yatmaktaydı, dışarıdaki İn'in gürültüsünün giderek farkına varıyordu; birisi koşuyordu, tabak sesleri geliyordu. Nihayet elini hareket ettirince üzerine bir battaniyenin özenle örtülmüş olduğunu fark etti. Omuzları ve boynu sızlıyordu; soğuk soğuk terliyordu.

Dönüp kirli tavana baktı. Kulaklarında uzun bir çığlığın yankıları, alarm ve panik sesleri vardı; yanıp sönen ışıklar görüyordu. İmgeleminin uzun ve karanlık bir tünele dönüştüğü, tünele girip el yordamıyla ışığa doğru gidebileceği hissine kapılınca midesi bulandı bir an.

Sonra Keiro, "Sonunda," dedi.

Finn'in, bulanık ve çarpık görebildiği, kan kardeşi gelip yatağa oturdu. Yüzünü ekşitti. "Kötü görünüyorsun."

Finn konuşabildiğinde sesi boğuk çıktı. "Sen iyi görünüyorsun."

Giderek odaklandı. Keiro'nun yeleyi andıran sarı saçları arkadan toplanmıştı. Sim'in çizgili ceketi ona, eski sahibinden daha çok yakışmıştı ve belinden sarkan, geniş, çivi başlarıyla süslü kemerde mücevherli bir hançer asılıydı. Kollarını açtı. "Bana yakıştı, değil mi?"

Finn karşılık vermedi. İçinde bir yerden bir öfke ve utanç dalgası yükseliyordu; zihni bu dalgadan kaçıyordu. Kendini kurtarmazsa boğulacaktı. "Ne kadar sürdü?" dedi çatlak sesle. "Çok mu kötüydü?"

"İki saat. Paylaşımı kaçırdın. *Yine.*"

Finn dikkatle doğrulup oturma pozisyonuna geçti. Nöbetlerden sonra başı dönerdi ve ağzı kupkuru olurdu.

"Normalden biraz daha kötüydü," dedi Keiro. "Kasılıyordun. Çırpınıyordun ama seni tuttum, Gildas da kendine zarar vermemeni sağladı. Başka ilgilenen olmadı pek; kendilerini hazineye kaptırmışlardı. Seni buraya taşıdık."

Finn'in acizliği yüzünün kızarmasına yol açtı. Ne zaman bayılacağını bilemiyordu, Gildas da bildiği bir tedavi olmadığını söylemişti. Finn o sıcak, gürleyen karanlığa kapıldıktan sonra ne olduğunu hiç bilmiyordu ve bilmek de istemiyordu. Bu zayıflığından utanıyordu, Comitatuslar ona karşı huşu içinde olsalar da. Sanki bedenini terk edip geri dönmüştü ama tam yerleşememişti ve vücudu sızlıyordu, içi boştu. "Dışarı'dayken nöbet geçirmiyordum. Bundan eminim."

Keiro omuz silkti. "Gildas, imgelemde gördüklerini çok merak ediyor."

Finn yukarı baktı. "Bekleyebilir." Huzursuz bir sessizlik oldu. "Kadının öldürülmesini Jormanric mi emretti?" dedi Finn.

"Başka kim olacak? Öyle şeyleri eğlenceli bulur. Hem bize gözdağı vermiş oldu."

Finn kasvetle başını sallayarak onayladı. Yataktan kalkıp aşınmış çizmelerine baktı. "Yaptığının cezasını çekecek, onu öldüreceğim."

Keiro zarif kaşını kaldırdı. "Ne uğraşacaksın, kardeşim? İstediğini aldın."

"Kadına söz vermiştim. Kılına bile zarar gelmeyeceğini söylemiştim."

Keiro ona bir an baktıktan sonra, "Pislik, biz buyuz, Finn," dedi. "Sözümüzün hiçbir değeri yoktur. Kadın bunu biliyordu. Rehineydi; Şehirliler de sana aynısını yaparlardı herhalde, yani unut gitsin. Daha önce de söyledim, fazla düşünüyorsun. Bu seni zayıflatıyor. Incarceron'da zayıflığa yer yoktur. Ölümcül hataların affı yoktur. Burada ya öldürürsün ya ölürsün." Dosdoğru ileri bakıyordu ve sesinde Finn'in ilk kez algıladığı tuhaf bir keder vardı. "Eee. Anahtar nedir öyleyse?"

Finn'in kalp atışları hızlandı. "Anahtar! Nerede o?"

Keiro şaşırmış gibi yaparak kafa salladı. "Ben olmasam ne yapardın?" Elini kaldırınca Finn kıvrık bir parmaktan sarkan kristali gördü. Onu kapmaya çalıştı ama Keiro hemen geri çekti. "Anahtar nedir, diye sordum."

Finn kupkuru dudaklarını yaladı. "Anahtar, açmak için kullanılan bir alet."

"Neyi açmak için?"

"Kilitleri."

Keiro birden pürdikkat kesildi. "Kanatkilitlerini mi? Bütün kapıları mı?"

"Bilmiyorum! Ben sadece... görünce tanıdım." Birden elini uzatıp anahtarı tuttu ve Keiro bu kez gönülsüzce bıraktı. Ağırdı; tuhaf, camsı liflerden yapılmaydı ve ortasındaki holografik kartal, Finn'e haşmetle bakıyordu. Finn hayvanın boynundaki, taç şeklinde, güzel yakayı görünce kolunu sıyırıp kuşu, cildindeki solmuş, mavi resimle karşılaştırdı.

Omzunun üstünden bakan Keiro, "Aynısı gibi," dedi.

"Tıpatıp aynısı."

"Ama bu bir şey kanıtlamaz. Hatta tersine, İçeri'de doğduğunu kanıtlar."

"Bu İçeri'de yapılmamış." Finn anahtarı iki eliyle tuttu. "Baksana. Bizde böyle bir materyal var mı? Şu işçilik..."

"Hapishane yapmış olabilir."

Finn bir şey söylemedi.

Ama o anda Hapishane, onları dinliyormuşçasına, bütün ışıkları söndürüverdi.

Müdür rasathanenin kapısını usulca açtığında duvar ekranında On Sekizinci Hanedan'ın Havaarna Kralları'nın, sosyal politikaları Hiddet Yılları'na doğrudan yol açmış o beceriksiz nesillerin, aydınlık görüntüleri vardı. Jared masanın üstünde oturuyordu, bir ayağını Claudia'nın sandalyesinin sırtına dayamıştı; Claudia ise öne eğilmişti ve elindeki bir bloknottan okumaktaydı.

"*... Altıncı Alexander. Diyar'ı eski haline getirdi. İkilik Sözleşmesi'ni yazdı. Bütün tiyatroları ve kamusal eğlence yöntemlerini yasakladı...* Bunu niye yapmış ki?"

"Korkudan," dedi Jared kuru bir sesle. "O zamanlar kalabalıklar artık düzenin düşmanı olarak görülüyordu."

Claudia gülümsedi; boğazı kurumuştu. Babası bunu görmeliydi işte; kızını ve onun sevgili öğretmenini. Gerçi adam burada olduğunu bildiklerinin pekâlâ farkındaydı elbette.

"Öhö."

Claudia irkildi; Jared etrafa bakındı. Şaşkınlıkları ustacaydı.

Müdür bunu takdir edercesine, soğukça gülümsedi.

"Efendim?" Claudia ayağa kalkınca ipek elbisesi düzleşti. "Erken dönmüşsünüz. On bir dediniz sanıyordum."

"Sahiden de öyle demiştim. Girebilir miyim, Üstat?"

Jared, "Elbette," dedi; ellerinin arasından fırlayan tilki yavrusu sıçrayıp raflara tırmandı. "Şeref verdiniz, Müdür."

Müdür aparatlarla dolu masaya yürüdü ve bir imbiğe dokundu. "Dönem ayrıntıların biraz... eksantrik, Jared. Ama Sapientler, Protokol'e çok da bağlı kalmak zorunda değiller tabii." Zarif cam imbiği alıp iri sol gözüne kaldırdı ve içinden baktı. "Sapientler ne isterlerse yaparlar. İcatlar, deneyler yaparlar, geçmişin tiranlığında bile insanların zihinlerini faal tutmuşlardır. Yeni enerji kaynakları, yeni şifa yöntemleri ararlar hep. Takdire değer. Peki, söyler misin, kızımın eğitimi nasıl gidiyor?"

Jared ince parmaklarını iç içe geçirdi. "Claudia her zaman iyi bir öğrencidir," dedi ihtiyatla.

"Bir araştırmacı."

"Kesinlikle."

"Zeki ve becerikli mi?" Müdür cam imbiği indirdi. Gözlerini Claudia'ya dikmişti; Claudia istifini bozmadan gözlerini kaldırıp babasının bakışlarına karşılık verdi.

"Eminim ki," diye mırıldandı Jared, "başaramayacağı bir şey yok."

"Ve herhangi bir şeye kalkışabilir." Müdür parmaklarını açınca imbik düştü. Masanın kenarına çarpıp parçalandı, etrafa cam kırıkları saçıldı; bir kuzgun çığlıklar atarak pencereden uçup gitti.

Jared geriye sıçramıştı; şimdi donakaldı. Claudia onun arkasında hiç kımıldamadan duruyordu.

"Çok üzgünüm!" Müdür cam parçalarına sakince baktıktan sonra bir mendil çıkarıp parmaklarını sildi. "Yaşlandıkça sakarlaşıyorum maalesef. İçinde önemli bir şey olmadığını umarım."

Jared, hayır anlamında başını salladı; Claudia, adamın alnında çok hafif bir ter parıltısı gördü. Kendi yüzünün soluklaştığını biliyordu. Babası konuştu: "Claudia, Lord Evian'la benim çeyiz konusunda nihayet anlaştığımızı öğrenmek hoşuna gidecektir. Toplanmaya başlasan iyi olur, canım."

Kapıda duraksadı. Jared çömelmişti ve keskin, kıvrık cam parçalarını topluyordu. Claudia kımıldamadı. Babasını seyrederken, adamın bakışları ona her sabah aynada gördüğü kendi yansımasını anımsattı bir an. "Öğle yemeği yemeyeceğim," dedi babası. "Bir sürü işim var. Çalışma odamda. Bir böcek sorunumuz var galiba."

Kapı arkasından kapanınca ikisi de konuşmadılar. Claudia oturdu, Jared ise camları çöpe attı ve kule merdivenlerinin monitörünü açtı. Esmer, zayıf Müdür'ün fare dışkılarının ve sarkan ağların arasından dikkatle geçmesini seyrettiler.

Sonunda Jared, "Biliyor," dedi.

"Tabii ki biliyor." Claudia titremekte olduğunu fark etti; Jared'ın eski bir ceketini alıp omuzlarına örttü. Elbisesinin altında sadece iç çamaşırları vardı, ayakkabılarını ters giymişti ve geriye atılmış terli saçları dağınıktı. "Buraya bunu göstermek için geldi."

"Alarmları, uğurböceklerinin harekete geçirdiğine inanmıyor."

"Dedim sana. Odada pencere yok. Ama onu faka bastırdığımı hayatta kabul etmez. Yani böyle oyun oynayacağız."

"Ama Anahtar... onu getirmek..."

"Sadece çekmeceyi açıp bakarsa sorun yok. Almaya çalışırsa anlar ancak. O zamana kadar da gerçeğini yerine koymuş olurum."

Jared yüzünü eliyle sildi. Titreyerek oturdu. "Bir Sapientin bunu söylememesi gerek ama ondan ödüm kopuyor."

"İyi misin?"

Adam siyah gözlerini ona çevirirken, tilki yavrusu adamın kucağına geri atlayıp dizini tırmıkladı.

"Evet. Ama senden de bir o kadar ödüm kopuyor, Claudia. Onu neden çaldın ki? Oraya senin girdiğini bilmesini mi *istiyordun*?"

Claudia kaşlarını çattı. Jared bazen fazla zeki oluyordu. "Nerede o?"

Jared bir an ona baktı; sonra yüzünde esef belirdi. Bir toprak kabın kapağını açıp içeri bir kanca sarkıtarak Anahtar'ı formaldehitten çıkardı. Odaya keskin kimyasal kokusu yayıldı; Claudia ceketin kolunu çekip yüzünü örttü. "Tanrım. Başka yer mi yoktu?"

Anahtar'ı Jared'ın eline tutuşturuvermişti ve sonra giyinmekle meşgul olduğundan, adamın onu nereye koyduğunu görememişti. Jared, Anahtar'ı koruyucu kabın içinden özenle çıkardı ve alazlanmış, budaklı tahtadan yapılma çalışma tezgâhına koydu. Birlikte anahtara baktılar.

Güzeldi. Claudia bunu açıkça görebiliyordu; pencereden girip Anahtar'ın üstüne vuran gün ışığı, parlak gökkuşağı renkleri oluşturuyordu. Ortasında gururla bakan taçlı bir kartal gömülüydü.

Ama herhangi bir kilidi açamayacak kadar narin gibiydi ve saydamlığında devreler görülmüyordu. "Çekmecenin şifresi *Incarceron*'du," dedi Claudia.

Jared tek kaşını kaldırdı. "Yani sence..."

"Gayet belli, değil mi? Böyle bir anahtar başka neyi açabilir ki? Bu evdeki hiçbir şeyin böyle bir anahtarı yok."

"Incarceron'un yerini bilmiyoruz. Hem bilsek bile bunu kullanamayız."

Claudia kaşlarını çattı. "Bulmak niyetindeyim."

Jared bir an durup düşündü. Sonra Claudia seyrederken, Anahtar'ı bir tartıya koydu ve ağırlığını, boyunu titizce ölçüp sonuçları özenli el yazısıyla not etti. "Cam değil. Bir kristal silika. Ayrıca," tartıyı ayarladı, "elektromanyetik alanı çok tuhaf. Mekanik bir anahtar değil bence; Dönem-öncesi'nden kalma, çok karmaşık bir teknoloji. Bu yalnızca bir hapishane kapısı açmakla kalmaz, Claudia."

Claudia bunu tahmin etmişti. Tekrar oturup düşünceli bir edayla konuştu: "Eskiden Hapishane'yi kıskanırdım."

Jared hayretle dönünce Claudia güldü.

"Evet. Gerçekten. Küçücükken, hep birlikte Saray'dayken. İnsanlar akın akın babamı görmeye gelirlerdi, Incarceron'un Müdürü'nü, Mahkûmların Gardiyanı'nı, Diyar'ın Koruyucusu'nu. O zamanlar bu sözcüklerin anlamını bilmezdim ama onlardan nefret ederdim. Incarceron'u insan sanıyordum; onu babamın başka bir kızı, benim gizli ve fesat ikizim sanıyordum. Ondan nefret ediyordum." Masadan bir pergel alıp açtı. "Hapishane olduğunu öğrenince, babamın buradaki mahzene bir elinde lambayla, diğer elinde dev bir anahtarla –paslı, çok eski bir anahtarla– indiğini hayal ettim. Üzerine suçluların kurumuş etleri çivilenmiş, dev bir kapı hayal ettim."

Jared başını salladı. "Çok fazla gotik roman okuyormuşsun."

Claudia pergelin bir ucunu masaya dik koydu ve çevirdi. "Hapishane bir ara rüyalarıma girdi; evin çok altında hırsızlarla katillerin yaşadığını, kapıları yumrukladıklarını, dışarı çıkmaya çalıştıklarını görüyordum ve uyanınca çok korkmuş oluyordum, beni öldürmeye geldiklerini duyabiliyordum sanki. Sonra meselenin bu kadar basit olmadığını fark ettim." Yukarı baktı. "Çalışma odasındaki o ekran. İçeriyi oradan gözleyebiliyor olmalı."

Jared başıyla onaylayıp kollarını kavuşturdu. "Bütün kayıtlar Incarceron'un yapıldıktan sonra mühürlendiğini söylüyor. Kimse oraya ne girebilir ne de oradan çıkabilir. Süreci sadece Müdür izleyebilir. Yerini sadece Müdür biliyor. Çok eski bir teoriye göre Incarceron, yerin altında, kilometrelerce aşağıda çok büyük bir labirent. Hiddet Yılları'ndan sonra nüfusun yarısı oraya gönderildi. Bu, büyük bir adaletsizlik, Claudia."

Claudia, Anahtar'a hafifçe dokundu. "Evet. Ama bunların bana faydası yok. Benim cinayet kanıtı gibi bir şeye ihtiyacım var..."

Bir ışık titreşti.

Dağıldı.

Claudia parmağını geri çekiverdi.

"Muhteşem!" dedi Jared soluk soluğa.

Kristalde siyah bir parmak izi, gözü andıran yuvarlak bir siyah delik kalmıştı.

İçinde, çok uzaklarda, yıldızlar kadar küçük iki parıltının hareket ettiğini gördüler.

9

Sen babamsın, Incarceron.

Çektiğin acılardan doğdum.

Çelikten kemikler; devreler ise damarlar.

Kalbim demirden bir mezar.

SAPPHIQUE ŞARKILARI

Keiro fenerini kaldırdı. "Neredesin, Bilge?"

Gildas uyku kafesinde ve ana odanın başka herhangi bir yerinde yoktu; ana odadaki bütün mangallarda asice ateş yakmış olan Comitatuslar zaferlerini bağıra çağıra şarkı söyleyerek ve böbürlenerek kutluyorlardı. Keiro birkaç köleyi yumrukladıktan sonra, yaşlı adamı gören birisini nihayet bulmuştu ve onun kulübelere doğru gittiğini öğrenmişti. Onu küçük bir hücrede buldular; bir köle çocuğun bacağındaki irin toplamış yarayı bandajlıyordu, çocuğun annesiyse küçük bir mumu tutarak kaygıyla bekliyordu.

"Buradayım." Gildas dönüp baktı. "Şu feneri getirsene. Hiçbir şey göremiyorum."

Finn içeri girince oğlanın titrek ışıkla çok hasta göründüğünü fark etti.

"Neşelen," dedi sertçe.

Dehşete kapılan çocuk gülümsedi.

"Ona dokunsanız, efendim," diye mırıldandı anne.

Finn döndü. Kadın bir zamanlar güzeldi belki; şimdiyse çökmüştü ve sıskaydı.

"Yıldızgörücülerin dokunuşu şifa verirmiş derler."

"Saçma sapan batıl inançlar," diye homurdandı Gildas düğüm atarken ama Finn yine de parmaklarını çocuğun sıcak alnına hafifçe dokundurdu.

"Seninkilerden çok farklı değil, Bilge," dedi Keiro usulca.

Gildas doğruldu, parmaklarını cübbesine sildi ve bu sataşmayı duymazdan geldi. "Eh, elimden gelen bu kadar. Yaranın kuruması gerek. Temiz tut."

Peşinden dışarı çıkarlarken Gildas homurdandı: "Sürekli enfeksiyon, sürekli hastalık. Bize antibiyotik gerek, altın ve kalay değil."

Finn, adamın bu ruh halini bilirdi; Gildas böyle karamsar haldeyken bazen günlerce kafesinde kalıp kitap okurdu, uyurdu, kimseyle konuşmazdı. Maestra'nın ölümü yaşlı adama acı veriyor olmalıydı. Bu yüzden Finn birden, "Sapphique'i gördüm," deyiverdi.

"*Ne!*" Gildas kalakaldı. Keiro bile ilgilenmiş gibiydi.

"Dedi ki..."

"Bekle." Sapient çabucak etrafa bakındı. "Buraya gel."

İn'in çatısından sarkan dev zincirlerden birine açılan karanlık bir kemerli geçide girdiler. Gildas halkalara basa basa yukarı tırmandı, karanlıkta tamamen gözden kaybolana dek; Finn onun peşinden tırmanınca yaşlı adamın duvardaki, yüksekteki dar bir rafa oturduğunu, eskiden kalmış kuş pisliklerini ve kuş yuvalarını yana ittiğini gördü.

"Oraya oturmam," dedi Keiro.

"Öyleyse ayakta dur." Gildas feneri Finn'den alıp zincire yasladı. "Şimdi. Bana her şeyi anlat. Kelimesi kelimesine."

Finn ayaklarını sarkıtıp aşağı baktı. "Böyle bir yerdi, yüksekteydi. O yanımdaydı ve bende Anahtar vardı."

"O kristal mi? Ona *anahtar* mı diyordu?" Gildas afallamış gibiydi; pis, kır sakallı çenesini ovuşturdu. "Bu bir Sapient sözcüğüdür, Finn, sihirli bir sözcüktür. Kilit açan alet anlamına gelir."

"Anahtarın anlamını biliyorum." Finn sinirli konuşmuştu; sakin olmaya çalıştı. "Sapphique bana, onu kilidi açmak için kullanmamı söyledi; siyah, parlak bir kayada bir anahtar deliği vardı ama Anahtar öyle ağırdı ki kullanamadım. Yıkıldım."

Yaşlı adam, Finn'in bileğini sımsıkı kavradı. "Sapphique'in görünüşü nasıldı?"

"Gençti. Uzun siyah saçlıydı. Öykülerdeki gibi."

"Peki ya kapı?"

"Çok küçüktü. Kayanın içinde ışıklar vardı, yıldızlar gibi."

Keiro duvara zarifçe yaslandı. "Ne tuhaf rüyalar görüyorsun, kardeşim."

"Rüya değil." Gildas, Finn'i bıraktı; yaşlı adam sersemlemiş, sevinçten kendinden geçmiş gibiydi. "O kapıyı biliyorum. Hiç açılmadı. Buradan bir buçuk kilometre ötede, Şehirlilerin bölgesinde." Yüzünü elleriyle ovuşturup, "Anahtar nerede?" dedi.

Finn duraksadı. Anahtarı eski bir iple bağlayıp boynuna asmıştı ama fazla ağır gelince gömleğinin altına, beline tıkıştırmıştı. Onu gönülsüzce çıkardı.

Sapient, Anahtar'ı saygıyla aldı. Damarlı, küçük elleriyle inceledi; gözlerine yaklaştırıp kartala baktı. "Beklediğim buydu işte." Sesi duygu yüklüydü. "Sapphique'ten işaret bekliyordum." Yukarı baktı. "Bu her şeyi değiştirdi. Jormanric bunun ne olduğunu anlamadan, hemen bu gece yola çıkıyoruz. Çabuk olmalıyız, Finn; Kaçış'ımıza bir an önce başlamalıyız."

"Dur bir dakika!" Keiro duvardan ayrıldı. "O hiçbir yere gitmiyor. Yanımda olmaya yemin etti."

Gildas ona hoşnutsuzlukla baktı. "Sırf senin işine yarıyor diye kalmasını istiyorsun."

"Senin işine yaramıyor mu sanki?" Keiro küçümseyişle güldü. "Sen ikiyüzlüsün, ihtiyar. İlgilendiğin tek şey değersiz bir cam oyuncak, bir de Finn'in kafayı yediği zamanlarda söylediği saçma sapan şeyler."

Gildas ayağa kalktı. Keiro'nun omzuna ancak geliyordu ama bakışları habisti, sırım gibi bedeni gergindi.

"Yerinde olsam dikkatli olurdum, çocuk. Çok dikkatli olurdum."

"Olmazsam ne olur? Beni yılana mı çevirirsin?"

"Bunu kendi kendine yapıyorsun zaten."

Keiro kılıcını çekti. Mavi gözleri buz gibiydi.

Finn, "Kesin şunu," dedi. İkisi de ona bakmadılar bile.

"Senden asla hazzetmedim, çocuk. Sana asla güvenmedim," dedi Gildas sertçe. "Sen sadece kendi zevkini düşünen, işine gelince adam öldürmekten çekinmeyen, züppe, küstah bir hırsızsın. Ve hayatta en çok istediğin şey Finn'i de kendine benzetmek."

Keiro'nun yüzü kızarmıştı. Kılıcı kaldırıp sivri ucunu yaşlı adamın gözlerine yaklaştırdı. "Finn'i senden korumam gerek. Ona bakan benim, hastalandığında başını tutan, sırtını kollayan benim. Madem açık konuşuyoruz, ben de şunu söyleyeyim ki Sapientler büyücülüğün kalıntılarına tutunan salak moruklardan..."

"Yeter dedim!" Finn aralarına girip kılıcı yana itti.

Keiro kılıcını öfkeyle indirdi. "Onunla mı gidiyorsun? Neden?"

"Neden kalayım ki?"

"Tanrı aşkına, Finn! Burada rahatımız yerinde; yiyecek, kızlar, ne istersek var! Bizden korkuyorlar, bize saygı gösteriyorlar; Jormanric'e kafa tutacak denli güçlendik neredeyse. Sonra da Kanatlordları olacağız ikimiz de!"

"Peki, o koltuk," dedi Gildas alaycı bir edayla, "ne zaman iki kişiye fazla gelmeye başlayacak?"

"Kapa çeneni!" Finn hiddetle döndü. "Şu halinize bakın! Bu cehennemde tek dostum sizlersiniz ve benim için kavga etmekten başka bir şey yapamıyorsunuz. Umurunuzda mıyım sanki? Medyum, savaşçı, her riski göze alan budala değil, ben, yani Finn umurunuzda mıyım?" Titriyordu, birden bitkin düşmüştü ve ona bakarlarken çömeldi, ellerini başına götürdü, sesi çatladı. "Artık dayanamıyorum. Burada ölüyorum, nöbet geçirme korkusuyla yaşıyorum, ödüm kopuyor, artık dayanamıyorum, çıkmalıyım, kim olduğumu bulmalıyım. *Kaçmalıyım.*"

Sustular. Fenerin hüzmesinden tozlar yağıyordu yavaşça. Sonra Keiro kılıcını kınına soktu.

Finn titremeyi kesmeye çalıştı. Yukarı baktı, Keiro'nun gözlerinde alaycılık görmekten korktu ama kan kardeşi elini uzatıp Finn'i ayağa kaldırdı ve göz göze geldiler.

Gildas, "Ben seni umursuyorum, salak çocuk," diye homurdandı.

Keiro'nun mavi gözleri deliciydi. "Sus, moruk. Her zamanki gibi ikimizi de manipüle ettiğini görmüyor musun? Bunda çok iyisin, Finn. Maestra'ya yaptın, şimdi de bunu ikimize yapıyorsun." Finn'in kolunu bırakıp geri çekildi. "Tamam. Diyelim ki buradan çıkmaya çalışacağız. Kadının seni nasıl lanetlediğini unuttun mu? Ölürken lanetledi, Finn. Öyle bir lanete karşı koyabilir miyiz?"

"Sen o kısmını bana bırak," diye atıldı Gildas.

"Ah, evet. Büyücülük." Keiro hayretle başını salladı. "Peki, Anahtar'ın o kapıyı açacağını nereden biliyoruz? Kapılar ancak Incarceron isterse açılır."

Finn çenesini ovuşturdu. Dikeldi. "Denemeliyim."

Keiro iç geçirdi. Yüzünü çevirip aşağı, Comitatusların ateşlerine baktı; Gildas ise Finn'le bakıştı ve onay verircesine kafa salladı. Suskun ve muzaffer bir hali vardı.

Keiro geriye döndü. "Tamam. Ama gizlice. Böylece, başarısız olursak kimse bilmez."

"Senin gelmene gerek yok," diye homurdandı Gildas.

"O giderse ben de giderim."

Bunu söylerken ayağını oynatınca kenardan aşağı bir parça kuş pisliği düştü; onun düşmesini seyreden Finn, aşağıda bir gölgenin kımıldadığını görür gibi oldu. Zinciri kavradı. "Orada birisi vardı."

Keiro aşağı baktı. "Emin misin?"

"Öyle gibi geldi."

Sapient ayağa kalktı. Canı sıkılmış gibiydi. "Bir casus ise Anahtar'dan bahsettiğimizi duyduysa başımız belada demektir. Silah ve yiyecek alıp on dakika sonra benimle havalandırma borusunun girişinde buluşun." Anahtar'a, titrek gökkuşağı renklerine baktı. "Bu bende kalsın."

"Hayır, kalmasın." Finn anahtarı sertçe geri aldı. "Bende kalacak."

Dönerken anahtarın ağırlığında birden tuhaf bir sıcaklık hissedince aşağı baktı. Kartalın pençesinin altında giderek solan bir daire vardı. Finn dairenin içinden kendisine bakan bir yüz görür gibi oldu bir an.

Bir kız yüzü.

"İtiraf etmeliyim ki ata binmekten nefret ederim." Lord Evian çiçek yataklarının arasında yürürken yıldız çiçeklerini dikkatle inceliyordu. "Yerden o kadar yüksekte olmaya gerek yok." Claudia'nın yanında banka oturup güneşli doğa manzarasına, sıcakta titreşen kilise kulesine baktı. "Sonra da baban eve dönmek istedi durup dururken! Aniden hastalanmamıştır umarım."

"Unuttuğu bir şeyi hatırlamıştır herhalde," dedi Claudia ihtiyatla.

İkindi ışığı malikânenin bal rengi taşlarını aydınlatıyordu; hendeğin karanlık, altın rengi sularını ışıldatıyordu. Suda yüzen ekmek parçalarına yönelen ördekler ok şeklinde izler bırakıyordu; Claudia biraz daha ekmek ufalayıp attı.

Evian eğilince, pürüzsüz yüzünün yansıması suda belirdi. "Bu evlilik seni hem heyecanlandırıyor hem de biraz kaygılandırıyor olmalı," dedi ağzı.

Claudia bir su tavuğuna bir parça ekmek attı. "Bazen."

"Seni temin ederim ki herkes Steen Kontu'nu çok rahat idare edebileceğini söylüyor. Annesi onun üstüne titrer."

Claudia'nın bundan şüphesi yoktu. Birden kendini bezgin hissetti, sanki rolünü oynamaktan yorulmuştu. Kalkınca gölgesi suları kararttı. "İzninizle Lordum, yapacak bir sürü işim var."

Adam, başını kaldırıp bakmadan tombul parmaklarını ördeklere uzattı. Ancak, "Otur, Claudia Arlexa," dedi.

Bu ses. Claudia adamın ensesine hayretle baktı. Adamın genizden gelen hırıltılı sesi kaybolmuştu. Yerini güçlü ve otoriter bir ses almıştı. Evian başını kaldırıp baktı.

Claudia sessizce oturdu.

"Bu seni çok şaşırtacak eminim. Rol yapmayı severim ama bazen bayıyor." Adamın dalkavukça gülümseyişi de gitmişti ve bu yüzden şimdi daha farklı görünüyordu, kısık gözleri biraz yorgundu. Daha yaşlıydı.

"Rol mü?" dedi Claudia.

"Farklı bir kişiliğe bürünmek. Bunu hepimiz yaparız değil mi, Zaman'ın bu tiranlığında? Claudia, burada bizi kimse dinleyemez, öyle değil mi?"

"Evden daha güvenli."

"Evet." Adam bankta dönünce soluk ipekten yapılma takım elbisesi hışırdadı ve Claudia'nın burnuna, adamın bol bol kullandığı muhteşem parfümün kokusu geldi. "Şimdi beni dinle.

Seninle konuşmam gerek ve bu tek fırsat olabilir. Çelik Kurtları duydun mu hiç?"

Tehlike. Burada tehlike vardı ve Claudia çok dikkatli olmalıydı. "Jared titiz bir öğretmendir," dedi. "Çelik Kurt, Diyar'a karşı kumpas kurmaktan suçlu bulunan ve Incarceron'a giren ilk Mahkûm olan Lord Calliston'ın hanedanlık sembolüydü. Ama bu yüzyıllar önceydi."

"Yüz altmış yıl önce," diye mırıldandı Evian. "Bütün bildiğin bu mu peki?"

"Evet." Bu doğruydu.

Evian çimenliklere çabucak göz attı. "Öyleyse sana şunu söyleyeyim ki Çelik Kurt aynı zamanda gizli bir Saray mensupları örgütünün adıdır... geçmişin idealize edilmesinden kurtulmak isteyen kişilerin diyelim. Havaarnas'ın tiranlığından kurtulmak isteyenlerin. Onlar... biz... Diyar'ın, halkı umursayan, istediğimiz gibi yaşamamıza izin verecek bir kraliçe tarafından yönetilmesini istiyoruz. Incarceron'u açacak birisi tarafından."

Korkan Claudia'nın kalp atışları hızlandı.

"Söylediklerimi anlıyor musun, Claudia?"

Claudia nasıl karşılık vereceğini bilemedi. Medlicote'un nöbetçi kulübesinden çıkıp etrafa bakınarak onları aramasını dudağını ısırarak seyretti. "Sanırım. Siz bu gruptan mısınız?"

Evian da sekreteri görmüştü. "Olabilirim," dedi çabucak. "Seninle konuşmakla büyük riske giriyorum. Ama babana çok benzemiyorsun bence."

Esmer sekreter, köprüden geçerek uzun adımlarla onlara yaklaştı. Evian gevşekçe bekledi. "Bir düşün," dedi. "Steen Kontu ölse çok kişi üzülmez." Ayağa kalktı. "Beni mi arıyorsunuz, efendim?"

John Medlicote çok konuşmayan, uzun boylu bir adamdı. Claudia'yı eğilerek selamladıktan sonra, "Evet, Lordum," dedi. "Müdür saygılarını sunuyor ve Saray'dan bu mektupların geldiğini size söylememi istedi." Deri bir omuz çantası uzattı.

Evian gülümsedi ve çantayı dikkatle aldı. "Öyleyse gidip bunları okumalıyım. İzninle, canım."

Claudia beceriksizce reverans yaptı ve ufak tefek adamın asık suratlı uşağın yanında yürümesini, hasat beklentilerinden gülerek bahsetmesini, çantadan okumak için dokümanlar çıkarmasını seyretti. Sessizce, hayretle bakarken ekmek parçaları ufaladı.

Steen Kontu ölse çok kişi üzülmez.

Adam suikasttan mı söz ediyordu? Samimi miydi, yoksa Kraliçe, sadakatini sınamak için ona tuzak mı kurmuştu? Bunu babasına söylemesi de söylememesi de hata olabilirdi.

Ekmeği karanlık sulara attı; yeşil boyunlu, büyük yaban ördeklerinin karınlarını doyururken daha küçük ördekleri kovmalarını seyretti. Claudia'nın hayatı kumpaslardan ve rol yapmaktan ibaret olan bir labirentti ve güvenebileceği tek kişi Jared'dı.

Parmaklarını birbirine sürttü; güneşli bir hava olmasına karşın üşüyordu.

Çünkü Jared ölüyor olabilirdi.

"Claudia." Evian geri dönmüştü; tombul parmaklarının arasında tuttuğu bir mektubu kaldırmıştı. "Nişanlından iyi haber var, canım." Clauida'ya bakarken yüzü ifadesizdi. "Caspar yakınlardaymış. Yarın burada olacak."

Bu haber Claudia'yı sarstı. Soğukça gülümsedi ve son ekmek kırıntılarını da suya attı. Birkaç saniye su yüzeyinde yüzdüler. Sonra mideye indirildiler.

Keiro bir sırt çantasını ganimetlerle doldurmuştu; güzel giysiler, altınlar, mücevherler, bir tabanca. Çantası ağır olmalıydı ama sızlanmayacaktı; Finn onun bütün bunları geride bıraksa çok üzüleceğini biliyordu. Kendisiyse yanına yedek giysiler, biraz yiyecek, bir kılıç ve Anahtar'ı almıştı. İstedikleri bu kadardı. Sandığa, payına düşen ve zaman içinde biriktirdiği ganimetlere bakarken kendinden tiksinmişti çünkü Maestra'nın delici, küçümseyici bakışını anımsamıştı. Kapağı sertçe kapamıştı.

İleride Gildas'ın fenerini görünce kan kardeşinin peşinden, etrafa kaygıyla bakınarak koştu.

Incarceron'un gecesi zifirî karanlıktı. Ama Hapishane asla uyumazdı. Küçük, kırmızı Gözler'inden biri açıldı ve aşağıda koşan Finn'e doğru döndü tıkırdayarak; bu ses Finn'in canının sıkılmasına ve hafifçe ürpermesine yol açtı. Hapishane merakla seyredecekti. Mahkûmlarıyla oyun oynardı; cinayet işlemelerine, gezinmelerine, dövüşmelerine ve sevişmelerine izin verirdi, sıkılınca da kapılarını kapayıp onlara işkence ederdi, kendi şeklini değiştirirdi. Mahkûmlar onun tek eğlence kaynağıydı ve belki de Kaçış olmadığını biliyordu.

"Çabuk." Gildas sabırsızca bekliyordu. Yanına sadece yiyeceklerle ve ilaçlarla dolu bir sırt çantası ve asasını almıştı; çantayı sırtına astı ve merdivenden yukarı, havalandırma borusuna baktı. "Transit yola çıkacağız; çıkışta muhafızlar olabilir, o yüzden önce ben gideceğim. Oradan kapıya iki saatte gideriz."

"Şehirlilerin bölgesinden geçeceğiz," diye mırıldandı Keiro.

Gildas ona soğukça baktı. "Hâlâ geri dönebilirsin."

"Hayır, dönemez, ihtiyar."

Finn döndü; Keiro yanındaydı.

Tünellerin gölgelerinden ve kenarlarından Comitatuslar salına salına çıktılar; gözleri kırmızıydı, ketin etkisindeydiler, ellerinde arbaletler ve tabancalar vardı. Finn, Büyük Arko'nun omuzlarını oynatarak sırıttığını gördü; Amoz korkunç baltasını savurdu.

Korumalarının arasında duran Jormanric öfkeli ve devasaydı. Sakalına bulaşmış kırmızı ket suyu kan gibi duruyordu.

"Kimse bir yere gitmiyor," diye homurdandı. "O Anahtar da."

10

Koridordaki gözler siyah ve dikkatliydi ve sayıları çok fazlaydı.

"Dışarı gelin," dedi.

Geldiler. Çocuktular. Giysileri yırtık pırtıktı ve derilerinde parlak yaralar vardı. Damarları boruydu, saçları teldi. Sapphique elini uzatıp onlara dokundu. "Bizi kurtaracak olan sizlersiniz," dedi.

SAPPHIQUE VE ÇOCUKLAR

Kimse konuşmuyordu.

Finn merdivenden uzaklaştı; kılıcını çekince Keiro'nun çoktan silahlanmış olduğunu fark etti ama onca kişiye karşı iki kılıç ne yapabilirdi?

Büyük Arko gerilimi bozdu. "Bizden kaçacağını hiç düşünmezdim, Finn."

Keiro sertçe gülümsedi. "Kaçtığımızı nereden çıkardın?"

"Elindeki kılıçtan."

Onlara doğru yalpalayarak ilerledi ama Jormanric zırh eldivenli elinin tersini onun göğsüne yaslayarak adamı durdu. Kanatlordu daha sonra Finn'le Keiro'nun ilerisine doğru baktı. "Bütün kilitleri açabilecek bir alet olabilir mi gerçekten?" Peltek konuşmuştu ama gözleri azimliydi. Finn, Gildas'ın merdivenden indiğini işitti.

"Bence evet. Bu bana Sapphique'ten gönderildi." Yaşlı adam, Finn'i yana iterek geçmeye çalıştı ama Finn onu kemerinden tutarak durdurdu. Sinirlenen Gildas kendini çekip kurtardı ve kemikli parmağını uzattı. "Beni dinle, Jormanric. Yıllardır sana mükemmel tavsiyeler veriyorum. Yaralılarını iyileştirdim ve yarattığın bu cehennem çukuruna az çok düzen getirmeye çalıştım. Ama ne zaman istersem giderim ve artık gidiyorum."

"Tabii, tabii," dedi iri yarı adam ciddiyetle. "Kesinlikle haklısın."

Comitatuslar birbirlerine bakıp sırıttılar. Yaklaştılar. Finn, Keiro'yla bakıştı; Gildas'a sokuldular.

Gildas kollarını kavuşturdu. Sesi küçümseyiciydi. "Senden korktuğumu mu sanıyorsun?"

"Aynen öyle sanıyorum, ihtiyar. Atıp tutsan da aslında benden korkuyorsun. Bunda haklısın da." Jormanric dilinin üstündeki keti yuvarladı. "İnsanların elleri kesilirken, dilleri yarılırken yanımda durdun, kazığa geçirilmiş kellelere tükürüldüğünü gördün, neler yapabileceğimi biliyorsun." Omuz silkti. "Son zamanlarda sinirimi bozmaya başladın. Ders vermelerinden, azarlamalarından bıktım. Şimdi sana bir teklifim var. Bas git, yoksa dilini kendi ellerimle keserim. Merdiveni çık ve Şehirlilere git. Seni özlemeyiz."

Bu doğru değil, diye düşündü Finn. Comitatusların yarısı canlarını ve uzuvlarını Gildas'a borçluydular. Gildas dövüşlerden sonra onların yaralarını temizleyip dikmişti, bunu biliyorlardı.

Gildas acı acı güldü. "Peki, ya Anahtar?"

"Ah." Jormanric'in gözleri kısıldı. "Sihirli Anahtar ve Yıldızgörücü. Onlar burada kalacak. Hiç kimse Comitatusları terk edemez." Gözlerini Keiro'ya çevirdi. "Finn işe yarar ama sen, firari, ancak Ölümün Kapısı'ndan kaçabileceksin."

Keiro sinmedi. Dimdik duruyordu, yakışıklı yüzü kontrollü öfkesi yüzünden kızarmıştı ama Finn onun kılıç tutan elinin çok hafifçe titrediğini gördü. "Bu bir meydan okuma mı?" diye bağırdı Keiro, "değilse ben meydan okuyorum." Etrafa, herkese baktı. "Mesele değersiz bir kristal parçası veya Sapient değil. Bu seninle benim aramda Kanatlordu ve epeydir sürüyor. Sana tehdit oluşturan herkese ihanet ettiğini, onları pusulara gönderdiğini ve onların kan kardeşlerine rüşvet verdiğini, savaşçılarını beyinsiz ket bağımlılarından seçtiğini gördüm. Ama ben senin gibi yapmam. Sana korkaksın, diyorum Jormanric. Şişko korkağın tekisin, katilsin, yalancısın. Bitmişsin sen, tükenmişsin. *Yaşlısın.*"

Sessizlik.

Karanlık havalandırma borusunda bu sözler yankılanıyor; sanki Hapishane, dalga geçercesine onları tekrarlayıp duruyordu. Finn kılıcını öyle sert tutuyordu ki kılıcın kabartmaları canını acıtıyordu; kalbi küt küt atıyordu. *Keiro deliydi. Keiro hepsini mahvetmişti.* Büyük Arko öfkeyle bakıyordu; Lis ve Ramill adlı kızlar hevesle seyrediyorlardı.

Finn onların arkasından usulca yaklaşan zincirli köpek-köleyi gördü.

Herkes Jormanric'e bakıyordu.

Adam hemen harekete geçti. Kalın, çirkin bir bıçak çekti, sırtındaki kılıcı da çekti ve kimsenin bağırmasına fırsat kalmadan Keiro'nun üstüne atlayıverdi.

Finn sıçrayarak uzaklaştı; Keiro parlak kılıcını içgüdüsel olarak kaldırdı ve kılıçlar tokuştu.

Jormanric'in yüzü öfkeden kızarmıştı, kalın boyun damarları kabarmıştı. Keiro'nun yüzüne, "Sen öldün, çocuk," dedi. Sonra saldırıya geçti.

Comitatuslar neşeyle bağrıştılar; tezahürat yaparak onların etrafında toplanıp dar bir çember oluşturdular, silahlarını sallayıp hep beraber tepindiler. Kan döküldüğünü görmeye bayılırlardı ve çoğu Keiro'nun alaylarına maruz kalmıştı; şimdi onun ölmesini istiyorlardı. Finn yana itiliverdi dikkatsizce; kendine yer açmaya çalıştı ama Gildas onu geri çekti. "Gitme!"

"Ölecek!"

"Ölürse ölsün."

Keiro canını kurtarmak için savaşıyordu. Genç ve sağlıklıydı ama Jormanric onun iki katı ağırlığındaydı, savaş sanatlarında deneyimliydi ve onda nadiren görülen bir şekilde gözünü kan bürümüştü. Keiro'nun yüzüne ve kollarına kılıcını savurup duruyordu ve hemen arkasından bıçakla hızlı hamleler yapıyordu. Sendeleyerek gerileyen Keiro, Comitatuslardan birine çarpınca adam onu halkanın içine geri itti kalpsizce; dengesini yitiren Keiro tökezleyerek öne fırlayınca Jormanric darbeyi indirdi.

"Hayır!" diye haykırdı Finn.

Kılıç, Keiro'nun göğsünü yardı; Keiro inleyerek yüzünü yana çevirdi. Kalabalığın üstüne kanlar saçıldı.

Finn kendi bıçağını fırlatmak istedi ama fırsat yoktu; dövüşçüler fazla uzaktaydılar ve Keiro yana göz atamayacak kadar odaklanmış haldeydi. Finn'in kolunu bir el kavradı; Gildas kulağına fısıldadı: "Havalandırma borusuna doğru geri geri yürü. Kimseye görünmeden gidelim."

Finn karşılık veremeyecek kadar altüst olmuş haldeydi. Adamın elinden kurtulup insanları ite kaka halkanın ortasına gitmeye çalıştı ama boynuna iri bir kol dolanıverdi. "Hile yok, kardeş." Arko'nun nefesi ket kokuyordu.

Finn acizce seyretti. Keiro'nun sağ kurtulması mümkün değildi. Bacağı ve bileği kesilmişti bile; yaraları derin değildi ama epey kanıyordu. Jormanric'in gözleri donuklaşmıştı; sırıtarak, ket lekeli dişlerini sergiliyordu. Vahşice saldırıyordu; korkusuzca, gözü dönmüş halde savaşıyordu, çarpışan kılıçlardan kıvılcımlar sıçrıyordu.

Nefes nefese kalan Keiro yana korkuyla göz attı; Finn insanları ite kaka ona ulaşmaya çabaladı. Jormanric vahşi bir çığlık atınca adamları hep bir ağızdan tezahürat yaptılar; adam bir adım öne çıkıp çelik kılıcını savurdu.

Ve tökezledi.

Bir anlığına, sadece bir anlığına dengesini yitirdi. Sonra düştü; gürültüyle, durdurulmaz bir şekilde düştü; kalabalığın ayaklarının arasından, eski giysiler giymiş birinin kirli ellerine kadar uzanan bir zincire takılmıştı.

Keiro üstüne sıçradı. Kanatlordu'nun zırhlı sırtına kemik parçalayıcı bir darbe indirdi; Jormanric hiddet ve öfkeyle haykırdı.

Comitatuslar birden sustular.

Arko Finn'i bıraktı.

Keiro harcadığı çabadan bembeyaz kesilmişti ama durmadı. Jormanric yuvarlanınca Keiro, Kanatlordu'nun sol koluna bastı; koldan iğrenç bir çatırtı çıktı. Bıçak yere düştü. Jormanric dizlerinin üstünde doğruldu; başı eğikti, çatlamış kolu yüzünden inliyordu, sallanıyordu.

Finn kalabalığın arasında kargaşa çıktığını fark etti göz ucuyla; köpek-yaratık zincirinden çekilerek götürülüyordu. Tekmelenen ve sövülen yaratığa doğru gitti ama oraya varırken yaratığın işkencecilerinden biri, Gildas'ın asasının bir darbesiyle iki büklüm olup yere düştü. "Bunu ben hallederim," diye gürledi Sapient. "Birisi ölmeden önce onları durdur!"

Finn geri dönünce Keiro'nun, Jormanric'in yüzünün tam ortasını tekmelediğini gördü.

Kanatlordu hâlâ kılıcını tutuyordu ama kafasına inen bir başka amansız darbe onu yere serdi; kolları bacakları açıktı, burnundan ve ağzından kan boşanıyordu.

Kalabalık sessizdi.

Keiro başını geriye atıp zaferle haykırdı.

Finn bakakaldı. Kan kardeşi değişmişti. Gözleri parlıyordu; terden koyulaşmış saçları kafa derisine yapışmıştı, ellerinden kan akıyordu. Daha uzun boylu görünüyordu, bitkinliğini silip süpüren canlı ve konsantre bir enerji yayıyordu; başını kaldırıp herkese baktı, vahşi ve kör gözlerle bakıyordu, tanınmaz haldeydi, hiçbir şey görmüyordu, her şeye meydan okuyordu.

Sonra yavaşça dönüp kılıcının ucunu Jormanric'in boynundaki damara dayadı ve itti.

"Keiro," dedi Finn sert bir sesle. "Yapma."

Keiro'nun gözleri ona çevrildi. Konuşanı tanımakta bir an zorlandı sanki. Sonra boğuk bir sesle konuştu: "Onun işi bitti. Artık Kanatlordu benim."

"Onu öldürme. Onun zavallı, küçücük krallığına ihtiyacın yok." Finn gözlerini kaçırmadan bakıyordu. "Hiçbir zaman da olmadı. Senin istediğin şey; Dışarı. Başka her yer bize dar gelir."

Yanıt gelircesine, havalandırma borusundan ılık bir rüzgâr esti.

Keiro bir an Finn'e bakakaldı, sonra da Jormanric'e baktı. "Bundan vaz mı geçeyim?"

"Daha fazlası için. Her şey için."

"Çok şey istiyorsun, kardeşim." Aşağı bakan Keiro kılıcı yavaşça kaldırdı. Kanatlordu derin, hırıltılı bir soluk aldı. Sonra Keiro birden kılıcı Jormanric'in açık avucuna vahşice sapladı.

Kanatlordu uluyup çırpındı. Yere çivilenmişti, ızdırapla ve hiddetle kıvranıyordu ama Keiro diz çöküp adamın parmaklarındaki, kurukafa şeklindeki, kalın canyüzüklerini çekiştirmeye başladı.

"Boş ver onları!" Gildas arkalarından seslenmişti. "*Hapishane!*"

Finn yukarı baktı. Etrafında ışıklar patlıyordu, kırmızı ışıklar. Binlerce Göz açılıverdi. Korkunç, uluyan alarmlar çalmaya başladı.

Bir Tecrit'ti bu.

Comitatuslar çil yavrusu gibi dağıldılar, panikle ite kaka koştular ve duvar slotları açılıp da ışık topları parladığında kan kaybeden Jormanric'in çektiği acıyı umursamadan kaçtılar. Finn, Keiro'yu çekmeye başladı. "Onları boş ver!"

Hayır anlamında başını sallayan Keiro, üç yüzüğü yelek cebine koydu. "Git! *Git!*"

Arkadan çatlak bir ses geldi. "Kadını ben mi öldürdüm sanıyorsun, Finn?"

Finn döndü.

Jormanric acıyla kıvranıyordu. Zehir tükürürcesine konuşuyordu. "Ben yapmadım. Kardeşine sor. Şu iğrenç, hain kardeşine sor. Kadının niye öldüğünü sor ona."

Aralarından geçen lazerateşleri çelik çubuklar gibi titreşti. Finn bir an kımıldayamadı; sonra Keiro geri gelip onu aşağı çekti. Kirli zemine uzanarak havalandırma borusuna doğru süründüler. Koridor ışıl ışıl bir enerji ızgarasıydı; Incarceron, düzeni etkili bir şekilde sağlıyordu, parmaklıkları ve kapıları indiriyordu, kapanan tünellere pis kokulu, sarı, tıslayan bir gaz salıyordu.

"Nerede o?"

"Şurada." Finn, Gildas'ın cesetlerin üstünden geçtiğini gördü; adam köpek-köleyi zincirinden çekiyordu. Keiro'nun elinden kılıcı kapan Finn, yaratığı kendine çekip paslı kelepçelere vurdu. Keskin kılıç onları hemen yardı. Finn yukarı bakınca, köpek-kölenin yüzündeki eski sargıların arasından bakan parlak, kahverengi gözler gördü.

"Bırak onu! Hasta o." Keiro omuz atarak geçti, tavanı kavuran bir ateş patlamasından kaçarak merdivene sıçradı. Hızla tırmanarak birkaç saniyede havalandırma borusunun karanlığında gözden kayboldu.

"Haklı," dedi Gildas soluk soluğa. "Bize ayak bağı olur."

Finn duraksadı. O gürültüde, alarmlar çalarken ve çelikler düşerken geriye bakınca cüzzamlı kölenin kendisini seyrettiğini gördü. Ama gördüğü Maestra'nın gözleriydi, zihninde kadının sesi konuşuyordu.

Artık yabancılara iyilik yapmaya asla cesaret edemem.

Hemen eğilip yaratığı sırtına aldı ve merdivene tırmandı.

Keiro yukarıdan tangır tungur sesler çıkarıyordu, aşağıdansa Gildas'ın hırıltılı mırıldanmaları geliyordu. Basamaklara tırmanan Finn, sırtındaki ağırlık yüzünden kısa sürede nefes nefese kaldı; yaratık ona sımsıkı tutunmuştu, topukları Finn'in karnına batıyordu. Yavaşladı; otuz basamak sonra durmak zorunda kaldı, nefesi kesilmişti, kolları kurşun gibi ağırdı. Soluk soluğa tutundu.

Kulağına bir ses fısıldadı. "Bırak gideyim. Tırmanabilirim."

Şaşıran Finn, yaratığın yukarı çıkıp merdivene tutunduğunu ve karanlıkta çabucak tırmandığını hissetti. Gildas aşağıdan tepindi. "Devam et! Çabuk!"

Havalandırma borusuna toz doluyordu ve tuhaf gaz tıslaması duyuluyordu. Finn durmadan tırmandı, öyle ki sonunda baldır ve uyluk kasları güçsüzleşti, omuzları ağırlığını taşımaktan sızlamaya başladı.

Sonra birden kendini daha geniş bir mekânda buldu ve transit yola düşercesine çıktı; Keiro onu yukarı çekmişti. Gildas'ı da yukarı çektiler ve konuşmadan aşağı baktılar. Çok aşağıda parıltılar vardı. Kırmızı alarmlar çalıyordu; salınan gaz Finn'i öksürttü. Sulanan gözlerle bakarken, yanlamasına çıkıveren bir panelin havalandırma borusunun girişini tangırdayarak kapadığını gördü.

Sonra, sessizlik.

Konuşmadılar. Gildas yaratığı elinden tuttu, Finn de Keiro'nun peşinden topallayarak gitti; Keiro tırmanışın ve dövüşün etkisini hissetmeye başlamıştı, birden halsizleşmişti, yaralarından metal kaldırıma akan kanlar, onları ele verecek izler bırakıyordu. Tüneller labirentinden, Şehirli işaretleri taşıyan kapıların ve kapalı girişlerin önünden, bir kale kapısının parmaklıklarının arasından, geniş ve işe yaramaz meydanlardan hiç durmadan, telaşla geçtiler. Sürekli kulak kabartıyorlardı çünkü Şehirlilerle karşılaşırlarsa hiç şansları olmazdı. Finn ne zaman bir köşeyi dönse, uzaktan gelen tangırtılar ve yankılı fısıltılar duysa, küçük bir odada durmadan turlayan bir Kınkanatlı'nın sesine kulak kabartsa terlediğini fark etti.

Bir saat sonra, yorgunluktan topallayan Gildas onları bir geçide soktu; buranın ardında, sıra sıra dizili açık Gözler tarafından aydınlatılan eğimli bir galeri vardı ve Gildas en tepede, çok yukarıda, karanlıkta durup küçük, kilitli bir kapının önünde diz çöktü.

Finn, Keiro'nun oturmasına yardım edip yanına yığıldı. Köpekyaratık yerde iki büklümdü. O daracık mekânda ızdıraplı soluklar duyuldu bir an. Sonra Gildas doğruldu.

"Anahtar," dedi çatlak sesle. "Çabuk, yoksa bizi bulacaklar."

Finn, Anahtar'ı çıkardı. Kapıda çevresi kuvars parçalarıyla bezeli bir altıgen yarık vardı.

Gildas, Anahtar'ı kilide sokup çevirdi.

11

Zavallı Caspar'a gelince, ona katlanmak zorunda olanlara acıyorum. Ama sen hırslısın ve artık yollarımız bir. Senin kızın kraliçe, oğlumsa kral olacak. Bedel ödendi. Beni hayal kırıklığına uğratırsan ne yaparım biliyorsun.

KRALİÇE SIA'DAN INCARCERON MÜDÜRÜ'NE; ÖZEL MEKTUP

"Neden burası?" Claudia çalıların arasından geçerek adamın peşinden gidiyordu.

"Tabii ki," diye mırıldandı Jared, "bu yolu başka kimse bulamayacağı için."

Claudia da bulamazdı. Porsuk ağacı labirenti kadim ve karmaşıktı; kalın çalılar aşılamazdı. Küçükken bir keresinde burada koca bir yaz günü boyunca kaybolmuştu, öfkeden ağlayarak dolanmıştı, dadıyla Ralph bir arama ekibi organize etmişlerdi ve Claudia'yı merkez kayrandaki usturlabın altında uyur halde bulduklarında panikten deliye dönmek üzereydiler. Claudia oraya nasıl gittiğini anımsamıyordu ama bazen rüyalarında o boğucu ısı, arılar, güneşin altındaki pirinç kule hayal meyal geri geliyordu.

"Claudia. Sapağı kaçırdın."

Claudia geri dönünce Jared'ın sabırla beklediğini gördü. "Pardon. Dalmışım."

Jared yolu iyi biliyordu. Labirent en sevdiği yerlerden biriydi; buraya kitap okumaya, çalışmaya ve çeşitli yasaklanmış cihazları gizlice test etmeye gelirdi. Evdeki telaşlı yol hazırlıklarından ve panik havasından sonra burası huzurluydu. Biçilmiş çimlerden Jared'ın gölgesini takip ederek geçen Claudia gül kokularını içine çekiyordu, cebindeki Anahtar'ı okşuyordu.

Mükemmel bir gündü, çok sıcak değildi, birkaç zarif bulut vardı. Üçü çeyrek geçe sağanak boşalacaktı ama o zamana kadar işlerini bitirmiş olurlardı. Claudia bir köşeyi dönüp de karşısında merkez kayranı görünce şaşkınlıkla etrafa bakındı.

"Hatırladığımdan küçükmüş."

Jared tek kaşını kaldırdı. "Her şey öyledir."

Usturlap mavi-yeşil bakırdan yapılmaydı ve belli ki dekoratifti; yanındaki çimenlikte duran, dökme demirden yapılma zarif bankın sırtına kan kırmızısı güller taşıyan bir çalı tırmanmıştı. Çimenlik papatyalarla bezeliydi.

Claudia oturup ipek elbisesinin altındaki dizlerini kaldırdı. "Eee?"

Jared tarayıcısını cebine koydu. "Güvenli görünüyor." Dönüp banka oturdu, öne eğildi, narin ellerini kaygıyla birleştirip katladı. "Evet. Anlat bakalım."

Claudia, Evian'la yaptığı konuşmayı çabucak aktardı ve Jared kaşlarını çatarak dinledi. Claudia son olarak, "Tuzak olabilir tabii," dedi.

"Mümkündür."

Claudia onu seyretti. "Bu Çelik Kurtlar hakkında ne biliyorsun? Bana niye anlatmadın?"

Adamın gözlerini kaldırıp bakmaması hayra alamet değildi; Claudia omurgasının altına korku yayıldığını hissetti.

Sonra Jared konuştu: "Onlardan bahsedildiğini duydum. Söylentiler var ama o meseleye kimlerin karıştığını ve kumpasın ne kadarının gerçek olduğunu bilen yok. Geçen yıl Saray'da, Kraliçe'nin gelmesi beklenen bir odada bomba bulundu. Bu yeni bir şey değildi ama pencere kolundan sarkan küçük bir amblem de bulundu; küçük bir metal kurt." Çime tırmanan bir uğurböceğini seyretti. "Ne yapacaksın?"

"Hiçbir şey. Şimdilik." Claudia, Anahtar'ı çıkarıp iki eliyle güneşe tuttu. "Suikastçı değilim ben."

Adam başıyla onayladı ama dalgın gibiydi, gözlerini kristale dikmişti.

"Üstat?"

"Bir şey oluyor." Adam elini dalgınca uzatıp Anahtar'ı aldı. "Baksana, Claudia."

Minik ışıklar geri gelmişti, bu sefer derinlerde kımıldıyorlardı, yinelenen bir düzen içinde hızla hareket ediyorlardı. Jared artefaktı bankın üstüne koydu birden. "Isınıyor."

Anahtar'dan sesler de geliyordu. Claudia yüzünü yaklaştırınca bir tangırtı ve melodik sesler duydu.

Sonra Anahtar konuştu.

"Bir şey olmuyor," dedi.

Claudia nefesini tutup geri çekiliverdi; Jared'a, fal taşı gibi açılmış gözlere baktı. "Duydun mu?.."

"Sus. Dinle!"

Başka bir ses, daha yaşlı, hırıltılı. "Yakından baksana, salak çocuk. İçinde ışıklar var."

Claudia büyülenmiş halde diz çöktü. Jared zarif parmaklarını sessizce ceplerine soktu. Tarayıcıyı çıkarıp Anahtar'ın yanına koydu ve kaydı başlattı.

Anahtar'dan hafif bir çınlama geldi. İlk insan sesi tekrar duyuldu; tuhaf bir biçimde uzaktan geliyordu ve heyecanlıydı. "Açılıyor. Geri çekilin!"

Sonra artefakttan öyle kalın, yüksek ve rahatsız edici bir tangırtı yükseldi ki Claudia ne olduğunu başta anlayamadı.

Bir kapı. Açılıyordu.

Kalın bir metal kapıydı, çok eski olabilirdi çünkü menteşeleri gıcırdıyordu ve üst pervazından pas ya da molozların döküldüğü duyuluyordu.

Sonra sessizlik.

Anahtar'daki ışıklar yeşile dönüp söndü.

Sadece hendeğin yanındaki karaağaçlardaki ekin kargalarının sesleri duyuluyordu. Gül çalısına konan bir karatavuk kuyruğunu oynattı.

"Eh," dedi Jared usulca.

Tarayıcıyı ayarlayıp tekrar Anahtar'ın üzerinde gezdirdi. Claudia elini uzatıp kristale dokundu. Anathar soğuktu.

"Ne oldu? Kimdi onlar?"

Jared tarayıcıyı çevirip gösterdi. "Bir konuşma parçacığı. Gerçek zamanlı. Çok kısa süreliğine kurulup kopan bir ses bağlantısı. Sen mi başlattın, onlar mı bilmiyorum."

"Dinlediğimizi bilmiyorlardı."

"Bilmiyor gibiydiler."

"Birisi, '*İçinde ışıklar var,*' dedi."

Sapient'in siyah gözleri onunkilere baktı. "Onlarda da benzer bir cihaz olduğunu mu düşünüyorsun?"

"Evet." Oturamayacak kadar heyecanlanan Claudia ayağa fırlayınca karatavuk telaşla uçup gitti. "Dinle Üstat, dediğin gibi bu sadece Incarceron'un anahtarı değil. Belki de aynı zamanda bir haberleşme cihazıdır!"

"Hapishane'yle mi?"

"Mahkûmlarla."

"Claudia..."

"Düşünsene! Oraya kimse gidemiyor. Babam, Deney'i nasıl gözlemliyor peki? Olup bitenleri nasıl duyuyor?"

Jared başıyla onayladı; siyah saçları gözlerine düşmüştü. "Olabilir."

"Ama..." Claudia kaşlarını çattı, parmaklarını iç içe geçirdi. Sonra Jared'a döndü. "Sesleri tuhaf geliyordu."

"Daha açık konuşmalısın, Claudia. Nasıl tuhaf?"

Claudia uygun sözcüğü aradı. Bulunca şaşırdı. "Korkmuş gibiydiler."

Jared düşündü. "Evet... haklısın."

"Neden korkuyorlardı peki? Kusursuz bir dünyada korkacak bir şey yoktur, değil mi?"

Jared kararsızca konuştu: "Duyduğumuz bir çeşit dramaydı belki. Bir yayın."

"Ama öyle şeyleri varsa... piyesleri, filmleri filan varsa, tehlike, risk ve dehşet nedir bilmeleri gerekir herhalde. Bu mümkün mü? Dünyan mükemmelse bunları bilebilir misin? Öyle bir öykü yaratman mümkün olabilir mi?"

Sapient gülümsedi. "Bu konuyu tartışabiliriz, Claudia. Kimilerine sorsan, senin de dünyan kusursuz ama bunları biliyorsun, diyebilirler."

Claudia kaşlarını çattı. "Tamam. Bir şey daha." Uzun kanatlı kartala tık tık vurdu. "Bu sadece dinlemeye mi yarıyor? Yoksa aynı zamanda onlarla konuşabilir miyiz?"

Jared iç geçirdi. "Konuşabilsek bile konuşmamalıyız. Incarceron'un koşulları titizce kontrol ediliyor; her şey en ince ayrıntısına kadar hesaplandı. Değişkenler katarsak, oraya küçücük bir anahtar deliği bile açarsak her şeyi mahvedebiliriz. Cennet'e mikrop sokamayız, Claudia."

Claudia döndü. "Evet ama..."

Donakaldı. Jared'ın arkasında, çalıların arasındaki boşlukta Claudia'nın babası duruyordu. Claudia'yı seyrediyordu. Claudia'nın kalbi korkunç şokun etkisiyle durdu bir an; sonra üstünde çalışılmış, zarif gülümsemesini takındı.

"Efendim!"

Jared kaskatı kesildi. Anahtar bankın üstündeydi; elini uzattı ama Anahtar erişebileceği alanın hemen ötesindeydi.

"İkinizi aramadığım yer kalmadı." Müdür'ün sesi yumuşaktı; güneşle aydınlanan kayranın ortasında dururken siyah kadife ceketinin içi boştu sanki. Jared beti benzi atmış yüzünü kaldırıp Claudia'ya baktı. *Anahtar'ı gördüyse...*

Müdür sakince gülümsedi. "Sana bir haberim var, Claudia. Steen Kontu geldi. Nişanlın seni arıyor."

Claudia ona buz gibi bir bakış fırlattı. Sonra yavaşça ayağa kalktı.

"Lord Evian onunla ilgileniyor ama canını sıkmaktan başka bir şey yapamaz. Sevindin mi canım?"

Gelip Claudia'nın elini tuttu; Claudia ışıldayan kristali ondan gizlemek için yana geçmek istedi ama kımıldayamıyordu. Sonra Jared bir şeyler mırıldanarak biraz öne eğildi.

"Üstat?" Kaygılanan Claudia, babasının elinden kurtuldu. "Sancın mı var?"

Jared'ın sesi boğuktu. "Ben... Hayır... Bir an başım döndü o kadar. Önemli bir şey değil."

Claudia onun doğrulmasına yardım etti. Müdür başlarında duruyordu, bir kaygı maskesi takınmıştı. "Korkarım son zamanlarda kendini fazla yoruyorsun, Jared," dedi. "Güneşte oturmak sana iyi gelmez. Hem sabahlara kadar çalışıyorsun."

Jared titreyerek ayağa kalktı. "Evet. Teşekkürler, Claudia. Şimdi iyiyim. Gerçekten."

"Belki biraz dinlenmelisin," dedi Claudia.

"Dinleneceğim. Kuleme çıkacağım sanırım. İzninizle, efendim."

Titreyerek doğruldu. Claudia, babasının yerinden kımıldamayacağını sandı korkunç bir an boyunca. Müdür ve Jared yüz yüze durdular. Sonra Müdür alaycı bir gülümsemeyle geri çekildi. "İstersen akşam yemeğini yukarı gönderebiliriz."

Jared başıyla onaylamakla yetindi.

Claudia, öğretmeninin çalıların arasında dikkatle yürümesini seyretti. Banka bakmaya cesareti yoktu ama üstünün boş olduğunu biliyordu.

Müdür gidip oturdu, bacaklarını uzattı ve bilek bilek üstüne attı. "Sapient takdire değer bir adam."

"Evet," dedi Claudia. "Buraya nasıl geldiniz?"

Adam güldü. "Ah, Claudia. Bu labirenti sen daha doğmadan tasarladım ben. Sırlarını kimse benim kadar iyi bilemez, senin şu değerli Jared'ın bile." Dönüp bir kolunu bankın sırtına uzattı. Usulca konuştu: "Senin, bana itaatsizlik ettiğini düşünüyorum, Claudia."

Claudia yutkundu. "Ettim mi?"

Babası asık suratla kafa sallayıp onayladı. Bakıştılar.

Babası her zamanki gibi davranıyordu, Claudia'yla oynuyordu. Claudia kumpaslara, bu aptalca oyuna dayanamaz hale geldi birden. Hiddetle ayağa kalktı. "Tamam! Çalışma odana giren bendim." Babasının karşısına geçti; yüzü öfkeden kızarmıştı. "Bunu biliyorsun, oraya girdiğinden beri biliyorsun, yani rol yapmanın ne gereği var! İçeriyi görmek istedim, sen de girmeme hiç izin vermedin. *Girmeme hiç izin vermedin.* Ben de gizlice girdim. Üzgünüm, tamam mı? Üzgünüm."

Adam ona bakıyordu. Sarsılmış mıydı? Claudia bunu bilemiyordu. Ama kendisi titriyordu; yılların korkusu ve öfkesi, kendisinin ve Jared'ın hayatlarının babası yüzünden düzmece bir hale gelmesinin yol açtığı hiddet patlak vermişti.

Babası hemen elini kaldırdı. "Claudia, lütfen! Elbette, biliyordum. Kızmadım. Zekânı takdir ettim aslında. Saray'daki hayatında sana lazım olacak."

Claudia bakakaldı. Babası bir an irkilmişti. Daha da fazlası. Adamın canı sıkılmıştı.

Ve Anahtar'dan bahsetmemişti.

Gül çalısını dalgalandıran bir esinti ağır gül kokusunu getirdi; Müdür sessizdi, kendini bu kadar ele verdiğine şaşırmıştı. Tekrar konuştuğunda sesinde her zamanki iğneleyici ton vardı. "Umarım sen ve Jared bundan keyif almışsınızdır." Birden ayaklandı. "Kont bekliyor."

Claudia kaşlarını çattı. "Onu görmek istemiyorum."

"Seçme şansın yok." Adam eğilerek veda edip çalıların arasından uzun adımlarla uzaklaştı; Claudia öfkeyle dönüp onun arkasından baktı. Sonra, *"Neden evde annemin resmi yok?"* dedi.

Bunu söyleyeceğini bilmiyordu. Ağzından çıkıvermişti, kendi sesine hiç benzemeyen sert, buyurgan bir sesle.

Adam kalakaldı.

Claudia'nın kalp atışları hızlandı; yaptığı şeyden dehşete düştü. Adamın dönüp cevap vermesini istemiyordu; onun yüzünü görmek istemiyordu. Çünkü orada zayıflık görürse çok korkacaktı; babasının kontrollü tavırları berbattı ama kontrolünü yitirirse alttan ne çıkacağı belli değildi.

Ama adam dönmeden konuştu. "Fazla ileri gitme, Claudia. Sabrımı zorlama."

O gidince Claudia bankta büzülmüş olduğunu fark etti; sırt ve omuz kasları kasılmaktan ağrıyordu, elleri ipek eteğini kavramıştı. Kendini ağır ağır nefes almaya zorladı.

Sonra bir nefes daha aldı.

Dudakları terden tuzlanmıştı.

Babasına neden o soruyu sormuştu? Bu nereden aklına gelmişti? Annesini hiç düşünmezdi, onu hayalinde canlandırmazdı bile. Küçükken, Saray'daki diğer kızların huysuz annelerine bakarken bile kendi annesini merak etmemişti.

Uçları yenmiş tırnaklarını kemirdi. Çok büyük bir hata yapmıştı. Asla ama asla öyle konuşmamalıydı.

"Claudia!"

Yüksek, buyurgan bir ses. Claudia gözlerini kapadı.

"Claudia, bütün bu çalıların arasında saklanman boşuna." Dal hışırtı ve çatırtıları geldi. "Konuş benimle! Yolu bulamıyorum!"

Claudia iç geçirdi. "Sonunda geldin demek. Müstakbel kocam nasıllar?"

"Kan ter içinde ve sinirli. Gerçi sen umursamazsın ya. Baksana, buradan beş yol çıkıyor. Hangisinden gideyim?"

Delikanlının sesi yakından geliyordu; Claudia onun pahalı kolonyasının kokusunu alabiliyordu. Evian gibi üstüne boca etmemişti ama fark ediliyordu yine de. "En küçük ihtimal gibi görünen yoldan," dedi. "Eve doğru giden."

Sızlanmalar uzaklaştı. "Evliliğimizi tarif ettin sanki. Claudia, kurtar beni buradan!"

Claudia kaşlarını çattı. Delikanlı hatırladığından da sinir bozucuydu.

Porsuk ağacı dallarının hışırdadığını ve kırıldığını duydu.

Hemen ayaklanıp elbisesini temizledi, yüzünün hislerini ele verecek kadar solgun olmadığını umdu. Solundaki çalı sarsıldı. İçinden geçen bir kılıç yol açtı ve Caspar'ın iri yarı, suskun koruması Fax dışarı çıkıp çabucak etrafa bakındıktan sonra dalları yana çekti. Dalların arasından zayıf bir delikanlı geldi; hoşnutsuzluğu ağzından belliydi. Claudia'ya ters ters baktı. "Giysilerimin haline bak, Claudia. Mahvoldular. Resmen mahvoldular."

Claudia'yı bir yanağından soğukça öptü. "Başkası olsa benden kaçmaya çalıştığını düşünürdü."

"Okuldan atılmışsın," dedi Claudia istifini bozmadan.

"Ben bıraktım." Caspar omuz silkti. "Acayip bayıcıydı. Annem sana şunu gönderdi."

Kraliçe'nin beyaz gül mührünü taşıyan, kalın, beyaz bir kâğıda yazılmış bir mesajdı bu. Claudia açıp okudu.

Canım,

İyi haberi almışsındır, yakında evleniyorsunuz. Onca yıl bekledikten sonra sen de benim kadar heyecanlısındır eminim! Caspar gidip sana eşlik etmekte ısrar etti, çok romantiktir. Öyle güzel bir çift olacaksınız ki. Artık beni sevgi dolu annen olarak görmelisin, canım.

Sia Regina

Claudia mektubu katladı. "Israr mı ettin?"

"Hayır. O gönderdi." Caspar usturlabı tekmeledi. "Evlenmek ne sıkıcı şeymiş, Claudia. Değil mi?"

Claudia sessizce kafa sallayıp onayladı.

12

Yozlaşma yavaş yavaş yayıldığından fark etmekte geç kaldık. Sonra bir gün Hapishane'yle konuşuyordum ve odadan çıkarken gülme sesi duydum. Hafif, alaycı bir kıkırtıydı.

Bu ses kanımı dondurdu. Koridorda öylece dururken aklıma bir el yazması parçasında gördüğüm eski bir resim, Cehennem'in günahkârları yutan, dev ağzının resmi geldi.

Bizi mahvedecek bir iblis yarattığımızı o zaman anladım.

LORD CALLISTON'IN GÜNLÜĞÜ

Açılan kapının sesi kulak tırmalayıcıydı, sanki Hapishane iç geçiriyordu. Sanki bu kapı yüzyıllardır açılmamıştı. Ama alarm çalmadı. Belki de Incarceron hiçbir kapının onları dışarı ulaştırmayacağını biliyordu.

Finn'in uyarısı üzerine Gildas geri çekildi; moloz ve kırmızı pas yağdı gürültüyle. Kapı sarsılarak içeri doğru açılırken birden durdu.

Bir an beklediler çünkü kapının dar aralığı karanlıktı ve ardından serin, tuhaf bir şekilde tatlı kokulu hava geliyordu. Sonra Finn molozları yana tekmeledi ve omzunu kapıya dayadı. Kapıyı omuzlayarak biraz daha aralamayı başardı. Artık aradan geçebilirlerdi.

Gildas onu dürttü. "İçeri bak. Dikkatli ol."

Finn geriye, yerde halsiz oturan Keiro'ya göz attı. Kılıcını çekip aralıktan yanlamasına geçti.

İçerisi soğuktu. Nefesi buhar halinde çıkmaya başladı. Zemin engebeliydi ve aşağı doğru eğimliydi. Birkaç adım ilerleyince ayak bileklerinin etrafında tuhaf, küçük şeyler hışırdadı; elini aşağı uzatınca parmak uçlarında gevrek, soğuk ve ıslak, keskin bir şeyler hissetti. Gözleri loşluğa alışınca sütunlarla dolu eğri bir salonda olduğunu düşündü; uzun, siyah sütunlar yukarıdaki karmakarışık bitkilerin arasında gözden kayboluyordu. En yakındakine el yordamıyla, şaşkınlıkla gidip dokundu. Sütun buz gibiydi ve sertti ama pürüzsüz değildi. Üzerinde çatlak ve yarıklar, çıkıntılar ve iç içe geçmiş dallar vardı.

"Finn?"

Gildas kapıdaki bir gölgeydi.

"Bekle." Finn kulak kabarttı. Bitkilerin arasından esen esinti sanki kilometrelerce yayılan, gümüş tıngırtısına benzeyen hafif bir ses çıkarıyordu. Bir an sonra, "Burada kimse yok," dedi. "Gelebilirsiniz."

Hışırtılar duyuldu. Sonra Gildas, "Anahtar'ı getir, Keiro," dedi. "Bunu kapatmamız gerek."

"Kapatırsak geri dönebilir miyiz?" Keiro'nun sesi bitkin çıkmıştı.

"Neden geri dönelim ki? Bana yardım et." Köpek-köle dar aralıktan geçince Finn'le yaşlı adam hemen küçük kapıyı itip kapadılar. Kapı hafifçe tıkırdayarak kapandı.

Bir hışırtı. Bir sürtünme sesi. Bir fenerden yayılan ışık.

"Gören olabilir," dedi Keiro öfkeyle.

Ama Finn, "Söyledim ya," dedi. "Yalnızız."

Gildas feneri kaldırınca etraftaki iç karartıcı, boğucu sütunlara baktılar. Sonunda Keiro, "Bunlar *ne* ki?" dedi.

Arkalarındaki köpek-yaratık çömeldi. Finn ona doğru göz atınca yaratığın kendisine baktığını anladı.

"Metal ağaçlar." Sapient'in örülmüş sakalını aydınlatan ışık, sevinçli gözlerini ışıldattı. "Bir orman; burada bitkiler demir, çelik ve bakırdandır, yapraklarsa folyo gibi incedir, meyveler altın ve gümüştür." Döndü. "Eski zamanlara dair öykülerde böyle yerlerden bahsedilir. Canavarlar tarafından korunan altın elmalardan. Görünüşe bakılırsa doğruymuşlar."

Hava soğuk ve esintisizdi. Yabancı bir mesafeliliği vardı. Finn'in sormaya cesaret edemediği soruyu Keiro sordu.

"Dışarı'da mıyız?"

Gildas küçümseyerek güldü. "O kadar kolay mı sanıyorsun? Şimdi otur yoksa yığılıp kalacaksın." Finn'e göz attı. "Yaralarıyla ilgilenirim. Işıkyanması'nı burada beklesek de olur. Dinlenebiliriz. Hatta karnımızı doyururuz."

Ama Finn dönüp Keiro'nun karşısına geçti. Üşüyordu ve midesi bulanıyordu ama ısrarla konuştu. "Daha ileri gitmeden önce Jormanric'in neyi kastettiğini bilmek istiyorum. Maestra'nın ölümü hakkında."

Bir an sessizlik oldu. Loş ışıkta Keiro, Finn'e bezgince göz attıktan sonra hışırdayan yaprakların arasına oturdu ve saçlarını kanlı elleriyle geriye attı. "Tanrı aşkına Finn, ne bileyim ben?

Adamın halini gördün. İşi bitmişti. Ne olsa söylerdi! Yalandı işte. Unut gitsin."

Finn ona yukarıdan baktı. Bir an ısrar etmek, tekrar sormak, içindeki korkuyu yatıştırmak istedi. Ama Gildas onu yana çekti. "İşe yara. Yiyecek bir şeyler bul."

Sapient su dökerken Finn çantasından birkaç paket kurutulmuş etle meyve çıkardı, bir de fener çıkarıp diğer fenerle yaktı. Sonra buz gibi, metal yapraklara basarak bitkilerin sık olduğu bir yere yürüdü ve birkaç battaniye serip oturdu. Işık havuzunun ötesindeki gölgeli ormandan gelen hafif hışırtılardan ve sürtünme seslerinden rahatsız oluyordu; onlara aldırmamaya çalıştı. Gildas'ın, çizgili ceketiyle gömleğini çıkarıp yaralarını temizlediği ve göğsündeki yaraya pis kokulu bitkilerden yapılma bir merhem sürdüğü Keiro ağız dolusu küfürler savurdu.

Gölgelerde çömelmiş köpek-köle hayal meyal seçiliyordu. Finn yiyecek paketlerinden birini alıp açtı ve yaratığa biraz yiyecek uzattı. "Al," diye fısıldadı.

Paçavralar bağlanmış, kabuk tutmuş bir el yiyecekleri kapıverdi. Karnını doyuran yaratığı seyreden Finn kendisine karşılık veren kısık, telaşlı sesi anımsadı. "Kimsin sen?" diye fısıldadı.

"O yaratık hâlâ burada mı?" Ağrılar içinde ve sinirli olan Keiro ceketini tekrar giyip iliklerken kesiklere ve yırtıklara kaşlarını çattı.

Finn omuz silkti.

"Ondan kurtulalım." Keiro oturup eti bir çırpıda mideye indirdi ve daha var mı diye bakındı. "Hasta o."

"O yaratığa canını borçlusun," dedi Gildas.

Keiro öfkeyle başını kaldırıp baktı. "Ne alakası var! Jormanric'i tam yeniyordum zaten." Gözlerini yaratığa çevirdi; sonra birden gözlerini hiddetle açtı ve ayağa fırladı, çömelmiş yaratığın yanına uzun adımlarla gitti ve karanlıktaki bir şeyi kaptı. "Bu benim!"

Sahiden de onun çantasıydı. İçinden yeşil bir tunik ve mücevherli bir hançer düştü. "Pis hırsız." Keiro, yaratığa bir tekme savurdu; yaratık kaçtı. Sonra kız sesiyle konuşarak, "Getirdiğim için bana teşekkür etmelisin," deyince apışıp kaldılar.

Gildas topuğunun üstünde döndü ve gölgelerin, paçavraların içindeki yaratığa bakakaldı. Sonra kemikli parmağını uzattı. "Göster kendini," dedi.

Eskimiş kapüşonu geriye atıldı, ellerdeki gri bandajlar çözüldü. Giysilerin içinde, küçük bir figür belirdi, dizlerinin üstünde duruyordu, siyah saçları kirliydi ve kısa kesilmişti, dar yüzündeki gözleri dikkatli ve şüpheciydi. Kumaşları üst üste koyarak kambur ve kabartılar oluşturmaya çalışmıştı; bandajları çekiştirirken irinli yaraları ortaya çıkınca Finn tiksintiyle geri çekildi. Sonra Gildas alaycı bir şekilde güldü. "Sahte."

Öne çıktı. "Sana yaklaşmamı neden istemediğin şimdi anlaşıldı."

Köpek-köle metal ormanın loşluğunda küçük, zayıf bir kıza dönüşmüştü; yaraları sahteydi, zekice boya kullanılarak yapılmıştı. Kız yavaşça ayağa kalktı, nasıl yapıldığını unutmuşçasına. Sonra gerinip inledi. Boynundaki zincirin uçları sallanıp tıngırdadı.

Keiro sert bir kahkaha attı. "Vay canına. Jormanric sandığımdan da kurnazmış."

"Bilmiyordu ki." Kız ona cesurca baktı. "Hiçbiri bilmiyordu. Beni yakaladıklarında bir gruptaydım, o gece yaşlı bir kadın ölmüştü. Bu paçavraları onun cesedinden çaldım, pas kullanarak yara izleri yaptım, her tarafıma çamur sürdüm, saçımı kestim. Sağ kalmak istiyorsam akıllı, çok akıllı olmam gerektiğini biliyordum."

Ürkek ve asi görünüyordu. Yaşını kestirmek güçtü; saçları kısacık kesildiğinden cılız bir çocuk gibi görünüyordu ama Finn, kızın kendisinden çok da genç olmadığını tahmin etti. "Çok parlak bir fikir değilmiş," dedi.

Kız omuz silkti. "Onun kölesi olacağımı bilmiyordum ki."

"Ve onun yiyeceklerini tadacağını."

Kız acı acı güldü. "İştahı yerindeydi. O sayede kurtuldum."

Finn, Keiro'ya göz attı. Kan kardeşi, kızı seyrettikten sonra dönüp battaniyelerin üstüne kıvrıldı. "Sabahleyin onu defedelim."

"Bu kararı sen veremezsin." Kızın sesi kısık ama sertti. "Ben artık Yıldızgörücü'nün hizmetçisiyim."

Keiro dönüp bakakaldı. Finn, "Benim mi?" dedi.

"Beni oradan sen kurtardın. Başka kimsenin yapmayacağını yaptın. Beni bırakırsan peşinden gelirim. Köpek gibi." Öne çıktı. "Kaçmak istiyorum. Dışarı'yı bulmak istiyorum, öyle bir yer varsa. Hem kölesalonundakiler senin rüyalarında yıldızları gördüğünü, Sapphique'in seninle konuştuğunu söylediler. Hapishane'nin –sen onun oğlu olduğun için– sana çıkış yolunu göstereceğini."

Finn, kıza sıkıntıyla baktı. Gildas kafa salladı. Finn'le bakıştı.

"Karar senin," diye mırıldandı yaşlı adam.

Ne yapacağını bilemeyen Finn, genzini temizleyip kıza, "Adın ne?" dedi.

"Attia."

"Şey, bak Attia, ben hizmetçi istemiyorum. Ama... bizimle gelebilirsin."

"Yiyeceği yok. Yani bizim onu beslememiz gerekecek," dedi Keiro.

"Senin de yok." Finn giysi çantasını ayağıyla dürttü. "Artık benim de yok."

"Öyleyse onu sen doyurursun, kardeşim. Ben değil."

Gildas metal ağaçlardan birine yaslandı. "Uyuyun," dedi. "Işıklar yanınca konuşuruz. Ama birinin nöbet tutması gerek; sen başla kız."

Kız başıyla onayladı ve Finn battaniyelerin üstünde huzursuzca kıvrılırken kızın, gölgelerin arasında usulca gözden kaybolduğunu gördü.

Keiro kedi gibi esnedi. "Bu kız boğazlarımızı keser herhalde," diye mırıldandı.

"*İyi geceler* dedim Alys," diyen Claudia, yere serilmiş ipek giysilere bakan dadısını makyaj masasının aynasından seyretti.

"Şunun haline bak, Claudia, çamur içinde kalmış..."

"Çamaşır makinesine at. Bir yerlerde çamaşır makinen var, biliyorum."

Alys ona öfkeyle baktı. Giysileri eski yöntemlerle elde yıkamak, dövmek ve kolalamak çok zor olduğundan personelin Protokol'ü çoktan, gizlice ihlal ettiğini ikisi de biliyordu. Saray'da bile böyledir herhalde, diye düşündü Claudia.

Kapı kapanır kapanmaz ayağa fırlayıp kapıyı kilitledi, dökme demirden anahtarı çevirerek ve bütün güvenlik sistemlerini çalıştırarak. Sonra kapıya sırtını yaslayıp düşündü.

Jared akşam yemeğine gelmemişti. Bu önemli değildi; rolünü sürdürmek istemişti herhalde, hem Kont'un ahmaklığından nefret ederdi. Adamın labirentte gerçekten hastalanıp hastalanmadığını bir an merak eden Claudia onu aramayı düşündü ama Jared minikomu sadece acil durumlarda kullanmasını söylemişti, hele Müdür evdeyken.

Sabahlığının kuşağını bağlayıp dört direkli yatağa atladı ve yatağın çatısını el yordamıyla yokladı.

Orada yoktu.

Şimdi evde çıt çıkmıyordu. Caspar akşam yemeği boyunca konuşup içmişti; on dört yemek servisi yapılmıştı, balıklar ve ispinozlar, kısırlaştırılmış horozlar ve kuğular, yılanbalıkları ve tatlılar getirilmişti. Caspar bağıra çağıra ve huysuzca konuşup turnuvalardan, yeni atından, sahilde inşa ettirdiği bir şatodan, kumarda kaybettiği paralardan bahsetmişti. Yeni hobisi yaban domuzu avcılığıydı anlaşılan veya en azından geride durup da uşaklarının yaralı yaban domuzlarını, kendisi öldürsün diye getirmelerini beklemekti. Mızrağından, öldürdüğü hayvanlardan, Saray'ın koridorlarını süsleyen uzun dişli kafalardan bahsetmişti. Bir yandan da durmadan içmişti ve sesi giderek sertleşip pelteklemişti.

Claudia sabit bir gülümseme takınarak dinlemişti ve ona iğneleyici sorular sormuştu; Caspar bu soruları anlamakta zorlanmıştı. Bu arada Claudia'nın karşısında oturan babası şarap kadehinin sapıyla oynayarak, bardağı beyaz örtünün üstünde ince parmaklarıyla çevirerek Claudia'yı seyretmişti. Claudia şimdi aşağı atlayıp makyaj masasına gidip bütün çekmeceleri karıştırırken o soğuk bakışı, evlenmek zorunda kalacağı budalanın yanında otururkenki halini inceleyen o gözleri hatırladı.

Aradığı şey çekmecelerde yoktu.

Birden üşüyünce gidip pencereyi açtı, denizliğin üstündeki minderlere perişan halde uzandı. Babası onu seviyorsa nasıl böyle davranabiliyordu? Claudia'nın ne kadar mutsuz olacağını görmüyor muydu? Ilık yaz akşamında filiz, hanımeli ve hendeğin etrafındaki çalı çitlerdeki misk güllerinin tatlı kokusu vardı. Uzaklardaki tarlaların ardında Hornsely Kilisesi'nin çanı on iki kez hafifçe çaldı. Claudia bir pervanenin pencereden girip mum alevlerinin çevresinde ihtiyatsızca turlamasını seyretti; böceğin tavandaki gölgesi devleşti bir an.

Babasının gülümsemesinde yeni bir tehditkârlık mı vardı artık? Claudia'nın annesi hakkında sorduğu salakça soru tehlikeyi artırmış mıydı?

Annesi ölmüştü, Alys öyle demişti ama Alys o zamanlar burada çalışmıyordu, personelden de bir tek babasının sekreteri Medlicote vardı ve Claudia o adamla pek konuşmazdı. Ama belki de konuşmalıydı. Çünkü o soru Müdür'ün pratik yapılmış ağırbaşlı gülümsemelerinden ve soğuk Dönem adabından oluşma zırhını bıçak gibi delmişti. Claudia onu bıçaklamıştı ve adam bunu hissetmişti.

Gülümsedi, yüzü kızarmıştı.

İlk kez öyle bir şey olmuştu.

Annesinin ölümünde bir tuhaflık olabilir miydi? Hastalıklar kol geziyordu ama zenginler yasadışı ilaçlar bulabiliyorlardı. Bu Dönem için fazla modern ilaçlar. Babası katıydı ama karısını sevdiyse onu kurtarmak için elinden geleni yapmıştı herhalde, kanunları çiğnemek zorunda kalsa bile. Karısını sırf Protokol uğruna ölüme terk etmiş olabilir miydi? Yoksa mesele daha da mı kötüydü?

Pervane tavanda uçuşuyordu. Claudia öne eğilip pencereden gökyüzüne baktı.

Yaz yıldızları parlaktı. Çatıları ve malikânenin duvarlarını hafif, hayaletimsi bir ışıkla aydınlatıyorlardı; bu loş ışık karanlık hendeğin gümüşi dalgacıklarından yansıyordu.

Babası, Giles'ın ölümüne karışmış olabilirdi. Daha önce cinayet işlemiş miydi?

Yanağına bir şey dokununca sıçradı. Pervanenin kanatları sürtünürken böcek, *"Minderlerin altında,"* diye fısıldadı ve sonra Jared'ın kulesinden gelen hafif ışığa doğru yalpalayarak uçup gözden kayboldu.

Claudia sırıttı.

Kalkıp elini minderlerin altına sokunca kristalin soğuk kenarına dokundu. Anahtar'ı özenle çıkardı.

Anahtar, yıldız ışıklarını içinde hapsediyordu. Hafif bir ışık yayıyordu sanki, içindeki kartalın gagasında da bir ışık kıymığı vardı.

Herkes akşam yemeğindeyken Jared, Anahtar'ı buraya getirmişti herhalde.

Claudia tedbirli davranarak mumları söndürüp pencereyi kapadı. Yatağındaki ağır yorganın altına girdi ve Anahtar'ı dizlerinin üzerine koydu. Sonra ona dokundu, ovuşturdu, üstüne hohladı.

"Konuş benimle," dedi.

Finn öyle üşümüştü ki titremeye bile hali kalmamıştı neredeyse.

Metal orman zifirî karanlıktı; fener Keiro'nun yerdeki elini, yatan Gildas'ı aydınlatıyordu sadece. Kız bir ağacın dibindeki bir gölgeydi; hiç ses çıkarmıyordu ve Finn onun uyuyup uyumadığını merak etti.

Keiro'nun çantasına uzandı dikkatle. Kan kardeşinin süslü ceketlerinden birini alıp kendi ceketinin üstüne giyecekti. Hatta belki de ikisini; yırtılırlarsa yırtılsın.

Çantayı çekip elini içine sokunca Anahtar'a dokundu.

Anahtar ılıktı.

Onu çok yavaşça çıkardı ve elinde tutunca, katılaşmış parmaklarına rahatlatıcı ısı yayıldı. Anahtar, *"Konuş benimle,"* dedi usulca.

Finn gözlerini fal taşı gibi açarak diğerlerine baktı.

Kimse kımıldamıyordu.

Dikkatle doğrulurken deri kemeri gıcırdadı; kalktı ve döndü. Üç adım atınca metal yaprakların hışırtı ve çıtırtıları Keiro'nun mırıldanıp dönmesine yol açtı.

Finn ağacın arkasında donakaldı.

Anahtar'ı kulağına götürdü. Anahtar sessizdi. Onun her tarafına dokundu, sarstı. Sonra ona fısıldadı. "Sapphique. Lord Sapphique. Siz misiniz?"

Claudia nefesini tuttu.

Cevap öyle net gelmişti ki. Telaşla etrafa bakınıp bunu kaydedecek bir şeyler aradı, bulamayınca da küfretti. Sonra, "Hayır! Hayır!" dedi. "Adım Claudia. Sen kimsin?"

"Sus! Uyanacaklar."

"Kim uyanacak?"

Bir duraksama oldu. Sonra Finn, "Arkadaşlarım," dedi. Nefes nefeseydi, sesi tuhaf bir şekilde korkuluydu.

"Kimsin?" dedi Claudia. "Neredesin? Mahkûm musun? Incarceron'da mısın?"

Finn başını geriye atıp Anahtar'a hayretle bakakaldı.

Anahtar'ın tam ortasında küçük bir mavi ışık vardı; Finn eğilince bu ışık tenini aydınlattı. "Elbette, buradayım. Yoksa... sen... Dışarı'da mısın?"

Bir sessizlik oldu. Öyle uzun sürdü ki Finn bağlantının kesildiğini sandı; telaşla, "Beni duydun mu?" derken aynı anda kız "Hâlâ orada mısın?" dedi.

Sonra kız, "Üzgünüm," dedi. "Seninle konuşmamalıyım. Jared konuşma dedi."

"Jared mı?"

"Üstat."

Finn başını salladı; nefesi kristali buğulandırdı.

"Ama bak ne diyeceğim," dedi kız, "artık çok geç, hem iki çift laf etmenin yüzyıllık deneye zararı olmaz bence, değil mi?"

Finn, kızın neden bahsettiğini bilmiyordu. "Dışarı'dasın, öyle değil mi? Dışarı'sı var yani? Orada yıldızlar var, değil mi?"

Kızın cevap vermeyeceğinden korktu ama bir an sonra kız, "Evet. Onlara bakıyorum," dedi.

Finn hayretle nefes verdi; kristal hemen buğulandı.

"Bana adını söylemedin," dedi kız.

"Finn. Sadece Finn."

Sessizlik. Finn ne yapacağını bilemedi; Anahtar'ı iki eliyle beceriksizce tutuyordu. Sormak istediği, bilmek istediği öyle çok şey vardı ki nereden başlayacağını bilemiyordu. Sonra kız, "Benimle nasıl konuşuyorsun, Finn?" dedi. "İçinde kartal hologramı olan, kristal bir anahtarla mı?"

Finn yutkundu. "Evet. Bir anahtar."

Arkasından bir hışırtı geldi. Dönüp ağacın yanından bakınca, horlayan ve homurdanan Gildas'ı gördü.

"İkimizde de aynı cihazdan var yani." Kız zeki, akıllı birine benziyordu; problem çözmeye, sorunları halletmeye alışkın gibiydi; berrak sesi, Finn'e mumları anımsattı birden ve incecik bir sızı hissetmesine yol açtı. Pastanın üstündeki yedi mum.

O anda Incarceron'un ışıkları her zamanki gibi ansızın yanıverdi.

Finn karşısında bakır rengi, altın sarısı ve sarımsı kahverengi tonlar barındıran kırmızı bir manzara görünce inledi. Orman aşağı doğru kilometrelerce uzanıyordu, geniş ve düz bir araziye kadar iniyordu. Hayretle aşağı baktı.

"O neydi? Ne oldu? Finn?"

"Işıklar yandı. Ben... yeni bir yerdeyim, başka bir Kanat'tayım. Bir metal ormandayım."

"Kıskandım. Muhteşemdir herhalde," dedi kız tuhaf bir şekilde.

"Finn?" Gildas ayaktaydı, etrafa bakınıyordu. Finn onu çağırmak istedi bir an ama sonra ihtiyatlı tarafı ağır bastı. Bu onun sırrıydı. Sırrını korumalıydı.

"Gitmeliyim," dedi çabucak. "Seninle tekrar konuşmaya çalışacağım... Nasılsa artık biliyoruz... Yani, sen de istersen konuşuruz. Ama yardım etmelisin," diye ekledi telaşla. "Bana yardım etmelisin."

Kızın cevabı onu şaşırttı. "Sana nasıl yardım edebilirim ki? Kusursuz bir dünyada nasıl bir terslik olabilir?"

Mavi ışık soldukça Finn, Anahtar'ı daha sıkı tuttu. Acizce fısıldadı: "Lütfen. Kaçmama yardım etmelisin."

13

Duvarların kulakları var.

Kapıların gözleri var.

Ağaçların sesleri var.

Hayvanlar yalan söyler.

Yağmurdan sakın.

Kardan sakın.

Tanıdığını sandığın

İnsandan sakın.

SAPPHIQUE ŞARKILARI

Finn'in sesi.

Claudia zırh eldivenini takıp elini oynatırken, maskesinin içinden Finn'in sesi fısıldadı tekrar.

Kaçmama yardım etmelisin...

"Gardını al lütfen, Claudia." Eskrim öğretmeni bol bol terleyen, kısa boylu, kırçıl saçlı bir adamdı. Kılıçlarını birbirine yasladılar; adam usta eskrimcilerin hafif ve belirgin hareketlerini yaparak işaretler verdi. Claudia otomatik olarak karşılık verdi, saldırı ve savuşturma hamleleri yaptı –*sixte, septime, octave* paradları– altı yaşından beri yaptığı gibi.

O delikanlının sesi tanıdıktı.

Maskenin sıcak karanlığında dudağını ısırdı, saldırıya geçti, *quarte* paradını yaptı, hemen karşı saldırıya geçti ve üstadın koruyuculu ceketine vurunca çıkan sesten haz aldı.

O şive, sesli harflerin biraz uzatılması. Saray'da öyle konuşulurdu.

"Öne hamle eder gibi yapıp geri çekil lütfen."

Claudia söyleneni yaptı, artık terliyordu, eldiveni ter yüzünden yumuşamıştı bile; kılıç kullanmak, bildik hareketleri yapmak rahatlatıcıydı, zihninin daha çabuk çalışmasını sağlıyordu.

Kaçmama yardım etmelisin.

Korku. O fısıldayan seste duyulma korkusu, öyle konuşmanın korkusu vardı. Bir de kaçmaktan sanki kutsal, yasak, muazzam bir şeymiş gibi bahsetmişti.

"*Quarte* paradı lütfen, Claudia. Ve elini yukarıda tut."

Claudia hamleleri dalgınca savuşturdu. Üstadın arkasındaki ana kapıdan avluya giren Lord Evian basamaklarda durup enfiye çekti. Claudia'yı zarif bir duruşla seyretti.

Claudia kaşlarını çattı.

Düşünecek öyle çok şey vardı ki. Eskrim dersi onun için kaçıştı. Evde kaos hâkimdi; giysileri, geride bırakmayı reddettiği kitaplar ve yanına almakta direttiği evcil hayvanlar hazırlanıyordu, gelinliğin son rötuşları yapılıyordu. Şimdi de bu mesele çıkmıştı başına. Anahtar'ı Jared'ın taşıması gerekecekti. Claudia'nın eşyalarının arası güvenli değildi.

Şimdi dövüşüyorlardı. Claudia bütün düşüncelerden sıyrılarak darbelerde, savuşturmalarda, tekrar tekrar vurdukça bükülen kılıcında odaklandı.

Sonunda üstat geri çekildi. "Çok iyiydin, Leydim. Uç kontrolün hâlâ mükemmel."

Claudia maskesini yavaşça çıkarıp adamın elini sıktı. Adam yakından bakınca daha yaşlı ve biraz üzgün görünüyordu.

"Böyle bir öğrenciyi kaybetmek üzücü olacak."

Claudia, adamın elini iyice sıktı. "Kaybetmek mi?"

Adam geri çekildi. "Ben... anlaşılan... düğünden sonra..."

Claudia öfkesini dizginledi. Adamın elini bırakıp dikeldi. "Evlendikten sonra da hizmetlerine ihtiyacım olacak. Babamın bu konuda söylediklerine aldırma lütfen. Bizimle birlikte Saray'a gideceksin."

Adam gülümseyerek eğilip veda etti. Pek ikna olmadığı belliydi; Claudia arkasını dönüp de Alys'ten bir bardak su alırken yüzünün utançtan kızardığını hissetti.

Onu izole etmeye çalışıyorlardı. Bunu tahmin etmişti; Jared uyarmıştı. Kraliçe Sia'nın sarayında yapayalnız olmasını, güvenecek kimsesinin, birlikte kumpas kurabileceği birilerinin olmamasını istiyorlardı. Ama bunu kabul etmeyecekti.

Lord Evian paytak paytak yürüyerek gelmişti. "Muhteşemdin, canım." Claudia'nın eskrim pantolonlu halinden hoşlandığı, adamın küçük gözlerinden okunuyordu.

"Laf olsun diye iltifat etme," dedi Claudia öfkeyle. Eliyle Alys'i kovarak bardakla sürahiyi alıp yeşil çimenliğin yanındaki bir banka gitti. Adama döndü. "Seninle konuşmalıyım."

"Evin önündeyiz," dedi adam usulca. "Gören olabilir."

"Öyleyse mendilini salla ve gül. Ya da casuslar ne yaparlarsa onu yap."

Adam enfiye kutusunu kapadı. "Sinirlisin, Leydi Claudia. Ama seni sinirlendiren ben değilim sanırım."

Bu doğruydu. Yine de Claudia ona öfkeyle baktı. "Benden ne istiyorsun?"

Adam göldeki ördeklere, çalılıklardaki küçük, siyah su tavuklarına sakince gülümseyerek baktı. "Şimdilik hiçbir şey. Düğünden önce harekete geçmeyeceğiz elbette. Ama sonra yardımına ihtiyacımız olacak. Önce Kraliçe halledilmeli, en tehlikelisi o. Sonra da, sen sağ salim Kraliçe olunca, kocanın başına bir kaza gelecek..."

Claudia soğuk suyu içti. Bardağın içinde Jared'ın kulesinin, ardındaki mavi göğün, Protokol'e tamamen uygun küçük pencerelerin yansımasını gördü.

"Bunun tuzak olmadığını nereden bileyim?"

Adam gülümsedi. "Kraliçe senden şüpheleniyor mu ki? Şüphelenmesi için bir sebep yok."

Claudia omuz silkti. Kraliçe'yle yalnızca festivallerde karşılaşmıştı. Nişanlandığı gün tanışmıştı, yıllar önce. Altında sanki yüzlerce basamak uzanan bir tahtta oturan, beyaz elbiseli, zayıf, sarışın bir kadın görmüştü ve o basamakları birer birer çıkmak zorunda kalmıştı, neredeyse kendi boyunda bir çiçek sepetini dikkatle taşıyarak.

Kraliçe'nin parmakları, parlak kırmızı tırnakları.

Claudia'nın alnında hissettiği serin avuç.

O sözler. "Ne güzelmiş, Müdür. Çok tatlı."

"Bunu kaydediyor olabilirsin," dedi. "Beni... sadakatimi sınıyor olabilirsin."

Evian hafifçe iç geçirdi. "Seni temin ederim ki..."

"İstediğin kadar temin et, yine de öyle olabilir." Bardağı atıp Alys'in bıraktığı yumuşak havluyu aldı ve yüzünü sildi. Sonra döndü. "Giles'ın ölümü hakkında ne biliyorsun?"

Adam gafil avlanmıştı. Solgun gözleri biraz açıldı. Ama rol yapmakta ustaydı; kendini hiç ele vermeden yanıtladı. "Prens Giles'ı mı diyorsun? Attan düştü."

"Kaza mıydı? Yoksa öldürüldü mü?"

Adam bunu kaydediyorsa Claudia'nın artık işi bitmişti.

Adam tombul parmaklarını iç içe geçirdi. "Bak canım, cidden..."

"Söyle. Bilmeliyim. Beni en çok o ilgilendiriyor. Giles benim... nişanlımdı. Ondan hoşlanıyordum."

"Evet." Evian ona kurnazca baktı. "Anlıyorum." Kararsız kalmış gibiydi, sonra birden karar vermişçesine, "Ölümünde *sahiden* de bir tuhaflık vardı," dedi.

"Biliyordum! Jared'a dedim..."

"Sapient bunu biliyor mu?" Adam gözlerini kaygıyla kaldırdı. "Beni?"

"Jared'a canımı emanet edecek kadar güvenirim."

"Onlar en tehlikeli insanlardır." Evian dönüp eve baktı. Ördeklerden biri salına salına ona yaklaştı; adam elini sallayınca hayvan vaklayarak kaçtı. "Dinleyenlerin nerede olduğu hiç belli olmaz," dedi usulca, ördeğin arkasından bakarak. "Havaarnalar bizi bu hale düşürdüler, Claudia. Korkarak yaşamamıza yol açtılar."

Adam bir an neredeyse sarsılmış göründü; sonra ipek takımındaki görünmez bir kırışıklığı düzelterek farklı bir ses tonuyla, "Prens Giles o sabah yanına her zamanki uşaklarını almadan atına binip gitti," dedi. "Güzel bir bahar sabahıydı; Prens sağlıklıydı, on beş yaşında neşe dolu bir çocuktu. İki saat sonra bir ulak kan ter içinde at sürerek geldi; atından atlayıp Saray bahçesine daldı, merdiveni koşarak çıktı ve Kraliçe'nin ayaklarına kapandı. Ben oradaydım, Claudia. Kazayı söylediklerinde kadının yüzünün aldığı hali gördüm. Bütün kraliçeler gibi o da soluk tenlidir ama bembeyaz kesildi. Rol yapıyorsa mükemmel bir oyunculuktu. Çocuk dallardan alelacele yapılmış bir cenaze teskeresiyle getirildi; yüzünü ceketleriyle örtmüşlerdi. Koca koca adamlar ağlıyordu."

Claudia, "Devam et," dedi sabırsızca.

"Cenaze töreni düzenlendi. Çocuğa büyük bir altın sarısı cübbe ve taçlı kartal armasını taşıyan bir ipek tunik giydirmişlerdi. Binlerce kişi çocuğun yanından sırayla geçti. Kadınlar ağlıyordu. Çocuklar çiçek bırakıyordu. Öyle güzeldi ki, diyorlardı. Öyle gençti ki."

Adam eve bakıyordu.

"Ama bir tuhaflık vardı. Bir adam. Adı Bartlett'tı. Çocuğa küçük yaşlarından itibaren bakmıştı. Artık yaşlıydı, emekliye ayrılmıştı ve güçsüzleşmişti. Cesedi görmesine bir ikindi sonunda, herkes gittikten sonra izin verdiler. Onu gölgeli, sütunlu Meclis Odası'ndan geçirdiler ve basamakları güçlükle çıkıp Giles'a baktı. Üzüntüden ağlayacağını, feryat edeceğini sanıyorlardı. Izdıraptan üstünü başını parçalayacağını sanıyorlardı. Ama öyle yapmadı."

Evian yukarı bakınca Claudia, adamın küçük gözlerinin kurnaz olduğunu gördü. "Güldü, Claudia. O ihtiyar güldü."

Metal ormandaki iki saatlik yürüyüşten sonra kar başladı.

Daldığı gündüz düşünden bir bakır köke ayağı takılınca uyanan Finn karın bir süredir yağdığını fark etti; yerdeki yaprakların üstü incecik bir buz tabakasıyla kaplanmaya başlamıştı bile. Geriye baktı; nefesi buharlıydı.

Gildas biraz arkadan geliyordu, kızla konuşuyordu. Keiro neredeydi peki?

Finn hemen döndü. Dışarı'dan, yıldızların olduğu yerden gelen ses bütün gün aklından çıkmamıştı. Claudia? Kız nasıl onunla konuşabilmişti? Gömlek cebindeki soğuk Anahtar'ın ağırlığını hissetti; rahatlatıcıydı bu. "Keiro nerede?" dedi.

Gildas durdu. Asasını yere dayayıp ağırlığını verdi. "İleride etrafa bakıyor. Sana söylemişti, duymadın mı?" Birden yaklaşıp Finn'e dikkatle baktı; küçük, kırışıklı yüzündeki mavi gözleri kristal berraklığındaydı. "Sen iyi misin? İmgeler mi geliyor, Finn?"

"İyiyim. Maalesef hayır, kusura bakma." Sapient'in sesindeki hevesten rahatsız olan Finn kıza baktı. "Şu zinciri çıkarmalıyız."

Kız, sallanmaması için zinciri boynuna kolye gibi asmıştı. Kızın kızarmış boyun derisi acımasın diye zincirin altına tıkıştırdığı bezler görülüyordu. "İdare ederim," dedi kız usulca. "Ama neredeyiz?"

Finn dönüp kilometrelerce uzanan ormana baktı. Rüzgâr giderek sertleşiyordu, metal yapraklar hışırdıyordu. Çok aşağıda orman, kar bulutlarının altında gözden kayboluyordu, çok yukarıdaysa Hapishane'nin tavanının sisin içinde hayal meyal görülen ışıkları vardı.

"Sapphique bu yoldan geçmişti." Gildas çok heyecanlı gibiydi. "Bu ormanda ilk şüphelerini, ona daha fazla ilerlemesinin mümkün olmadığını söyleyen karanlık umutsuzluğu yendi. Dışarı tırmanmaya buradan başladı."

"Ama burası aşağı iniyor," dedi Attia usulca.

Finn kıza baktı. Kızın kirli, kısacık saçlarının altındaki yüzü tuhaf bir neşeyle aydınlanmıştı. "Buraya daha önce geldin mi?" diye sordu.

"Hayır. Ben küçük bir Şehirli grubundaydım. Kanat'tan hiç çıkmazdık. Burası... muhteşem."

O sözcük Finn'e Maestra'yı hatırlattı ve suçluluk duymasına yol açtı ama Gildas ona sürtünerek geçip yola devam etti. "Aşağı iniyor gibi görünebilir ama Incarceron'un yeraltında olduğu teorisi doğruysa eninde sonunda yukarı çıkmaya başlarız. Belki ormandan çıkınca."

Afallayan Finn fersah fersah uzanan ormana baktı. Incarceron nasıl bu kadar engin olabilirdi? Bunu hayal bile etmemişti hiç. Sonra kız, "Şu duman mı?" dedi.

İşaret ettiği yere baktılar. Çok uzaklarda, sisin içinde incecik bir duman sütunu yükselip dağılıyordu. Finn onu bir ateşin dumanına benzetti.

"Finn! Yardım et!"

Döndüler. Keiro bakır ve çelik çalıların arasından bir şeyi sürüklüyordu; yanına koştuklarında Finn sürüklenen şeyin ufak bir koyun olduğunu gördü; koyunun bacaklarından biri kabaca onarılmıştı, devreleri meydandaydı.

"Hâlâ hırsızsınız yani," dedi Gildas sertçe.

"Comitatusların kuralını bilirsin." Keiro neşeli görünüyordu. "Her şey Hapishane'ye aittir ve Hapishane düşmanımızdır."

Koyunun boğazını kesmişti bile. Etrafa bakındı. "Burada parçalayabiliriz. Yani kız yapabilir. Bir işe yarasın."

Kimse kımıldamadı. "Aptallık etmişsin," dedi Gildas. "Buradaki mahkûmları hiç tanımıyoruz. Güçlerini hiç bilmiyoruz."

"Karnımızı doyurmamız gerek!" Keiro şimdi kızgındı, yüzü kararıyordu. Koyunu yere attı. "İstemiyorsan sen bilirsin!"

Gergin bir sessizlik oldu. Sonra Attia, "Finn?" dedi.

Finn, kızın talimat beklediğini fark etti. Böyle bir otoriteye sahip olmak istemiyordu. Ama Keiro'nun çok sinirli olduğunu görünce, "Tamam. Sana yardım edeyim," dedi.

Yan yana diz çöküp koyunu kestiler. Kız, Gildas'ın bıçağını ödünç almıştı ve ustaca çalışıyordu; Finn onun bu işi daha önce sık sık yapmış olduğunu fark etti; beceriksizlik ettiğinde kız onu yana iterek çiğ eti kesiyordu. Yanlarına sadece biraz et aldılar; daha fazlasını taşıyamazlardı, ayrıca ateş yakacak kavları yoktu henüz. Hayvanın sadece yarısı organikti; geri kalanı dâhice birleştirilmiş metallerden ibaretti. Gildas kalıntıları bastonuyla dürttü. "Hapishane'nin ürettiği hayvanların kalitesi düştü."

Sesi kasvetliydi. Keiro, "Ne demek istiyorsun, moruk?" dedi.

"Dediğim şu. Bu yaratıkların sadece etten kemikten oldukları zamanları hatırlıyorum. Sonra devreler belirmeye başladı, damarlarla kıkırdakların yerine konmuş küçücük şeyler. Biz Sapientler bulduğumuz bütün dokuları her zaman inceleriz. Bir ara bana getirilen karkasları parayla satın alıyordum, gerçi Hapishane daha hızlı davranıyordu genellikle."

Finn başıyla onayladı. Bütün ölü yaratıkların kalıntılarının bir gecede ortadan kaybolduğunu; Incarceron'un hemen Kınkanatlılarını gönderip ham maddeleri işlemden geçirerek geri kazanmak için topladığını hepsi biliyordu. Burada hiçbir şey gömülmezdi, hiçbir şey yakılmazdı. Ölen Comitatuslar bile uçurumun yanındaki bir yere bırakılırdı; onlara en sevdikleri giysiler giydirilirdi ve çiçekler bırakılırdı. Sabahleyin cesetler gitmiş olurdu hep.

Attia konuşunca şaşırdılar. "Halkım bunu biliyordu. Koyunlar uzun süredir böyle, köpekler de. Geçen yıl grubumuzda bir çocuk doğdu. Sol ayağı metaldi."

"Ona ne oldu?" diye sordu Keiro usulca.

"Çocuğa mı?" Attia omuz silkti. "Öldürdüler. Öyle şeylerin yaşamasına göz yumulamaz."

"Biz Pislikler daha iyi insanlarız. Bütün ucubelerin yaşamasına izin veririz."

Finn ona göz attı. Keiro'nun sesi iğneleyiciydi; dönüp yürümeye başladı. Ama Gildas kımıldamadı. "Bunun ne anlama geldiğini görmüyor musun, salak çocuk?" dedi. "Hapishane'nin organik madde sıkıntısı çektiğini gösteriyor."

Ama Keiro dinlemiyordu. Birden pürdikkat kesilerek elini kaldırdı.

Ormandan bir ses yükseliyordu. Hafif bir fısıltı, hışırtılı bir esinti. Başta sadece yaprakları havalandıran esinti Finn'in saçlarını dağıttı, Gildas'ın cübbesini dalgalandırdı.

Finn döndü. "Bu ne?"

Sapient onu iterek yürümeye başladı. "Çabuk. Sığınacak yer bulmalıyız. Çabuk!"

Ağaçların arasından koştular; Attia, Finn'in peşinden ayrılmıyordu. Rüzgâr hızla sertleşti. Etraflarında yapraklar döne döne uçuşmaya başladı. Bir tanesi Finn'in yanağını sıyırdı; Finn birden hissettiği acıya elini götürünce bir kesiğe dokundu, kan gördü. Elini gözlerine siper eden Attia inledi.

Fırtına birden bastırınca kendilerini uçuşan metal parçalarının, jilet gibi keskin bakır, çelik ve gümüş yaprakların ortasında buldular. Ağaçlar inleyerek eğiliyordu, kırılan dalların çatırtıları görünmeyen tavandan yankılanıyordu.

Finn eğilerek nefes nefese koşarken fırtınanın uğultusunu yüksek bir insan sesine benzetti. Ses ona kızıyordu, onu kaldırıp fırlatıyor; öfkeyle metal ağaçlara doğru savuruyor, dövüyordu. Finn tökezleyerek koşarken yaprakların sesin sözcükleri, fesatça fırlattığı oklar olduklarını, Incarceron'un onu, hücrelerinde doğmuş oğlunu azarladığını anladı ve durup iki büklüm olarak, "Seni duyuyorum! Seni duyuyorum! Dur artık!" diye inledi.

"Finn!" Keiro onu aşağı çekti. Zemin göçünce Finn aşağı kaydı, dev bir meşenin karmakarışık köklerinin arasındaki bir boşluğa düştü.

Gildas'ın üstüne düşünce adam onu itti. Hepsi de bir an nefeslerini toplayıp dışarıdaki havayı vızır vızır yaran ölümcül yaprakları dinlediler. Sonra arkadan Attia'nın boğuk sesi geldi.

"Burası neresi?"

Finn döndü. Arkalarında, çelik meşenin altına uzanan loş, yuvarlak bir boşluk gördü. Burası ayakta durulamayacak kadar basıktı ve ilerisi karanlıktı. Kız emekleyerek içeri girdi. Altında ince yapraklar çıtırdadı; küflü, tuhaf, keskin bir koku alan Finn duvarlarda sporlu, iri mantarlar gördü.

"Bu bir çukur," dedi Keiro keyifsizce. Dizlerini yukarı çekti, ceketini temizledi ve sonra Finn'e baktı. "Anahtar'a bir şey olmadı, değil mi kardeşim?"

"Tabii ki olmadı," diye mırıldandı Finn.

Keiro'nun mavi gözleri sertti. "Eee, göstersene."

Finn elini gömlek cebine tuhaf bir gönülsüzlükle soktu. Anahtar'ı çıkarınca kristalin loşlukta ışıldadığını gördüler. Soğuktu, neyse ki sessizdi.

Attia'nın gözleri fal taşı gibi açıldı. "Sapphique'in Anahtarı!"

Gildas ona döndü. "Ne dedin?"

Ama kız kristale bakmıyordu. Ağaca titizce kazınmış, yüzyılların tozuyla lekelenmiş ve yeşil likenlerle kaplanmış resme bakıyordu; bir tahtta oturan, kaldırdığı ellerinde altıgen bir karanlık tutan uzun boylu, siyah saçlı, sırım gibi bir adamın resmine.

Gildas, Anahtar'ı Finn'den aldı. Resimdeki oyuk kısma soktu. Anahtar hemen ışık saçmaya başladı; ışık ve ısı yayıyordu; onların kirli yüzlerini, kıvrık yaraları, kovuğun her tarafını aydınlatıyordu.

Keiro başıyla onayladı. "Doğru yoldayız anlaşılan," diye mırıldandı.

Finn karşılık vermedi. Sapient'i seyrediyordu; yaşlı adamın yüzündeki huşuyu ve neşeyi. Saplantıyı. Kemiklerine kadar buz kesti.

14

Büyümeyi, dolayısıyla yozlaşmayı yasaklıyoruz. Hırsı, dolayısıyla umutsuzluğu yasaklıyoruz. Çünkü her biri diğerinin çarpık bir yansımasıdır sadece. En önemlisi de Zaman yasak. Artık hiçbir şey değişmeyecek.

KRAL ENDOR'UN FERMANI

"Bu ıvır zıvırları istemezsin bence." Caspar yığından bir kitap alıp açtı. Aydınlatılan, parlak harflere göz attı. "Saray'da kitaplarımız var. Ben hiç okumam."

"Beni şaşırtıyorsun." Claudia yatağa oturup kaosa umutsuzca baktı. Nasıl bu kadar çok eşyası olmuştu? Zaman da öyle azdı ki!

"Sapientlerde de binlerce var." Caspar kitabı yana attı. "Sen çok şanslısın, Claudia, Akademi'ye gitmek zorunda kalmadın. Can sıkıntısından öleceğim sandım. Neyse, çıkalım mı? Bunlarla hizmetçiler ilgilenir. Onların işi."

"Evet." Claudia tırnağını kemiriyordu; bunu yaptığını fark edince kemirmeyi bıraktı.

"Benden kurtulmaya mı çalışıyorsun, Claudia?"

Claudia yukarı baktı. Caspar onu seyrediyordu, küçük gözleri her zamanki gibi soğukkanlıydı. "Benimle evlenmek istemediğini biliyorum," dedi.

"Caspar..."

"Sorun değil, aldırmıyorum. Sonuçta hanedanlık meselesi, o kadar. Annem açıkladı. Bir veliaht doğurduktan sonra istediğin kadar sevgilin olabilir. Benim kesinlikle olacak."

Claudia ona hayretle baktı. Daha fazla oturamadı; yerinden fırlayıp dağınık odada dolandı. "Caspar, ağzından çıkanı kulağın duysun! Saray dediğin o mermer mezarda birlikte nasıl bir hayat yaşayacağımızı düşündün mü hiç? Bir yalanı yaşayacağız, rol yapacağız, sahte gülümsemeler takınacağız, asla yaşanmamış bir dönemin giysilerini giyeceğiz; sadece kitaplarda olması gereken yapmacık, züppe, taklit tavırlarda bulunacağız. Bunu düşündün mü hiç?"

Caspar şaşırmıştı. "Hep öyle oldu."

Claudia onun yanına oturdu. "Özgür olmak istemedin mi hiç Caspar? Bir bahar sabahı, tek başına ata binip dünyayı keşfe çıkmayı? Maceralar yaşamayı, sevebileceğin birisini bulmayı?"

Fazla ileri gitmişti. Sözünü bitirir bitirmez bunu anladı. Bunlar Caspar'a fazla gelirdi. Delikanlının kasıldığını, kaşlarını çattığını ve ona öfkeyle baktığını gördü. "Bütün bunların sebebini biliyorum ben." Caspar'ın sesi sertti. "Çünkü ağabeyimi istiyordun. Melek gibi Giles'ı. Ama o öldü Claudia, unut onu." Sonra yeniden hafifçe, kurnaz kurnaz gülümsedi. "Yoksa Jared yüzünden mi?"

"Jared mı?"

"Eh, gayet açık, değil mi? Yaşlı bir adam ama bazı kızlar bundan hoşlanır."

Claudia onu tokatlamak istedi, kalkıp o kıs kıs gülen küçük suratına tokadı patlatmak istedi. Caspar ona sırıttı. "Ona nasıl baktığını gördüm, Claudia. Dediğim gibi, aldırmıyorum."

Claudia sinirden kaskatı kesildi. "Seni küçük, fesat kurbağa."

"Sinirlendin. Demek ki bu doğru. Baban, Jared'la senin arandaki ilişkiyi biliyor mu, Claudia? Ona söylesem mi acaba, ne dersin?"

Caspar zehirliydi. Dil çıkarıp duran bir kertenkele gibiydi. Alaycı gülümsemesi sinir bozucuydu. Claudia eğilip yüzünü onunkine yaklaştırınca delikanlı geri çekildi.

"Bir daha bana ya da başkasına bundan söz edersen seni öldürürüm. Anlıyor musun, Steen Lordu? Seni bizzat öldürürüm, o cılız vücuduna hançeri sokuveririm. *Giles'ı öldürdükleri gibi öldürürüm seni.*"

Hiddetten titreyerek dışarı çıktı ve kapıyı öyle sert kapadı ki gürültüsü koridorda yankılandı. Koruma Fax dışarıda oturuyordu. Claudia geçerken küstahça bir yavaşlıkla ayaklandı ve Claudia portrelerin altından koşup merdivene giderken adamın gözlerini ve soğuk gülümseyişini sırtında hissetti.

Onlardan nefret ediyordu.

Hepsinden.

Caspar nasıl öyle konuşabilmişti!

Öyle bir şeyi nasıl düşünebilmişti? Merdivenleri hışımla inip çift kanatlı kapıyı gürültüyle açınca hizmetçiler önünden çil yavrusu gibi kaçıştılar; Claudia'nın öfkeli olduğunu anlamışlardı. Öyle pis bir yalandı ki! Jared'a atılan bir iftiraydı! Öyle bir şeyi asla aklına bile getirmeyecek olan Jared'a!

Alys'e seslenince kadın koşarak geldi. "Ne oldu Leydim?"

"Binici ceketimi getir. *Hemen!*"

Claudia burnundan soluyarak beklerken odada dolandı; açık ön kapıdan dışarı, göz alabildiğine uzanan kusursuz çimenliklere, mavi gökyüzüne, tuhaf tuhaf öten tavus kuşlarına baktı.

Öfkesi sıcaktı ve rahatlatıcıydı. Ceketi gelince omuzlarına attı ve "At gezintisine çıkıyorum," dedi sertçe.

"Claudia... Bir sürü iş var! Yarın yola çıkıyoruz."

"Sen hallet."

"Gelinlik... son prova."

"İstersen onu paramparça et, benim için hava hoş." Sonra gitti, basamakları koşarak indi ve avluyu geçti; koşarken yukarı bakınca babasını, kendi çalışma odasının olmayan penceresinde dururken gördü, oysa bu imkânsızdı, o pencere yoktu ki.

Babasının sırtı dönüktü, birisiyle konuşuyordu.

Çalışma odasında başka birisi mi vardı?

Ama oraya kimse girmezdi.

Yavaşlayarak bir an hayretle seyretti. Sonra babasının döneceğinden korkarak ahırlara koştu ve Marcus'un çoktan eyerlenmiş olduğunu, toprağı sabırsızca eşelediğini gördü. Jared'ın atı da hazırdı; yapılı, güçlü ve uzun bacaklı bir hayvandı, adı TamLin'di; Claudia bu ismin anlamını bilmiyordu, gizli bir Sapient esprisiydi herhalde.

Etrafa bakındı. "Bilge nerede?" diye sordu Job'a.

Hep suskun olan çocuk, "Kuleye geri döndü, Leydim," dedi. "Bir şey unutmuş."

Claudia ona baktı. "Job, beni dinle. Malikânedeki herkesi tanır mısın?"

"Hemen hemen." Çocuk telaşla yeri süpürüyordu, toz bulutları havalandırıyordu. Claudia ona durmasını söylemek istedi ama o zaman çocuk iyice tedirgin olacaktı, bu yüzden, "Bartlett diye bir yaşlı adam," dedi. "Emekli Saray uşağı. Hâlâ yaşıyor mu?"

Çocuk başını kaldırdı. "Evet, Leydim. Hewelsfield'da kulübesi var. Değirmenden sapınca biraz ileride."

Claudia'nın kalp atışları hızlandı. "Aklı... aklı hâlâ yerinde mi?"

Job başıyla onayladı ve gülümsemeyi başardı. "Cin gibi. Ama pek konuşmaz, Saray anılarından bahsetmez. Sorunca öylece bakıyor."

Kapı eşiğine Jared'ın karanlık gölgesi düştü; adam içeri biraz nefes nefese bir halde girdi. "Kusura bakma, Claudia."

Eyere çıktı; Claudia, Job'ın kenetlenmiş ellerine basarken, "Unuttuğun neydi?" dedi usulca.

Adamın siyah gözleri kızınkilerle buluştu. "Açıkta bırakmak istemediğim bir şey." Eli gizlice cebine gitti; yüksek yakalı, koyu yeşil Sapient cübbesini giymişti.

Adamın, Anahtar'dan bahsettiğini anlayan Claudia başıyla onayladı.

Birlikte at sırtında giderlerken Claudia niye tuhaf bir şekilde utandığını merak etti.

Dışarıda fırtına eserken, kuru mantarları ve Gildas'ın çantasındaki bir miktar barut tozunu kullanarak ateş yakıp et pişirdiler.

Kimse pek konuşmuyordu. Finn soğuktan titriyordu ve yüzündeki kesikler acıyordu; Keiro'nun da hâlâ bitkin olduğunu seziyordu. Kızın durumuysa pek belli değildi. Biraz uzakta oturuyordu, hızlı hızlı yiyordu, gözünden bir şey kaçmıyordu.

Sonunda Gildas yağlı ellerini cübbesine sildi. "Mahkûmlardan eser yok muydu?"

"Koyunlar serbestçe geziniyordu," dedi Keiro ilgisizce. "Çit bile yoktu."

"Peki ya Hapishane?"

"Ne bileyim? Ağaçlarda Gözler vardır herhalde."

Finn ürperdi. Başının içi çınlıyordu ve bir tuhaftı. Bir an önce uyusunlar istiyordu, Anahtar'ı yine çıkarıp onunla konuşabilmek için. Onunla. Dışarı'daki kızla. "Madem yola devam edemiyoruz, dinlenelim bari," dedi. "Ne dersiniz?"

"İyi fikir," dedi Keiro miskin miskin. Sırt çantasını kovuğun arka tarafına koydu. Ama Gildas ağaç gövdesine kazılı resme bakıyordu. Emekleyerek yaklaştı ve damarlı ellerini uzatıp resmi ovalamaya başladı. Kıvrık likenler düştü. Sanki kirin ve yeşil yosun tabakasının arasından çıkan o dar yüz, Anahtar'ı tutan eller öyle özenle çizilmişlerdi ki gerçek gibiydiler. Finn, Anahtar'ın ağacın içindeki devrelerle temasta olduğunu fark edince, anlık beliren bulanık bir imgeleme, Incarceron'un tamamının dev bir yaratık olduğu ve bu yaratığın tel ve kemiklerden oluşma gövdesinde ilerledikleri hissine kapıldı.

Gözlerini kırptı.

Kimse fark etmemiş gibiydi ama kız ona bakıyordu. Gildas, "Bizi kendi geçtiği yollardan geçiriyor," diyordu. "Labirente bırakılmış bir ip gibi."

"Yani kendi resmini mi bırakmış?" dedi Keiro peltek peltek.

Gildas kaşlarını çattı. "Görünüşe göre, hayır. Burası bir tapınak, onun peşinden giden Sapientlerin kurduğu bir tapınak. Yolda başka işaretlere de rastlarız."

"Sabırsızlanıyorum." Keiro dönüp kıvrıldı.

Gildas onun sırtına baktı. Sonra Finn'e, "Anahtar'ı çıkar," dedi. "Ona gözümüz gibi bakalım. Yol sandığımızdan uzun olabilir."

Dışarıdaki engin ormanı düşünen Finn, oradan çıkıp çıkamayacaklarını merak etti. Özenle yukarı uzanıp Anahtar'ı altıgenden çıkardı; Anahtar hafifçe tıkırdayarak çıkınca kovuk loşlaştı; vınlayarak uçan yaprak parçaları uzaktaki Hapishane'den gelen ışığı bulandırıyordu.

Finn kaskatıydı ve rahatsız bir pozisyondaydı ama yine de kımıldamadan durup kulak kabarttı. Epeyce bekledikten sonra, Gildas'ın uyuduğunu nefes seslerinin yükselmesinden anladı. Diğerlerinden emin değildi. Keiro'nun sırtı dönüktü. Attia hep sessizdi, sanki hayatta kalmasını hiç kımıldamayıp varlığını fark ettirmemeye borçlu olduğunu öğrenmişti. Dışarıda, ormanda fırtına gürlüyordu. Finn dal çatırtıları işitiyordu, fırtınanın uzaklardan küçümseyerek, döne döne geldiğini duyuyordu; rüzgârın ağaçları eğdiğini ve yukarıdaki demir ağaç gövdesini sarstığını hissediyordu.

Incarceron'u kızdırmışlardı. Yasak kapılarından birini açıp bir sınırı geçmişlerdi. Belki de onları sonsuza dek burada tutacaktı, daha yola yeni çıkmışlarken.

Sonunda daha fazla bekleyemedi.

İhtiyatla, yaprakları hışırdatmamaya büyük özen göstererek cebindeki Anahtar'ı çıkardı. Anahtar soğuktu, buzlanmıştı. Parmakları onun üzerinde bulanık izler bıraktı ve içindeki kartalı bile ancak Anahtar'ı sildikten sonra görebildi.

Onu sımsıkı tuttu. "*Claudia,*" dedi usulca.

Anahtar soğuk ve cansızdı.

İçinde ışık kımıldamıyordu. Finn sesini yükseltmeye cesaret edemiyordu.

Ama tam o sırada Gildas'ın mırıldandığını duyunca riske girip öne eğilerek Anahtar'ı yaklaştırdı. "Beni duyabiliyor musun?" dedi ona. "Orada mısın? Lütfen cevap ver."

Fırtına ortalığı kasıp kavuruyordu. Finn'in dişlerinde ve sinirlerinde haykırıyordu. Finn gözlerini kapadı ve umutsuzluğa kapıldı; her şeyi sadece hayal etmiş olduğunu, o kızın var olmadığını, kendisinin sahiden de buradaki bir Rahim'de doğduğunu düşündü.

Sonra, hissettiği korkunun içinden sanki bir ses, hafif bir insan sesi yükseldi. "*Gülmüş mü? Öyle dediğine emin misin?*"

Finn'in gözleri açılıverdi. Bir erkek sesi. Sakin ve ölçülü.

Diğerlerinin duymuş olmasından korkarak telaşla etrafa bakındı ve sonra bir kız, "*... Tabii ki eminim,*" dedi. "*Giles ölmüş olsa o yaşlı adam niye gülsün ki Üstat?*"

"Claudia." Finn kendini tutamayıp fısıldamıştı.

Gildas anında döndü; Keiro doğrulup oturdu. İçinden küfreden Finn, Anahtar'ı ceket cebine koydu ve dönünce Attia'nın kendisine baktığını gördü. Kızın her şeyi görmüş olduğunu hemen anladı.

Keiro bıçağını çekmişti. "Duydunuz mu? Dışarıda biri var." Adamın mavi gözleri tetikteydi.

"Hayır." Finn yutkundu. "Konuşan bendim."

"Uykunda mı konuşuyordun?"

"Benimle konuşuyordu," dedi Attia usulca.

Keiro ikisini de süzdü bir an. Sonra sırtüstü uzandı ama Finn onun ikna olmadığını biliyordu. "Hadi ya?" dedi kan kardeşi usulca. "Claudia kim öyleyse?"

***

Yolda eşkin gidiyorlardı, başlarının üstünde birleşen meşe yapraklarının oluşturduğu bir tüneldeydiler. "Evian'a inanıyor musun peki?"

"Bu konuda, evet." Claudia ileri doğru, tepenin dibinde yükselen değirmene baktı. "O ihtiyarın tepkisi çok tuhaf, Üstat. Giles'ı gerçekten seviyordu herhalde."

"Keder insana tuhaf şeyler yaptırır, Claudia." Jared kaygılanmış gibiydi. "Bu Bartlett'ı bulacağını Evian'a söyledin mi?"

"Hayır. O..."

"Kimseye söyledin mi? Alys'e?"

Claudia öfkeli bir küçümsemeyle güldü. "Alys'e söylesem anında bunu bütün hizmetçilere yayar." Aklına bir şey geldi. Nefes nefese kalmış atı yavaşlattı. "Babam, eskrim öğretmenimi kovmuş. Ya da kovmaya çalışmış. Sana bundan bahsetti mi?"

"Hayır. Henüz bahsetmedi."

Jared eğilip yol kapısının mandalını açarken ve sonra atını geri çekip kapının açılmasını beklerken konuşmadılar. Yolun diğer taraftaki kısım çukurluydu, iki yanındaki çalı çitlerdeki ısırganlarla yakı otlarının arasından yaban gülleri ve yaban maydanozlarının şemsiye biçimindeki beyaz çiçekleri görülüyordu.

Jared parmağındaki bir ısırığı emdi. Sonra, "Şurası olmalı," dedi.

Kastettiği alçak kulübenin yarısı, yanında büyümüş bir büyük kestane ağacı tarafından gizlenmişti. Yaklaştıklarında Claudia, kulübenin Protokol'e tamamen uygun olduğunu, delikli saz çatıyı, rutubetli duvarları, meyve bahçesindeki boğumlu ağaçları görünce kaşlarını çattı. "Tam bir fakir evi."

Jared kederle gülümsedi. "Korkarım öyle. Bu Dönem'de sadece zenginler konforlu yaşıyor."

Atları bağlayıp gür, uzun otların arasından geçtiler. Bahçe kapısı kırılmıştı, sarkık biçimde açık duruyordu; Claudia, kapının yakın zamanda açıldığını, altında sürüklenip ezilmiş otlarda hâlâ çiy nemliliği olduğunu gördü.

Jared durdu. "Evin kapısı açık," dedi.

Claudia onun yanından geçecek oldu ama adam, "Bir saniye, Claudia," dedi. Küçük bir tarayıcı çıkarıp çalıştırdı; alet uğuldadı. "Bir şey yok. Burada kimse yok."

"Öyleyse girip onu bekleyelim. Başka zaman gelemem." Claudia çatlamış yolda yürüdü. Jared hemen peşinden gitti.

Claudia kapıyı iterek açtı; kapı gıcırdarken Claudia içeride birisinin kımıldadığını duyar gibi oldu. "Merhaba?" dedi usulca.

Sessizlik.

Kapının yanından başını uzattı.

Oda karanlıktı ve is kokuyordu. Açılmış panjuru duvara yaslanmış, alçak bir pencereden ışık giriyordu. Ocaktaki ateş sönmüştü; Claudia içeri girerken zincirlere asılı, kararmış tencereler, şişler, büyük bacadan gelen esintiyle havalanan küller gördü.

Bacanın bulunduğu köşede yan yana duran iki sıra vardı; pencerenin yanındaysa bir masa, bir sandalye ve içinde eski kalay tabaklarla bir sürahi bulunan bir mutfak dolabı duruyordu. Sürahiyi alıp içindeki sütü kokladı.

"Taze."

İnek ahırına açılan küçük bir kapı vardı. Jared kapıya gidip eğilerek diğer tarafa baktı.

Sırtı dönüktü ama Claudia bir terslik olduğunu, adamın birden donakalmasından anladı. "Ne?" dedi.

Adam döndü; yüzü öyle solmuştu ki Claudia onun hastalandığını düşündü. "Korkarım çok geç kalmışız."

Claudia onun yanına gitti. Jared geçmesine izin vermedi. "Görmek istiyorum," diye mırıldandı Claudia.

"Claudia..."

"İzin ver göreyim, Üstat." Claudia eğilip adamın kolunun altından geçti.

Yaşlı adam, inek ahırının zemininde yatıyordu. Boynunun kırılmış olduğu çok belliydi. Sırtüstü yatıyordu, kolları açıktı, bir eli samanların altına gömülüydü. Gözleri açıktı.

İnek ahırına dışkı kokusu sinmişti. Sinekler durmadan vızıldıyordu ve açık kapıdan eşek arıları girip çıkıyordu; dışarıda ufak bir keçi meliyordu.

Hayretten ve öfkeden buz kesen Claudia, "Onu öldürmüşler," dedi.

"Bunu bilmiyoruz." Jared birden canlanmış gibiydi. Yaşlı adamın yanında diz çöküp boynuna ve bileğine dokundu, tarayıcıyı onun üzerinde gezdirdi.

"Onu öldürdüler. Giles hakkında, cinayet hakkında bir şeyler biliyordu. Buraya geldiğimizi anladılar!"

"Kim anlamış olabilir ki?" Jared birden ayaklanıp oturma odasına geri döndü.

"Evian biliyordu. Onunla yaptığım konuşma dinlenmiş olmalı. Sonra Job var. Ona da sormuştum..."

"Job daha çocuk."

"Babamdan korkuyor."

"Claudia, babandan *ben* de korkuyorum."

Claudia samanların üstünde yatan ufak tefek adama tekrar baktı, öfkesini serbest bıraktı, kendine sarıldı. "İzler görülüyor," dedi soluk soluğa.

El izleri. Benekli derideki, başparmak izlerine benzeyen iki morluk. "İri yarı birisi yapmış. Çok güçlü."

Jared mutfak dolabını açıp tabakları çıkardı. "Kazayla düşüp ölmediği kesin."

Claudia döndü.

Jared dolabı sertçe kapayıp bacaya gitti ve yukarı baktı. Sonra sıralardan birine çıkıp karanlık bacanın içini el yordamıyla yoklayarak Claudia'yı şaşırttı. Bacadan kurum yağdı.

"Üstat?"

"O Saray'da yaşamış birisiydi, Claudia. Okuma yazması mutlaka vardı."

Claudia bir an anlamadı. Sonra dönüp telaşla etrafa bakındı, yatağı buldu, şilteyi çekip yere attı ve yırtarak açtı; şiltenin içinde bitli samanlar vardı.

Dışarıda bir karatavuk öterek kanat çırptı.

Claudia bakakaldı. "Geri mi geliyorlar?"

"Olabilir. Aramaya devam et."

Ama Claudia hareket edince ayağı bir döşeme tahtasına çarptı; tahta gıcırdadı ve Claudia diz çöküp de çekince, tahta kendi ekseni üzerinde, sürekli kullanıldığını belli edecek denli kolayca döndü.

"Jared!"

Yaşlı adamın zulasıydı burası. İçinde bakır bozukluklar bulunan eski bir cüzdan, mücevher taşlarının çoğu sökülmüş, kopuk bir kolye, iki tüy kalem, katlanmış bir parşömen ve hemen altına özenle gizlenmiş, Claudia'nın avucu büyüklüğünde, mavi kadifeden yapılma bir uçkurlu kese vardı.

Jared parşömeni alıp göz gezdirdi. "Bir çeşit vasiyetnameye benziyor. Bunu yazdığını biliyordum! Sapientler tarafından yetiştirildi sonuçta..." Dönüp baktı. Claudia mavi keseyi açmıştı. İçinden küçük, oval biçimli bir altın parçası çıkardı; bunun arka tarafına taçlı kartal resmi kazınmıştı. Claudia diğer tarafı çevirdi.

Utangaç ve içtenlikle gülümseyen, kahverengi gözlü bir oğlan yüzü onlara bakıyordu.

Claudia, oğlana acı acı gülümsedi. Başını kaldırıp öğretmenine baktı. "Bu servet değerinde olmalı ama satmamış. Onu çok seviyordu herhalde."

Jared usulca konuştu: "Emin misin?.."

"Ah, evet. Eminim. Giles bu."

Zincirlenmiş Eller ve Ayaklar

15

Sapphique, Karmaşıkorman'dan at sırtında çıkınca Tunçhisar'ı gördü. Dört bir yandan akın akın gelen insanlar oraya giriyorlardı.

"Gel içeri," dediler ona. "Çabuk ol! Her an saldırabilir!"

Etrafa bakındı. Dünya metaldendi, gökyüzü de metaldendi. İnsanlar, Hapishane'nin ovalarındaki karıncalardı.

"Unuttunuz mu," dedi, "zaten İçeri'de olduğunuzu?"

Ama telaşla geçip gittiler ve ona deli dediler.

SAPPHIQUE EFSANESİ

Gece boyunca süren fırtına öyle ansızın kesilivermişti ki sessizlik Finn'i hemen uyandırmıştı. Rüzgârdan sonra sessizlik tuhaftı ama yine de artık yola çıkabilecekleri (Hapishane fikrini değiştirmeden) anlamına geliyordu. Keiro dışarı tırmanıp gerinmişti ve kramp girince inlemişti. Bir dakika kadar sonra tekrar konuştuğunda sesi tuhaf bir biçimde boğuktu. "Şuna bakın."

Finn yukarı çıkınca ormanın çıplak olduğunu görmüştü. Bütün yapraklar, bütün o incecik ve kıvrık metal yapraklar dev yığınlar halinde toplanmıştı.

Ağaçlar çiçek açmıştı. Kızıl ve altın sarısı, bakır çiçekler yukarıdaki tepede ve aşağıdaki vadide göz alabildiğine uzanıyordu.

Finn'in arkasındaki Attia gülmüştü. "Çok güzel."

Finn ona şaşkınlıkla dönerken, kendisinin çiçekleri sadece bir engel olarak gördüğünü fark etmişti. "Öyle mi?"

"Ah, evet. Ama sen... sen renklere alışıksındır. Dışarı'dan geldin."

"Bana inanıyor musun?"

Kız başını salladı yavaşça. "Evet. Sende bir farklılık var. Buraya uymuyorsun. Peki, şu uykunda sayıkladığın isim, Claudia. Onu hatırlıyor musun?"

Finn onlara öyle demişti. Başıyla onayladı. Sonra yukarı baktı. "Dinle, Attia. Mesele şu ki... benim bazen yalnız kalmam gerek. Anahtar... imgelemler konusunda faydalı oluyor. Bazen Keiro ve Gildas'tan uzak kalmam gerek. Anlıyor musun?"

Kız ciddiyetle başını sallayıp parlak gözlerini ondan ayırmadan onaylamıştı. "Dedim ya, hizmetindeyim. Bana zamanını söylemen yeter, Finn."

Finn utanmıştı. Adamın yüzüne bakmayı sürdüren Attia başka bir şey söylememişti.

Sonra mücevher gibi ışıl ışıl bir bölgeden, tepeden aşağı uzanan ağaçların arasından hızla geçmişlerdi; ormanın zemini engebeliydi ve içinden akan derelerin tuhaf, yalıtımlı yatakları çatlamıştı. Finn'in hayal bile etmediği böcekler, yolu kapamış yaprakların üzerinde sürüler halinde geziniyorlardı; bunların etrafından dolanmak saatler sürüyordu. Ve yükseklerdeki çıplak dallarda küçük kargalar sürü halinde hoplayıp gaklayarak gezginleri boncuksu, meraklı gözleriyle izlediler, ta ki Gildas onlara küfredip yumruğunu sallayana dek. Sonra sessizce uçup gittiler.

Keiro başıyla onayladı. "Sapientlerde hâlâ biraz büyücülük var demek."

Nefes nefese olan yaşlı adam ona öfkeyle baktı. "Keşke sende de işe yarasa."

Keiro, Finn'e bakıp sırıttı.

Finn gülümsedi. Nedense morali biraz düzelmişti ve ağaçların arasında Gildas'ı takip ederken büyük olasılıkla mutluluk olan bir hisse kapılmaya başladı. Kaçış başlamıştı. Comitatuslar çok geride kalmıştı; zalim dövüşler, cinayetler ve yalanlarla, korkuyla dolu olan o hayat bitmişti. Artık durum farklı olacaktı. Sapphique onlara çıkış yolunu gösterecekti.

Bir kök parçasının üstünden geçerken ayağı takılınca içinden kahkahayı basmak geldi ama bunun yerine elini gömleğine sokup Anahtar'a dokundu.

Elini hemen geri çekti.

Anahtar ılıktı.

Önden giden Keiro'ya göz attı. Sonra döndü. Her zamanki gibi Attia hemen arkasındaydı.

Sinirlenen Finn durdu. "Köle istemiyorum."

Kız da durdu. "Nasıl istersen." İncinmiş gözlerle bakıyordu.

Finn, "Burada bir dere var, duyabiliyorum," dedi. "Diğerlerine söyle su almaya gidiyorum."

Hemen yoldan çıkıp platin dikenli bir çalılığa girdi ve çalıların arasında çömeldi. Etrafında esnek tellerden yapılma, şemsiye biçiminde çiçekler ve içi boş sazlar vardı; mikro Kınkanatlılar bunların üstünde harıl harıl çalışıyordu.

Hemen Anahtar'ı çıkardı.

Riske girmişti. Keiro gelebilirdi. Ama Anahtar artık sıcaktı ve kristalin derinliklerinde o tanıdık, küçük mavi ışıklar vardı. "Claudia?" diye fısıldadı kaygıyla. "Beni duyabiliyor musun?"

"Finn! Sonunda!"

Kızın sesi öyle yüksekti ki Finn yutkundu; etrafa bakındı. "Bağırmadan konuş! Çabuk ol lütfen. Beni aramaya gelecekler."

"Kim gelecek?" Kız çok şaşırmış gibiydi.

"Keiro."

"O kim?"

"Kan kardeşim..."

"Tamam. Şimdi dinle. Anahtar'ın dibinde küçük bir parmakpaneli var. Görünmez ama biraz çıkıktır. Bulabilir misin?"

Finn'in yoklayan parmakları kir lekeleri bıraktı. "Hayır," dedi sıkıntıyla.

"Ara! Onda farklı bir artefakt mı var sence?"

Bu soru Finn'e sorulmamıştı. Diğer ses yanıt verdi, Finn'in adının Jared olduğunu anımsadığı kişinin sesi. "Çok büyük ihtimalle aynıdır. Finn, parmak uçlarını kullan. Kenarı yokla, kenarın yanını."

Onu ne sanıyorlardı! Telaşla ararken elleri sızlıyordu.

"Finn!" Keiro, adamın hemen arkasından mırıldanmıştı. Finn ayağa fırlayıp Anahtar'ı cebine tıkıştırdı ve "Tanrı aşkına! Rahat rahat su içemeyecek miyim?" dedi.

Kardeşinin eli onu tutup yapraklı yola geri çekti. "Kalk ve sus. Misafirlerimiz var."

Claudia topuklarının üzerine oturdu ve sinirden küfretti. "Gitti! Niye gitti ki?"

Jared pencereye gidip avludaki safi kaosa baktı. "İyi oldu. Müdür basamakları çıkıyor."

"Sesi nasıldı duydun mu? Yine öyle... panik halindeydi ki."

"O hissi bilirim." Jared binici ceketinin cebinden küçük bir tablet bilgisayar çıkarıp ona attı. "Yaşlı adamın vasiyetinin tam kopyası bu. Yolda oku."

Kapılar çarpıldı. Dışarıdan insan sesleri geldi. Claudia'nın babasının. Caspar'ın.

"Okur okumaz hemen sil, Claudia. Bende bir kopya daha var."

"Bir şeyler yapmalıyız. Ceset konusunda."

"Biz oraya gitmedik ki, unuttun mu?"

Adam bunu söyler söylemez kapı açıldı. Claudia tablet bilgisayarı elbisesinin cebine koydu sakince.

"Canım." Babası içeri girip karşısında durdu. Claudia onu selamlamak için ayaklandı. Babasının üzerinde her zamanki gibi siyah frak, pahalı ipek fular, birinci sınıf deriden yapılma çizmeler vardı. Ama bugün yakasına küçük bir beyaz çiçek takmıştı; bu öyle sıradışıydı ki Claudia çiçeğe hayretle bakakaldı.

"Hazır mısın?" diye sordu adam.

Claudia başıyla onayladı. Üzerinde koyu mavi bir yolculuk elbisesi ve Anahtar'ı koymak için özel cep dikilmiş bir pelerin vardı.

"Arlex Hanedanı için büyük bir sabah bu, Claudia. Senin için, hepimiz için yeni bir hayatın başlangıcı." Kırçıl saçları arkadan sımsıkı toplanmıştı, gözleri tatminle kararmıştı. Terli parmaklarının onu rahatsız edeceğini bilircesine, Claudia'nın elini tutmadan önce eldivenini giydi. Claudia ona gülümsemeden bakarken zihninde samanların üstünde gözleri açık yatan ceset, yaşlı adamın cesedi canlandı.

Gülümseyerek reverans yaptı. "Hazırım, efendim."

Adam başıyla onayladı. "Hazır olacağını hep biliyordum zaten. Beni hayal kırıklığına uğratmayacağını hep biliyordum."

Annem hayal kırıklığına uğratmış mıydı? diye merak etti Claudia hınçla. Ama bir şey demedi ve babası Jared'ı çok hafifçe selamladıktan sonra başı öne düşüp Claudia'yı dışarı çıkardı. Büyük salona girdiler, lavantalarla bezeli döşemede yürüdüler, sıra sıra dizilmiş heyecanlı hizmetçilerin arasından geçtiler; Incarceron Müdürü ve gururlu kızı, Claudia'yı kraliçe yapacak düğüne doğru yola çıktılar. Ve Ralph'in bir işareti üzerine personel tezahürat yapıp alkışladı ve yere hoş süsen çiçekleri attı, asla göremeyecekleri düğünün şerefine küçük gümüş çanlar çaldı.

Arkadan gelen Jared koltuk altında kitap dolu bir omuz çantası taşıyordu. Uşaklarla el sıkışırken hizmetçiler etrafını sardılar, ona küçük tatlı paketleri uzattılar; kuleye iyi bakacaklarına, değerli aletlere el sürmeyeceklerine, tilki yavrusuyla kuşları besleyeceklerine söz verdiler.

Claudia faytonda yerini aldı ve geriye bakarken üzüntüden boğazı düğümlendi. Hepsi, Jared'ı, onun kibarlığını, narinliğini ve yakışıklılığını, öksüren çocukları tedavi etmesini ve yoldan çıkmış delikanlılara nasihat verme konusunda gönüllülüğünü özleyeceklerdi. Oysa *Claudia'nın* gitmesine üzülen yok gibiydi.

Bu kimin suçuydu peki? Claudia rolünü oynamıştı. Evin hanımıydı, Müdür'ün kızıydı.

Buz gibi soğuk. Çivi gibi sert.

Başını kaldırıp karşısındaki Alys'e gülümsedi. "Dört günlük yolculuk. En az yarısında ata binmek niyetindeyim."

Dadısı kaşlarını çaktı. "Kont'un ata bineceğini sanmam. Hem senin de arabada biraz onun yanında oturmanı ister herhalde."

"Eh, onunla evlenmedim daha. Evlenince de isteklerimin önemli olduğunu çabucak öğrenir." Madem sert olduğunu düşünüyorlardı, sert olacaktı. Ama atlar eyerlenirken, atlı uşaklar toplanırken ve faytonlar yavaşça dönerek bahçe kapısına doğru gitmeye başlarken Claudia'nın tek arzusu burada, doğduğundan beri yaşadığı evde kalmaktı; pencereden dışarı sarkıp bütün personele el sallarken ve isimleriyle seslenirken gözleri yaşardı birden: "Ralph! Job! Mary-Ellen!"

Onlar da el ve mendil salladılar, fayton ahşap köprüden tangır tungur geçerken üçgen çatılardan beyaz kumrular havalandı ve hanımeli çiçeklerindeki arılar vızıldadı. Claudia hendeğin koyu yeşil sularında evin yansımasını gördü, su tavuklarının ve kuğuların yüzdüğünü gördü; peşinden uzun bir sıra halinde at arabaları, faytonlar, atlılar ve maiyetinin, Incarceron Müdürü'nün hane halkının tazılarıyla şahincileri geliyordu, Müdür'ün planlarının sonuca ulaşmaya başladığı gündü.

Rüzgârdan saçları dağılan Claudia içeri girip deri koltuğa yaslandı ve gözlerine düşen saçları üfledi.

Eh, o planların gerçekleşip gerçekleşmeyeceği henüz belli değildi.

İnsandılar ama nasıl insan olabilirlerdi ki?

En az iki buçuk metre boyundaydılar. Tuhaf bir şekilde iki büklüm yürüyorlar, balıkçıllar gibi adım atıyorlar, keskin yapraklara çekinmeden basıyorlardı.

Finn, Keiro'nun kolunu acıtacak kadar sıktığını hissetti. Sonra kardeşi kulağına konuştu.

"Ayaklıklar."

Tabii ya. Bir tanesi yakından geçerken Finn dizlere kadar çıkan metal ayaklıklar gördü; adamlar bunları kullanarak ustaca yürüyorlardı, uzun adımlar atıyorlardı; Finn ayrıca adamların sırıkları kullanarak ağaçlardaki bazı yerlere, küçük boğumlara dokunduklarını ve ağaçlarda anında biten yarı organik meyveleri topladıklarını gördü.

Başını çevirip Gildas'a bakındı ama Sapient'le kızın nereye saklandıklarını göremedi.

Sıra halindeki adamların ağaçların arasında çalışmalarını seyretti. Tepeden indikçe küçülüyorlardı sanki ve Finn en sondaki adamın bir hava akıntısından geçercesine titrediğini açıkça gördü.

Az sonra artık sadece başlarıyla omuzları görülüyordu. Sonra da gözden kayboldular.

Keiro uzun bir an boyunca bekledikten sonra doğruldu. Hafif bir ıslık çalınca yakındaki bir grup yaprak sarsıldı. Gildas'ın kırçıl kafası belirdi. "Gittiler mi?" dedi.

"Yeterince uzaklaştılar."

Keiro, Attia'nın çabucak çıkmasını seyrettikten sonra döndü. Kan kardeşine bakıp usulca, "Finn?" dedi.

Başlıyordu. O titreşen havaya bakmak yol açmıştı. Finn'in derisi kaşınıyordu, ağzı kuruydu, dili katıydı. Ağzını eliyle ovuşturdu. "Hayır," diye mırıldandı.

"Tut onu," dedi Gildas.

Keiro uzaklarda bir yerden, "Bekle," dedi.

Finn şimdi yürüyordu. İki büyük bakır ağacın arasına, havanın bir hüzmeye tozlar yağıyormuşçasına, Zaman'da bir yarık açılmışçasına dosdoğru hareket ettiği yere gidiyordu. Ve oraya varınca durdu, körmüşçesine kollarını öne uzattı. Orada bu dünyadan çıkış yolunun anahtar deliği vardı.

İçinden hava esiyordu.

Küçük acı patlamaları hissetti. Mücadele ederek kenarlara dokundu, yüzünü yaklaştırdı, gözünü ışık şeridine yaslayıp içeri baktı.

Parlak renkler gördü. Orası öyle aydınlıktı ki gözleri yaşardı, Finn inledi. Orada hareket eden şekiller vardı, yeşil bir dünya, rüyalarındaki kadar mavi bir gökyüzü; üzerine hızla gelen, siyah ve kehribar rengi, vızıldayan, dev bir yaratık.

Haykırarak geri çekilince Keiro'nun arkadan sarıldığını hissetti. "Bakmaya devam et, kardeşim. Ne görüyorsun? Ne görüyorsun, Finn?"

Finn yere yığıldı. Dizlerinin bağı çözüldü ve yaprakların üstüne düştü. Attia, Keiro'yu iterek uzaklaştırdı. Hemen bir bardağa su koyup Finn'e uzattı; Finn bardağı körlemesine alıp su içtikten sonra gözlerini kapadı ve başını ellerinin arasına aldı; başı dönüyor ve midesi bulanıyordu. Öğürdü. Sonra da kustu.

Yukarıdan öfkeli sesler geliyordu. İşitmeye başlayınca, birinin Attia'nın sesi olduğunu fark etti.

"... ona ne biçim davranıyorsun! Hasta o, görmüyor musun?"

Keiro aşağılayıcı biçimde güldü. "Atlatır. O bir medyum. Gaipten şeyler görebiliyor. Bilmemiz gereken şeyler."

"Onu hiç umursamıyor musun?"

Finn başını kaldırdı. Kız, Keiro'nun karşısındaydı, iki yana indirdiği ellerini yumruk yapmıştı. Gözlerindeki incinmiş ifade kaybolmuştu; şimdi öfkeyle ateş saçıyordu.

Keiro alaycı alaycı sırıtmayı sürdürdü. "O benim kardeşim. Tabii ki onu umursuyorum."

"Sen sadece kendini umursuyorsun." Kız, Gildas'a döndü. "Sen de Üstat. Sen..."

Sustu. Gildas'ın onu dinlemediği belliydi. Adam bir kolunu bir metal ağaca yaslamıştı ve dosdoğru ileri bakıyordu. "Buraya gelin," dedi usulca.

Keiro'nun uzattığı eli tutan Finn, kendini güçlükle yukarı çekti. Gidip Sapient'in arkasında durdular ve onun baktığı şeye baktılar.

Orman burada sona eriyordu. İlerideki dar yol bir şehre uzanıyordu. Şehir düz, alev rengi bir ovadaydı; surların ardındaydı. Metal plakalardan yapılma evler sıkışık duruyorlardı, tuhaf bir siyah tahtadan yapılma kuleler ve mazgallı siperlerin çatıları kalay ve bakır yapraklardandı.

Şehre uzanan yolda yüzlerce insan hareket ediyordu, kahkahalar atıyor, bağırıp çağırıyor ve şarkı söylüyorlardı; yürüyerek ve at arabalarında gidiyorlardı; çocuk taşıyor ve koyun sürülerini güdüyorlardı.

***

Dizlerini kaldırıp ayaklarını koltuğa yaslamış olan Claudia, küçük bilgisayardaki yazıyı okuyordu, Alys ise uyuyordu. Takır tukur ilerleyen fayton sıçradı; dışarıda Müdürlük'ün yeşil ormanları ile tarlaları bir toz ve sinek bulutunun içinde geçip gidiyordu.

Adım Gregor Bartlett. Burada vasiyetnamem yazılı. Umarım bunu bulanlar iyi korurlar ve zamanı gelince kullanırlar çünkü büyük bir adaletsizlik yapıldı ve bunu bilen tek sağ insan benim.

Küçük yaştan itibaren Saray'da çalıştım. Seyis yamaklığı ve at arabası sürücülüğü yaptım, sonra da uşak oldum. Bana güvendiler, önemli bir mevkiye yükseldim. Müteveffa Kral'ın oda uşağı oldum; ilk karısını hatırlıyorum, narin ve güzel bir kadındı, Denizaşırı ülkelerden gelmişti, Kral onunla evlendiğinde ikisi de gençtiler. Kral'ın ilk oğlu Giles doğunca onunla ilgilenmekle görevlendirildim. Sütanne buldum, bebek odasında çalışacak hizmetçileri seçtim. O Veliaht'tı; rahat etmesi için her şey yapılıyordu. Çocuk büyüdükçe onu kendi oğlum gibi sevmeye başladım. Mutlu bir çocuktu. Annesi ölünce ve Kral yeniden evlenince bile çocuk Saray'daki kendi kanadında yaşadı; değerli oyuncaklarıyla evcil hayvanlarının, hizmetçilerinin arasında yaşadı. Benim çocuğum yok. O çocuk yaşama sebebim haline gelmişti. Buna inanmalısınız.

Giderek bir değişiklik sezdim. Çocuk büyüdükçe babası ziyaretine daha az gelir oldu. Artık ikinci bir oğlu vardı, Kont Caspar; Saray kadınları tarafından şımartılan yaygaracı, şamatacı bir çocuktu. Bir de yeni Kraliçe vardı.

Sia tuhaf, soğuk bir kadın. Dediklerine göre Kral bir gün bir orman yolunda arabayla giderken dışarı bakmış ve Sia'nın kavşakta durduğunu görmüş. Kral onun yanından geçip giderken gözlerini görünce –kadının irisleri soluk, tuhaf gözleri vardı– bir daha unutamamış. Sonra kavşağa ulaklar göndermiş ama kadın orada yokmuş. Civardaki köyleri ve malikâneleri aratmış, dört bir yana haber salmış, soylularına ödüller va-

detmiş ama kız, yer yarılmış da içine girmiş sanki. Haftalar sonra, Saray bahçelerinde yürürken başını kaldırınca kadının fıskiyenin yanında oturduğunu görmüş.

Kraliçe'nin soyunu sopunu, nereli olduğunu bilen yok. O bir büyücü bence. Oğlu doğduktan kısa süre sonra Giles'a olan nefretini belli etmeye başladı. Kral'a ve maiyetine asla belli etmedi; onların yanında Veliaht'a saygıda kusur etmiyordu. Ama ben nefretini gördüm.

Giles yedi yaşındayken Incarceron Müdürü'nün kızıyla sözlendirildi. Kız şımarıktı ama Giles ondan hoşlanmış gibiydi...

Claudia gülümsedi. Alys'e göz atıp pencereden dışarı eğildi. Babasının arabası arkadaydı; arabada Evian da vardı herhalde. Metni aşağı kaydırdı ve okumaya devam etti.

... doğum gününde çok mutluydu, o gece gölde yıldızların altında kayıkla gezerken bana çok mutlu olduğunu söyledi. Sözlerini asla unutmayacağım.

Babasının ölümünden kötü etkilendi. İçine kapandı. Danslara, oyunlara katılmadı. Kendini eğitimine verdi. Kraliçe'den korkmaya başlamış mıydı acaba diye merak ediyorum şimdi. Bunu söylemedi hiç. Şimdi onun ölümüne geliyorum. At kazasından önceki gün bir mesaj aldım; Casa'da yaşayan kız kardeşimin hasta olduğu söyleniyordu. Giles'tan kardeşime gitmek için izin istedim; çocukcağız öyle kaygılandı ki mutfaktakilerin bana kardeşime götürmem için hemen bir paket tatlı hazırlamalarında ısrar etti. Ayrıca bana bir fayton ayarladı. Dış Saray'ın basamaklarından el sallayarak beni uğurladı. Onu bir daha görmedim.

Kardeşimin evine gidince gayet sağlıklı olduğunu gördüm. Mesajı kimin gönderdiğini bilmiyordu.

Kaygılandım. Kraliçe'yi düşündüm. Hemen geri dönmek istedim ama belki de Kraliçe'nin adamı olan arabacı bunu reddetti, atların bitkin olduğunu söyledi. Artık ata binmiyor olsam da handan bulduğum bir atı eyerleyip yola çıktım, bütün gece dörtnala sürdüm. Ne kadar kaygılandığımı anlatmaya çalışmayacağım. Tepeye çıkınca Saray'ın binlerce kulesini gördüm; her birinin tepesinde birer siyah flama dalgalanıyordu.

Sonrasını pek hatırlamıyorum. Cesedi, Büyük Meclis Odası'ndaki bir cenaze teskeresine yatırmışlardı ve her şey hazır olunca ona yaklaşmama izin verildi. Kraliçe'den bir mesaj, bir de bana eşlik edecek adam geldi. Müdür'ün sekreteriymiş; Medlicote adında, uzun boylu, sessiz bir adamdı...

Claudia o kadar şaşırdı ki ıslık çaldı. Alys horlayarak diğer tarafa döndü.

... merdiveni perişan halde çıktım. Evladım orada yatıyordu, onu çok güzel hazırlamışlardı. Yüzünü öpmek için eğildiğimde gözlerimdeki yaşlar yüzünden bir şey göremiyordum.

Sonra duraksadım.

Ah, kesinlikle iyi iş becermişlerdi. O çocuk her kimse aynı yaştaydı, ten rengi de benziyordu ve ciltçubuğu ustaca kullanılmıştı. Ama ben anladım, anladım.

Giles değildi o.

Güldüm galiba. Neşeyle inledim. Umarım kimse fark etmemiştir, kimse bilmiyordur. Ağlayarak çıkıp gittim, üzgün uşak rolünü oynadım, perişan ihtiyar rolü yaptım. Ama Kraliçe'nin ve belki Müdür'ün de kimsenin bilmesini istemediği sırrı biliyorum.

Giles'ın yaşadığını.

Ve Incarceron'dan başka nerede olabilir ki?

Alys homurdandı, esnedi ve gözlerini açtı. "Hana yaklaştık mı?" diye sordu mahmurlukla.

Küçük tablete bakan Claudia'nın gözleri fal taşı gibi açıktı. Başını kaldırıp dadısına, onu ilk kez görüyormuş gibi baktı. Sonra aşağı bakarak son cümleyi tekrar okudu.

Tekrar tekrar.

16

Bana karşı gelme, John. Ve tetikte ol. Saray'da bize karşı kumpaslar kuruluyor, planlar yapılıyor. Claudia'ya gelince, söylediklerine bakılırsa o aradığı şeyi görmüş zaten. Onu tanıyamaması çok komik.

KRALİÇE SIA'DAN MÜDÜR'E; ÖZEL MEKTUP

Claudia ancak saatler sonra Jared'la baş başa kalabildi. Odalarına yerleşmeleri zahmetli olmuştu, hancı durmadan eğilip selam vermiş ve dalkavukluk yapmıştı, sonra da akşam yemeğinde Evian gevezelik edip durmuştu, Claudia'nın babası dikkatle seyretmişti, Caspar ise atından yakınmıştı.

Ama geceyarısını epeyce geçe, nihayet Claudia, adamın tavanarası odasının kapısını çaldı ve usulca içeri girdi.

Adam pencerede oturmuş, yıldızlara bakıyordu; bir kuş ellerindeki ekmeği gagalıyordu. "Hiç uyumaz mısın sen?" dedi Claudia.

Jared gülümsedi. "Claudia, aptallık bu. Seni burada görürlerse ne düşünürler biliyorsun."

"Seni tehlikeye attığımı biliyorum," dedi Claudia. "Ama o yazılanlar hakkında konuşmalıyız."

Adam bir an sessiz kaldı. Sonra kuşu bıraktı, pencereyi kapadı ve dönünce Claudia onun göz altı torbalarını gördü. "Evet."

Bakıştılar. Sonunda Claudia, "Giles'ı öldürmediler," dedi. *"Onu hapsettiler."*

"Claudia..."

"Havaarna kanı dökmek istemediler! Belki de Kraliçe korktu. Ya da babam..." Başını kaldırıp baktı. "Bu doğru. Babam biliyordur mutlaka."

Sesindeki karamsarlık ikisini de afallattı. Claudia bir sandalyeye oturdu. "Bir şey daha var. O çocuk, Finn. Mahkûm. Sesi... tanıdık geliyor."

"Tanıdık mı?" Jared ona dikkatle baktı.

"O sesi daha önce duydum, Üstat."

"Yanılıyorsundur. Öyle düşünme, Claudia."

Claudia bir an hareketsiz kaldı. Sonra omuz silkti. "Her halükârda yeniden denemeliyiz."

Jared başıyla onayladı. Gidip kapıyı kilitledi, kapının üstüne küçük bir cihaz taktı ve ayarını yaptı. Sonra geri döndü.

Claudia, Anahtar'ı çıkarmıştı bile. Konuşma kanalını ve ardından keşfettikleri küçük görsel devreyi aktive etti. Jared arkasında durup sessizce kanat çırpan kartal hologramını seyretti.

"Tableti sildin mi?"

"Elbette. Tamamen."

Anahtar ışıldamaya başlayınca Jared usulca, "O yaşlı adamı öldürmekten çekinmediler, Claudia," dedi. "Evini aradığımızı biliyor olabilirler. Bir şey bulduk mu diye korkuyorlardır."

"*Onlar* derken babamı kastediyorsun." Claudia başını kaldırıp baktı. "O bana zarar vermez. Beni kaybederse tahtı kaybeder. Ben de seni korurum, Üstat, söz veriyorum."

Jared acı acı gülümsedi. Claudia, adamın, kendisinin bunu yapabileceğine inanmadığını anladı.

Anahtar çok hafifçe konuştu. *"Beni duyabiliyor musun?"*

"Bu o!" dedi Claudia. "Panele dokun, Finn. Dokunsana! Buldun mu?"

"Evet." Finn'in sesi tereddütlü gibiydi. "Dokunursam ne olacak?"

"Birbirimizi görebileceğiz sanırım. Merak etme, bir şey olmaz. Dene lütfen."

Tekrar sessizlik oldu, birkaç cızırtı duyuldu. Sonra Claudia az kalsın geriye sıçrayacaktı. Anahtardan bir ışın çıktı sessizce. Havada bir kare oluşturdu ve karenin içinde çömelmiş, şaşkın, kirli bir delikanlı vardı.

Uzun boylu ve çok zayıftı, avurtları çöküktü ve yüz ifadesi kaygılıydı. Uzun ve ince telli saçları arkadan iplikle bağlanmıştı ve adamın üzerinde Claudia'nın hayatında gördüğü en çirkin giysiler vardı; o çamur grisi ve yeşil giysiler birbirine hiç uymuyordu. Belinde bir kılıç ve paslı bir bıçak asılıydı.

Adam hayretle Claudia'ya bakıyordu.

Finn bir kraliçe, bir prenses gördü.

Kızın yüzü temizdi, saçları ışıldıyordu. Parlak ipekten bir elbise giymişti ve inci kolyesi bir servet ederdi, satın alacak kadar zengin bir alıcı bulunabilirse. Kızın, hiç aç kalmamış, akıllı ve zeki birisi olduğunu hemen anladı. Ağırbaşlı, siyah saçlı bir adam, kızın arkasından bakıyordu; üzerindeki Sapient cübbesi Gildas'ınkinden çok daha güzeldi.

Claudia öyle uzun süre sessiz kaldı ki Jared ona göz attı. Claudia'nın herhalde delikanlının durumuna üzüldüğünü düşünüp usulca, "Incarceron cennet değilmiş anlaşılan," dedi.

Delikanlı öfkeyle baktı. "Benimle alay mı ediyorsun, Üstat?"

Jared kederle kafa salladı. "Kesinlikle, hayır. Bize bu artefaktı nereden bulduğunu söyle."

Finn etrafa bakındı. Harabe sessiz ve karanlıktı, Attia karanlık kapı eşiğinde çömelmişti, dışarı bakıyordu. Hafifçe kafa sallayarak Finn'in içini rahatlattı. Finn tekrar holoekrana bakarken, ışığının onları ele vermesinden korktu.

Bileğindeki kartaldan bahsederken Claudia'yı seyretti. İnsanların içini yüzlerinden okumakta ustaydı ama Claudia'nınkini anlamak güçtü; kız öyle kontrollüydü ki kendini ele vermiyordu ama gözlerinin biraz açılması büyülenmiş olduğunun göstergesiydi. Sonra Finn yalan söylemeye başladı, Anahtar'ı ıssız bir tünelde bulduğunu söyledi; Maestra'dan, ölümünden, bunun yol açtığı utançtan hiç bahsetmedi; sanki bunlar hiç olmamıştı. Attia başını çevirip baktı ama Finn yüzünü ondan gizledi. Comitatusları anlattı; Jormanric'le korkunç bir kavgaya tutuştuğunu ve o devi teke tek dövüşte yendiğini, onun parmaklarından üç tane kurukafa-yüzüğünü aldığını, arkadaşlarını o cehennemden kurtardığını, Hapishane'den çıkmak için kutsal bir yolda ilerlediklerini söyledi.

Claudia dikkatle dinledi, kısa sorular sordu. Finn, kızın bütün bunlara inanıp inanmadığını bilmiyordu. Sapient susuyordu; Finn, Gildas'tan bahsederken tek bir kez kaşını kaldırdı.

"Sapientler hâlâ var mı yani? Peki, Deney'e, sosyal yapılara, besin kaynağına ne oldu? Hepsi bitti mi?"

"Boş ver onları," dedi Claudia sabırsızca. "Kartal şeklinin anlamını görmüyor musun, Üstat? *Görmüyor musun?*" Hevesle öne eğildi. "Finn. Ne kadar zamandır Incarceron'dasın?"

"Bilmem." Finn kaşlarını çattı. "Ben... sadece..."

"Ne?"

"Son üç yılı hatırlıyorum. Bazı şeyler... hatırladığım oluyor ama..." Sustu. Geçirdiği nöbetlerden kıza söz etmek istemiyordu.

Claudia başıyla onayladı. Finn, kızın ellerini kucağında kenetlemiş olduğunu gördü. Kızın bir parmağında bir elmas yüzük ışıldıyordu. "Dinle, Finn. Sana tanıdık geliyor muyum? Beni tanıdın mı?"

Finn'in kalp atışları hızlandı. "Hayır. Tanımam mı gerekiyor?"

Kız dudağını ısırıyordu. Finn onun gerginliğini sezdi. "Finn, dinle beni. Sanırım sen..."

"FINN!"

Attia'nın sesi boğuklaştı. Ağzını bir el kapamıştı. "Çok geç," dedi Keiro neşeyle.

Karanlıktan çıkan Gildas içeri girip holoekrana baktı. Jared'la Gildas bir an şaşkınca bakıştılar.

Sonra ekran karardı.

Sapient usulca dua etti. Dönüp Finn'e baktığında sert, mavi gözleri tekrar saplantılıydı. "Gördüm! Sapphique'i gördüm!"

Finn birden kendini çok yorgun hissetti. "Hayır," dedi, Attia'nın çırpınarak Keiro'dan kurtulmasını seyrederken. "O değildi."

"Onu gördüm, salak çocuk! Onu gördüm." Yaşlı adam, Anahtar'ın karşısında güçlükle diz çöktü. Elini uzatıp ona dokundu. "Ne dedi, Finn? Bize mesajı neydi?"

"Ve neden Anahtar'ı kullanarak başka insanları görebildiğini bize söylemedin?" dedi Keiro öfkeyle. "Bize güvenmiyor musun?"

Finn omuz silkti. Claudia'nın pek bir şey söylememiş olduğunu fark etti; daha çok kendisi konuşmuştu. Ama onları merakta bırakması gerekiyordu, bu yüzden, "Sapphique... bizi uyarıyor," dedi.

"Ne hakkında?" Isırılmış elini ovuşturan Keiro, kıza ters ters baktı. "Kaltak," diye mırıldandı.

"Tehlike hakkında."

"Nasıl bir tehlike? Burada her yer..."

"Yukarıdan gelecek." Finn aklına ilk gelen şeyi mırıldanıvermişti. "Tehlike yukarıdan gelecek."

Birlikte yukarı baktılar.

O anda Attia çığlığı basıp kendini yana attı; Gildas küfretti. Dev-örümcek ağı gibi düşen ağın kenarlarında ağırlıklar vardı; Finn'in üzerine düşünce onu yere serdi, tozlar havalandı ve yarasalar kaçıştı. Bir an nefesi kesilen Finn yanı başında Gildas'ın ağdan kurtulmaya çalıştığını, üzerleri yapışkan reçineyle kaplı halatlara dolanmış olduklarını fark etti.

"Finn!" Attia diz çöküp ağı çekiştirdi; eli yapışınca hemen geri çekti.

Keiro kılıcını çekmişti; kızı yana itip halatları kesmeye çalıştı ama içlerinde metal teller vardı. O sırada harabenin içinde tiz, yüksek bir alarm çalmaya başladı.

"Zamanını harcama," diye mırıldandı Gildas. Sonra hiddetle bağırdı: "Gidin buradan!"

Keiro, Finn'e baktı. "Kardeşimi bırakmıyorum."

Finn doğrulmaya çalıştı ama başaramadı. Şehirlilerin kamyonlarının önündeki zincirli halini, o kâbusu anımsadı bir an; sonra, "Dediğini yapın," diye inledi.

"O şeyi üzerinizden kaldırabiliriz." Keiro telaşla etrafa bakındı. "Mil olarak kullanabileceğimiz bir şey olsa."

Attia metal bir duvar direğini kavradı. Ellerinin arasında ufalanıveren paslı direği inleyerek yere attı.

Keiro ağı çekiştirdi. Siyah yağ elleriyle ceketine bulaştı; küfretti ama çekmeyi sürdürdü, Finn de aşağıdan itti ama bir an sonra vazgeçtiler; ağ fazla ağırdı.

Keiro ağın yanında diz çöktü. "Seni bulacağım. Seni kurtaracağım. Anahtar'ı ver."

"Ne?"

"Onu bana ver. Yoksa üzerinde bulup alırlar."

Finn ılık kristali sımsıkı tuttu. Bir an halatların arasından Gildas'ın şaşkın gözlerini gördü; Sapient, "Hayır, Finn," dedi. "Bu onu son görüşümüz."

"Kapa çeneni, moruk." Keiro hiddetle döndü. "Onu bana ver Finn. *Hemen.*"

Finn kıvrandı. Anahtar'ı yağlı halatların arasından uzattı; Keiro onun tutup çekerken parmakları kusursuz kartalın üzerine yağ bulaştırdı. Keiro, Anahtar'ı ceketinin iç cebine koyduktan sonra Jormanric'in yüzüklerinden birini çıkarıp Finn'in parmağına taktı. "Biri sana. İkisi bana."

Alarm kesildi.

Keiro geri geri giderken etrafa bakındı ama Attia ortadan kaybolmuştu bile. "Seni bulacağım. Yemin ederim."

Finn kımıldamadı. Ama tam Keiro, Hapishane'nin gecesinde gözden kaybolurken Finn halatları kavrayıp, "Sadece ben kullanabilirim," dedi. "Sapphique sadece benimle konuşur."

Keiro'nun duyup duymadığını bilmiyordu. Çünkü tam o sırada kapılar gürültüyle açıldı, gözlerine ışık tutuldu ve hırlayan köpekler elleriyle yüzüne hamle yapmaya başladılar.

Jared dehşete kapılmış gibiydi. "Claudia, delilik bu..."

"O olabilir. Giles olabilir. Ah, evet, farklı görünüyor. Daha zayıf. Daha yıpranmış. Daha büyük. Ama kesinlikle o olabilir. Yaşı, fiziği tutuyor. Saçları." Gülümsedi. "Gözleri."

Odada kıpır kıpır dolanıyordu. Delikanlının durumuna ne denli şaşırdığından bahsetmek istemiyordu. Incarceron Deneyi'nin başarısızlığının korkunç bir darbe olduğunu, bunun bütün Sapientleri sarsacağını biliyordu. Sönmeye yüz tutmuş ateşin önünde birden çömelerek, "Üstat, uykuya ihtiyacın var, benim de," dedi. "Yarın benimle yolculuk etmemizde direteceğim. Alys uyuyana kadar Alegon'un *Tarihler*'ini okuyabiliriz, sonra da konuşuruz. Şimdilik şu kadarını söyleyeyim. O Giles değilse bile, Giles olduğunu söyleyebiliriz. Bunu iddia edebiliriz. Elimizde yaşlı adamın yazdıkları var, delikanlının bileğindeki iz de var; bunlar yeter. Evliliğin iptaline yol açacak denli şüphe uyanmasına yeter."

"DNA'sı..."

"Protokol'e uymaz. Biliyorsun."

Adam olumsuz anlamda başını salladı. "Claudia, hiç sanmıyorum... Bunun işe yaraması mümkün değil..."

"Bir düşün." Claudia kalkıp odanın diğer tarafına gitti. "Bu delikanlı Giles değilse bile Giles içeride bir yerlerde. Veliaht, Caspar değil, Jared. Ve bunu kanıtlamak niyetindeyim. Kraliçe'yle ve babamla konuşmam gerekiyorsa bunu yaparım."

Kapıda duraksadı; Jared'ı o halde bırakmak istemiyordu, içini rahatlatacak bir şeyler söylemek istiyordu. "Ona yardım etmeliyiz. O cehennemdeki herkese yardım etmeliyiz."

Sırtı dönük olan Jared başıyla onayladı. "Git yat, Claudia," dedi kasvetle.

Claudia usulca loş koridora girdi. Uzaktaki bir duvar oyuğunda bir mum yanıyordu. Claudia yürürken yere sürtünen elbisesi kuru kuru hışırdadı; kapısına varınca durup arkasına baktı.

Han sessiz gibiydi. Ama herhalde Caspar'ın kaldığı odanın önündeki ani, hafif bir hareket, Claudia'nın dönüp bakakalmasına ve dudağını ısırmasına yol açtı.

İri yarı adam, Fax iki sandalyenin üzerine yatmıştı.

Dosdoğru Claudia'ya bakıyordu. Alaycı bir edayla, Claudia'nın kanını donduran bir şekilde sırıtarak elindeki maşrapayı salladı.

17

Kadim heykellerde Adalet hep kördü. Ama ya aslında görüyorsa, her şeyi görüyorsa ve Göz'ü soğuk ve acımasızsa? Öyle bir bakıştan kim saklanabilir?

Incarceron her geçen yıl kurallarını katılaştırdı. Cennet olması gereken yeri cehenneme çevirdi.

Kapı kilitli; Dışarı'sı haykırışlarımızı duyamaz. Ben de bir anahtar yapmaya başladım gizli gizli.

LORD CALLISTON'IN GÜNLÜĞÜ

Finn, Şehir kapısının altından geçerken kapının dişleri olduğunu gördü.

Kapı açık bir ağız şeklinde tasarlanmıştı, metal ön dişleri jilet gibi keskin görünüyordu. Finn acil durumlarda kapının ısırırcasına, geçit vermez bir şekilde kapanmasını sağlayan bir mekanizma bulunduğunu tahmin etti.

Yük arabasına bitkince yaslanan Gildas'a göz attı. Yaşlı adamın dayaktan yüzü gözü morarmış ve dudağı şişmişti. "Burada senin halkından birileri vardır mutlaka."

Sapient bağlı elleriyle yüzünü kaşıdı ve soğuk bir sesle, "Varsa bile pek nüfuzlu değillerdir," dedi.

Finn kaşlarını çattı. Turna-adamların onları tuzaktan çıkardıktan sonraki ilk işi Gildas'ın çantasını aramak olmuştu. Tozları ve merhemleri, özenle sarmalanmış tüy kalemleri, adamın yanından hiç ayırmadığı *Sapphique Şarkıları* kitabını yere atmışlardı. Bunlardan hiçbirinin önemi yoktu. Ama et paketlerini bulunca birbirlerine bakışmışlardı. Onlardan biri, sıska bir adam sırık ayaklıklarının üzerindeyken dönüp öfkeyle, "Demek ki sizler hırsızsınız," demişti.

"Bak, arkadaşım," demişti Gildas tehditkârca, "koyunun sizin olduğunu bilmiyorduk. Herkesin karnı acıkır. Size bildiklerimi öğreterek borcumuzu ödeyeyim. Ben usta bir Sapient'im."

"Ah, kesinlikle ödeyeceksin, ihtiyar." Adam ona ifadesizce bakmıştı. Sonra da arkadaşlarına bakmıştı; eğleniyor gibiydiler. "Yargıçlar bunu görünce ellerinle ödersin herhalde."

Finn'in bilekleri öyle sıkı bağlanmıştı ki ipler derisini acıtıyordu. Dışarı sürüklenince eşek koşulmuş küçük bir at arabası görmüştü; Turna-adamlar arabaya atlayıp tuhaf metal ayaklıkları ustaca çıkarmışlardı.

Arabanın arkasından iple çekilerek giden Finn, Şehir yolunda tökezleye tökezleye yürümeye başlamıştı. İki kere arkaya göz atmıştı, Keiro'yu veya belki de Attia'yı görme umuduyla; bir an bile görse, çabucak el salladıklarını görse bile yeterdi ama artık orman epeyce geride kalmıştı, imkânsız renklerle ışıldıyordu çok uzaklarda ve uzun metal yokuştan ok gibi dümdüz inen yolun iki tarafında direkler ve uçurumlar vardı.

Böyle savunma imkânları karşısında hayrete kapılan Finn, "Neden bu kadar korkuyorlar acaba?" diye mırıldandı.

Gildas kaşlarını çattı. "Saldırıya uğramaktan korkuyorlar besbelli. Işıksönmesi'nden önce içeri girmeye can atıyorlar."

Can atmaktan da öteydi. Daha önce gördükleri büyük kalabalıkların neredeyse tamamı şehre girmişti bile; telaşla kapıya giderlerken hisarda bir boru çalınınca Turna-adamlar eşeği öyle hızlı sürmüşlerdi ki Gildas nefes nefese kalmıştı ve az kalsın düşecekti.

Şimdi sağ salim içerideydiler; Finn kapının tangırdayarak indiğini ve zincirlerin şangırdadığını işitti. Keiro'yla Attia da buraya mı gelmişlerdi? Yoksa ormanda mıydılar? Finn, Anahtar'ı üzerinde tutsa Turna-adamların bulacağını biliyordu ama Anahtar'ın Keiro'da olduğunu ve belki de Claudia'yla konuştuğunu düşündükçe huzursuzlanıyordu. Canını sıkan bir düşünce daha vardı ama ona odaklanmak istemiyordu. Şimdilik, hayır.

"Gelin." Yiyecek toplama ekibinin lideri onu çekip doğrulttu. "Bu işi bu gece halletmeliyiz. Festival'den önce."

Finn sokaklardan geçerken hiç bu kadar cıvıl cıvıl insanlar görmediğini düşündü. Caddeler ve ara sokaklar küçük fenerlerle bezeliydi; Hapishane'nin ışıkları sönünce dünya, güzel ve parlak binlerce gümüşi ışıkla aydınlanıyordu. Binlerce mahkûm vardı, çadırlar kuruyorlar, büyük pazarlarda pazarlık yapıyorlar, barınak arıyorlar, koyunları ve siber-atları pazar meydanlarına götürüyorlardı. Elsiz, dudaksız, kulaksız ve kör dilenciler gördü. Hastalıktan son derece deforme olmuş insanlar görünce inleyip gözlerini kaçırdı. Ama yarımadamlar yoktu. Burada da o garabet yalnızca hayvanlara özgü gibiydi.

Nal sesleri sağır ediciydi; gübre ve ter kokusu, ezilmiş saman ve sandal kerestesinin ansızın gelen yoğun ve tatlı kokusu, limon kokusu vardı. Her yerde köpekler koşturuyordu, yiyecek çuvallarının üzerinden geçiyorlar, çöpleri karıştırıyorlardı; peşlerinden sinsice gelerek yarıklara ve kapı içlerine dalıveren, bakır derili, küçük sıçanların minik gözleri kırmızıydı.

Her köşede, kapıların ve pencelerin üzerinde Sapphique'in resimlerini görüyordu; Sapphique sol elini kaldırarak eksik parmağını gösteriyordu; sağ elinde tuttuğu şeyi fark eden Finn'in nefesi kesildi: Kristal bir Anahtar.

"Şunu görüyor musun?"

"Görüyorum." Gildas bir basamağa nefes nefese oturdu, onları yakalayan adamlardan biri kalabalığa karışırken. "Bu bir çeşit festival besbelli. Belki de Sapphique'in şerefine."

"Bu Yargıçlar..."

"Konuşma işini bana bırak." Gildas doğruldu, cübbesini düzeltmeye çalıştı. "Tek kelime etme. Benim kim olduğumu öğrenince bizi serbest bırakırlar, kurtuluruz. Ben Sapient'im, sözümü dinlerler."

Finn kaşlarını çattı. "Umarım."

"Harabedeyken başka ne gördün? Sapphique başka ne dedi?"

"Hiç." Finn'in yalanları tükenmişti ve önden bağlı kolları sızlıyordu. Korku, soğuk su gibi zihnine azar azar damlıyordu.

"Gerçi Anahtar'ı bir daha göremeyeceğiz," dedi Gildas acı acı. "O yalancı Keiro'yu da."

"Ben ona güveniyorum," dedi Finn dişlerini gıcırdatarak.

"Salaksın da ondan."

Adamlar geri geldiler. Tutsaklarını yana iterek bir duvardaki bir kemerin altından geçirdiler ve sola kıvrılan geniş, loş bir merdivenden çıkardılar. Tepede karşılarına büyük bir ahşap kapı çıktı; iki fenerin ışığında Finn siyah tahtaya dev bir gözün derinlemesine kazınmış olduğunu gördü; göz ona bakıyordu ve Finn bir an onun canlı olduğunu, kendisini seyrettiğini, kendisini hayatı boyunca merakla incelemiş olan Incarceron'un Göz'ü olduğunu düşündü.

Sonra Turna-adam tahtaya vurunca kapı açıldı. Finn'le Gildas içeri sokuldular; yanlarında birer adam vardı.

Oda, bir odaysa eğer, zifirî karanlıktı.

Finn hemen durdu. Soluğu hızlandı; yankılar ve tuhaf bir hışırtı işitiyordu, sezgileri ona karşısında, belki de yanında büyük bir boşluk bulunduğunu söylüyordu; bir adım daha atarsa dipsiz bir boşluğa düşmekten korkuyordu. Zihninde belli belirsiz bir anı kımıldandı, ışıksız ve havasız bir yerin anısı. Duruşunu dikleştirdi. Dikkatli olmalıydı.

Adamlar uzaklaşınca kendini yapayalnız kalmış hissetti; hiçbir şey görmüyordu, hiç kimseye dokunmuyordu.

Sonra ilerisinden, yakından bir insan sesi geldi.

"Burada hepimiz suçluyuz. Öyle değil mi?"

Bu soru kısık sesle sorulmuştu. Finn, konuşanın erkek mi kadın mı olduğunu anlayamadı.

Gildas hemen, "Hayır," dedi. "Ben suçlu değilim, atalarım da değildi. Ben Gildas Sapiens'im, Kapanış Günü'nde Incarceron'a giren Gildas'ın oğlu olan Amos'un oğluyum."

Sessizlik. Sonra: "Soyunuz tükendi sanıyordum." Aynı ses. Yoksa farklı mıydı? Şimdi biraz soldan geliyordu; Finn o tarafa baktı ama bir şey göremedi.

"Ben de çocuk da sizden bir şey çalmadık," dedi Gildas öfkeyle. "Yanımızdakilerden biri, hayvanı öldürdü. Bu hataydı ama..."

"Sus."

Finn nefesini tuttu. İlk iki sese benzeyen üçüncü ses sağdan gelmişti. Üç kişi olmalıydılar.

Gildas sıkıntıyla iç geçirdi. Susmuş olsa da sinirlenmişti.

Ortadan gelen ses yavaş yavaş konuştu: "Burada hepimiz suçluyuz. Her birimiz suçluyuz. Kaçan Sapphique bile Incarceron'a borcunu ödemek zorunda kaldı. Siz de borcunuzu etinizle ve kanınızla ödeyeceksiniz. İkiniz de."

Işık güçleniyordu ya da Finn'in gözleri karanlığa alışıyordu. Çünkü artık onları seçebiliyordu; karşısında üç gölge oturuyordu, bütün vücutlarını örten siyah cübbeler giymişlerdi ve sarığı andıran tuhaf, siyah peruklar takmışlardı. Kuzguni, dümdüz peruklar. Bunlar tuhaf duruyordu çünkü konuşanlar çok yaşlıydı. Finn hiç bu denli yaşlı kadınlar görmemişti.

Derileri buruşuktu, gözleri süt beyazıydı. Başlarını eğmişlerdi; ayağı yere sürtünen Finn, yüzlerini sese doğru çevirdiklerini görünce onların kör olduklarını fark etti.

"Lütfen..." diye mırıldandı.

"Temyiz yok. Hüküm verildi."

Finn, Gildas'a göz attı. Sapient kadınların ayaklarının dibindeki bir nesneye bakıyordu. Birinci kadının önündeki basamaklarda yatan, kaba bir ahşap eğirtmeçten ince bir gümüşi iplik uzanıyordu. İplik, ikinci kadının ayaklarına dolanmıştı -kadın oturduğu tabureden hiç kalkmıyordu sanki- ve arasında bir ölçü çubuğu gizliydi. İpliğin geri kalanı kirli ve aşınmıştı; üçüncü kadının sandalyesinin altından geçip sandalyeye yaslanmış halde duran keskin bir makasa uzanıyordu.

Gildas ürkmüş gibiydi. "Sizden bahsedildiğini duymuştum," diye fısıldadı.

"Öyleyse bizim, Acımasız Üçlü, Affetmezler olduğumuzu bilirsin. Adaletimiz kördür ve sadece verilerle ilgilenir. Bu adamların malını çaldınız, kanıt gösterildi." Ortadaki kocakarı başını yana eğdi. "Katılıyor musunuz, kardeşlerim?"

İki tarafından, birbirinin aynısı fısıltılar yükseldi. "Katılıyoruz."

"O halde hırsızların cezası verilsin."

Adamlar gelip Gildas'ı tuttular ve diz çöktürdüler. Finn loşlukta bir ahşap bloğu hayal meyal gördü; yaşlı adamın kolları indirilip masaya yatırıldı ve bileklerinden tutuldu. "Hayır!" diye inledi Gildas. "Dinleyin beni..."

Birbirinin aynısı üç kadın yalnızca kör değil, aynı zamanda sağır gibiydiler. Ortadaki kadın ince parmağını kaldırdı; karanlıkta bir bıçak ışıldadı.

"Ben Akademi üyesi bir Sapient'im." Gildas dehşetle bağırıyordu. Alnında ter damlaları belirmişti. "Bana hırsız muamelesi yapamazsınız. Buna hakkınız yok..."

Sımsıkı tutuluyordu; arkasında bir adam duruyordu, bir başka adamsa bağlı bileklerini tutuyordu. Bıçak kaldırıldı. "Kapa çeneni, geri zekâlı moruk," dedi adamlardan biri.

"Para verebiliriz. Paramız var. Ben hastalıkları iyileştirebilirim. Çocuk... çocuk bir medyum. Sapphique'le konuşuyor. *Yıldızları gördü!"*

Acizce bir çığlık yükseldi. Bıçaklı adam anında duraksadı; kocakarılara göz attı.

Kadınlar hep bir ağızdan, "Yıldızları mı?" dediler. Hayret içinde fısıldamışlardı. Nefes nefese kalan Gildas eline geçen fırsatı gördü. "Yıldızları, ey Bilge Kadınlar. Sapphique'in bahsettiği ışıkları. Kendisine sorun! O bir hücre-çocuğu, Incarceron'un oğlu."

Kadınlar şimdi suskundular. Kör yüzlerini, Finn'e çevirmişlerdi; ortadaki kadın elini uzatıp çağırınca Turna-adam, Finn'i öyle sertçe öne itti ki kadın onun koluna dokunarak tutuverdi. Finn hiç kımıldamadan durdu. Yaşlı kadının elleri kemikli ve kupkuruydu, tırnakları uzun ve kırıktı. Finn'in kollarını, göğsünü, yüzünü yokladı. Finn geri çekilmek, titremek istedi ama kımıldamadan durdu; alnındaki, gözlerindeki serin, sert parmaklara katlandı.

Diğer kadınlar seyrediyordu; sanki birinin dokunduğu şeyi hepsi hissediyordu. Sonra ortadaki Yargıç, iki elini Finn'in göğsüne bastırarak, "Kalbini hissediyorum," diye mırıldandı. "Cesur atıyor; bu delikanlı Hapishane'nin etinden kemiğinden yapılma. İçindeki boşluğu, zihninin yırtık göğünü hissediyorum."

"Kederini hissediyoruz."

"Özlemini hissediyoruz."

"O benim hizmetimde." Gildas hemen ayağa kalktı. "Sadece benim. Ama onu size veriyorum kız kardeşler, onu suçumuza karşılık veriyorum. Adil bir takas."

Finn ona hayret içinde öfkeyle baktı. "Hayır! Bunu yapamazsın!"

Gildas döndü. Karanlıkta ufak tefek görünüyordu ama gözleri ani bir ilhamın etkisiyle sert ve kurnazdı, nefesi hırıltılıydı. Finn'in parmağındaki yüzüğe anlamlı anlamlı baktı. "Seçme şansım yok."

Üç kocakarı birbirlerine döndüler. Konuşmuyorlardı ama bir şekilde iletişim kurar gibiydiler. Bir tanesi ansızın kıkırdayınca Finn'den ter boşandı ve arkasındaki adam dehşetle mırıldandı.

"Kabul edelim mi?"

"Kabul etmeli miyiz?"

"Kabul edebilir miyiz?"

"Kabul ediyoruz." Hep bir ağızdan konuşmuşlardı. Sonra soldaki kocakarı eğilip eğirtmeci aldı. Çatlamış parmaklarıyla ip eğirmeye başladı; ipi baş ve işaret parmaklarının arasından çekiyordu. "Seçilmiş Kişi olacak. Haraç olacak."

Finn yutkundu. Kendini halsiz hissediyordu, sırtından soğuk ter akıyordu. "Ne haracı?"

İkinci kız kardeş ipi ölçüp kısa kısmını tuttu. Üçüncü kocakarı makası aldı. İpi özenle kesti; ip parçası sessizce tozların arasına düştü.

"Canavar'a," dedi, "vermemiz gereken Haraç."

Keiro ve Attia, Şehir'e Işıksönmesi'nden hemen önce vardılar; yolun son fersahını bir yük arabasında katetmişlerdi ve arabanın sürücüsü onları fark etmemişti bile. Şehir kapısının önüne gelince arabadan atladılar.

"Şimdi ne yapacağız?" diye fısıldadı Attia.

"Dosdoğru içeri gireceğiz. Herkes gibi."

Uzun adımlarla uzaklaştı; Attia onun sırtına öfkeyle baktıktan sonra peşinden koştu.

Daha küçük bir kapı ve soldaki duvarda dar bir aralık vardı. Attia bunun neye yaradığını merak etti, sonra da muhafızların herkesi oradan geçirdiğini gördü.

Arkasına baktı. Yol boştu. Sessiz ova göz alabildiğine uzanıyordu; çok yukarıdaki loş siste, kuşa benzer gümüşi bir parıltı tur atıyordu.

Keiro onu ileri itti. "Önden buyur."

Yürürlerken bir muhafız onları deneyimli gözlerle süzdü ve başıyla aralığı gösterdi. Attia aralıktan geçti. Loş, pis kokulu bir geçitten geçip Şehir'in parke taşlı sokağına çıktı.

Keiro onun peşinden bir adım attı.

Anında alarm çaldı. Keiro döndü. Duvardan hafif, telaşlı bir bip sesi geliyordu. Hemen yukarıda Incarceron bir Göz'ünü açıp baktı.

Kapıyı kapamakta olan muhafız durdu. Dönüp kılıcını çekti. "Eh, sen şeye benzemiyorsun..."

Keiro, adamın karnını yumruklayarak onu iki büklüm hale getirdi; bir daha vurunca adam duvara çarptı. Yere yığılıp kaldı. Keiro derin bir soluk aldıktan sonra panele gidip alarmı durdurdu. Dönünce Attia'nın kendisine baktığını gördü. "Neden sana alarm çaldı? Neden bana çalmadı?"

"Ne önemi var?" Keiro, kızın yanından hızla geçti. "Anahtar'ı algılamıştır."

Attia onun sırtına, gösterişli yeleğine ve özensizce geriye attığı yelemsi saçlarına baktı. Keiro'nun duyamayacağı kadar kısık sesle, "Öyleyse neden o kadar korktun?" dedi.

İçeri birisi girerken at arabası sarsılınca Claudia rahatlayıp derin bir nefes aldı. "Hiç gelmeyeceksin sanmıştım."

Yüzünü pencereden geriye çevirince sözcükler boğazına takıldı.

"Duygulandım," dedi babası soğukça.

Bir eldivenini çıkarıp koltuğun tozunu aldı. Sonra bastonunu ve kitabını bırakıp, "Devam et," diye seslendi sürücüye.

Atlar kırbaçlanırken at arabası gıcırdadı. Araba han avlusundan çıkarken Claudia, babasının tuzağına düşmemeye çalıştı. Ama daha fazla dayanamadı. "Jared nerede? Sanıyordum ki..."

"Bu sabah ona üçüncü arabada Alys'le birlikte seyahat etmesini söyledim. Konuşmamız gerektiğini düşünüyorum."

Bu ona bir hakaretti elbette, gerçi Jared aldırmazdı, Alys de onunla baş başa kaldığına çok sevinmiş olmalıydı. Yine de bir Sapiente uşak muamelesi yapmak... Claudia öfkeden kaskatı kesildi.

Babası onu bir an seyrettikten sonra pencereden dışarı baktı; Claudia, adamın sakalında biraz kırçıllık bırakmış olduğunu ve bunun ona iyiden iyiye ciddiyet ve saygınlık kattığını gördü.

Babası, "Claudia, birkaç gün önce bana anneni sormuştun," dedi.

Claudia, adamdan tokat yese bu denli şaşırmazdı. Sonra hemen pürdikkat kesildi. Babasının inisiyatifi ele alması, oyunu tersine çevirmesi, saldırıya geçmesi ondan beklenecek bir tavırdı.

Adam, Saray'da usta bir satranç oyuncusuydu. Claudia onun tahtasındaki bir piyondu, her şeye rağmen vezir yapacağı bir piyon.

Dışarıda, tarlalara ince ince yaz yağmuru yağıyordu. Hava tatlı ve taze kokuyordu. Claudia, "Evet, sordum," dedi.

Babası tarlalara baktı; parmakları siyah eldivenleriyle oynuyordu. "Annenden bahsetmek benim için çok zor ama bugün, uğrunda çabaladığım her şeye doğru yaptığımız bu yolculukta, belki de artık zamanı gelmiştir."

Claudia dudağını ısırdı.

Hissettiği tek şey korkuydu. Ve bir anlığına, kısacık bir anlığına, ilk kez hissettiği bir duyguya kapıldı. Babasına acıdı.

18

En sevdiklerimizi, en iyilerimizi kurban verdik ve sonucu bekliyoruz. Yüzyıllar geçse de unutmayacağız. Kurt gibi tetikte olacağız. İntikam alınması gerekiyorsa alacağız.

ÇELİK KURTLAR

"Ben orta yaşta evlendim." John Arlex sık yaprakların gölgelerinin arabanın içinde yaz gün ışığıyla birlikte hareket etmesini seyretti. "Zengin bir adamdım -ailemiz Saray'da yaşamıştı hep- ve genç yaşta Müdür olmuştum. Bu ağır bir sorumluluktur, Claudia. Ne kadar ağır olduğunu bilemezsin."

Bir an iç geçirdi.

Araba taşların üzerinden geçti. Claudia yolculuk pelerininin cebindeki kristal Anahtar'ın dizine çarptığını hissedince Finn'in korkusunu, açlıktan çökmüş yüzünü anımsadı. Babasının sorumluluğundaki bütün Mahkûmlar öyle miydi?

"Helena güzel ve zarif bir kadındı. Bizimki mantık evliliği değildi, Saray'daki bir kış balosunda tesadüfen tanışmıştık. O müteveffa Kraliçe'nin, Giles'ın annesinin oda hizmetçisiydi, öksüzdü, ailesinin son ferdiydi."

Claudia'nın bir şeyler söylemesini beklercesine duraksadı ama Claudia konuşmadı. Konuşursa büyüyü bozmaktan, babasının anlatmayı kesmesinden çekiniyordu. Adam ona bakmıyordu. Usulca konuştu: "Ona sırılsıklam âşıktım."

Claudia sımsıkı kenetlediği ellerini gevşetti.

"Kısa bir flört döneminden sonra Saray'da evlendik. Sessiz sakin bir düğündü, seninki öyle olmayacak; ama evlendikten sonra küçük bir şölen düzenledik ve Helena masanın başında benimle birlikte oturup güldü. Sana çok benziyordu, Claudia, boyu biraz kısaydı. Saçları sarı ve düzdü. Boynunda ikimizin portresini taşıyan siyah bir kadife kurdele asılıydı hep."

Babası pantolonunun dizini dalgınca düzeltti.

"Hamile olduğunu söyleyince anlatamayacağım kadar sevindim. Belki de artık çok geç kaldığımı, asla çocuğumun olmayacağını düşünmüştüm. Incarceron'un idaresinin ailemden başka bir aileye geçeceğini, Arlex'lerin benimle birlikte son bulacağını. Neyse, haberi alınca annenin üstüne iyice titremeye başladım. O güçlü bir kadındı ama Protokol'ün kısıtlamalarına uymak gerekiyordu."

Başını kaldırıp baktı. "Birlikte öyle az zaman geçirdik ki."

Claudia derin bir nefes aldı. "O öldü."

"Çocuk doğunca." Babası gözlerini kaçırdı, pencereden dışarı baktı. Yüzünden yaprak gölgeleri geçiyordu. "Doğumda bir ebe, bir de en ünlü Sapientlerden biri vardı ama yapacak bir şey yoktu."

Claudia ne diyeceğini bilemedi. Tamamen gafil avlanmıştı. Babası onunla ilk kez böyle konuşuyordu. Parmaklarını tekrar kenetledi. "Yani annemi hiç görmedim," dedi.

"Hiç." Adam karanlık gözlerini ona çevirdi. "Sonrasında da onun resmini görmeye dayanamadım. Bir portresi vardı, kaldırttım. Şimdi sadece bu var."

Adam gömleğinden küçük bir altın madalyon çıkardı, siyah kurdeleyi boynundan çıkarıp uzattı. Claudia bir an onu almaya korktu; aldığında madalyonda babasının vücut ısısını hissetti.

"Aç," dedi adam.

Claudia madalyonu açtı. İçindeki iki oval çerçevede, birbirine dönük duran iki zarif minyatür vardı. Claudia'nın babası sağdaydı ve ağırbaşlı, daha genç, koyu kahverengi saçlı görünüyordu. Diğer taraftaysa göğüs dekolteli, kızıl, ipek bir gece elbisesi giymiş ve ağzına küçük bir çiçek götürmüş tatlı, zarif yüzlü, gülümseyen bir kadın vardı.

Annesi.

Claudia'nın parmakları titredi; babasının fark edip etmediğine bakmak için başını kaldırınca adamın kendisini seyrettiğini gördü. Babası ciddiyetle konuştu: "Saray'da sana bir kopyasını yaptıracağım. Ressam Alan Usta iyi bir zanaatkârdır."

Claudia, adamın kontrolünü yitirmesini, bağırmasını istedi. Sinirlenmesini, üzülmesini, tepki verebileceği herhangi bir şey yapmasını istedi. Ama adam ağırbaşlı bir sakinlik sergiliyordu sadece.

Babasının maçın bu raundunu kazandığını biliyordu. Madalyonu sessizce geri verdi.

Adam madalyonu cebine koydu.

İkisi de bir süre konuşmadılar. Araba ana yolda tangır tungur ilerliyordu; köhne kulübelerle dolu bir köyün içinden geçtiler ve küçük bir gölün yanından geçerlerken kazlar dikelip korkuyla kanat çırptılar. Sonra yol, yokuş yukarı çıkmaya başladı ve yeşil bir ormanın gölgelerine girdiler.

Claudia terlediğini ve utandığını hissediyordu. Açık pencereden içeri bir eşek arısı girdi; Claudia elini sallayarak onu dışarı kovdu ve yoldan havalanan, kahverengi tozlarla kirlenmiş ellerini ve yüzünü ufak bir mendille sildi.

Sonunda, "Bana söylediğini sevindim," dedi. "Ama neden şimdi?"

"Ben hislerini kolay ifade eden bir adam değilim, Claudia. Daha yeni kendimi hazır hissettim." Sesi hırıltılı ve boğuk çıkıyordu. "Bu evlilik hayatımın doruğu olacak. Yaşasaydı eğer annen de aynı şeyi hissederdi. Onu düşünmeliyiz, sağ olsa ne kadar gururlu ve mutlu olacağını düşünmeliyiz." Gözlerini kaldırdı; gri ve serttiler. "Hiçbir şeyin işleri berbat etmesine izin vermemeliyiz, Claudia. Başarımıza hiçbir şey engel olmamalı."

Claudia, babasının gözlerini baktı; adam yavaşça gülümsedi. "Şimdi. Eminim sana Jared'ın yol arkadaşlığı yapmasını yeğlersin." Adamın sesindeki alaycılık Claudia'nın dikkatinden kaçmadı. Adam bastonunu alıp at arabasının tavanına vurdu; dışarıdaki arabacı hafifçe seslenerek atları durdurdu; huzursuzlanan hayvanlar burunlarından soluyarak tepindiler. Atlar durunca Müdür eğilip kapıyı açtı. Arabadan inip gerindi. "Ne güzel bir manzara. Baksana, canım."

Claudia onun yanına indi.

Aşağıda akan büyük bir nehir yaz güneşinde parlıyordu. Bereketli çiftlik arazilerinin, olgunlaşmış arpalarla kaplı altın sarısı tarlaların arasından geçiyordu; Claudia yolun yanındaki çiçekli çayırlardan bulutlar halinde yükselen kelebekler gördü. Güneş kollarını ısıtıyordu; yüzünü ona minnetle kaldırdı, gözlerini kapayınca sadece kırmızı bir ısı gördü, burnuna toz kokusu ve çalıların arasındaki ezilmiş civanperçemlerinin pis kokusu geldi.

Gözlerini yeniden açtığında babası bastonunu sallayarak arkadaki faytonlara doğru yürümekteydi ve arabasından inip kırmızı yüzündeki terleri silen Lord Evian'ı selamladı.

Diyar, Claudia'nın karşısında, uzaktaki sisli ve sıcak ufka dek uzanıyordu; bir an bu yaz dinginliğinde koşmayı, boş arazilerin sakinliğine kaçmayı, kimsenin olmadığı bir yere gitmeyi istedi.

Özgür olacağı bir yere.

Yanında bir hareket algıladı. Lord Evian gelmişti, küçük bir cep şişesinden şarap içiyordu. "Ne güzel," dedi soluk soluğa. Tombul parmağıyla gösterdi. "Görüyor musun?"

Claudia kilometrelerce ötedeki tepelerde bir parıltı gördü. Parlak, elmas beyazı bir yansıma. Bunun, büyük Cam Saray'ın çatısından yansıyan gün ışığı olduğunu anladı.

Keiro son kalan eti yedikten sonra tıka basa doymuş halde arkasına yaslandı. Birasının kalanını içti ve etrafa bakınıp maşrapasını tekrar dolduracak birisini aradı.

Attia hâlâ kapının yanında oturuyordu. Taverna tıklım tıklımdı; Keiro dikkat çekebilmek için iki kez seslenmek zorunda kaldı. Sonra tavernacı kadın bir sürahiyle gelip maşrapasını doldururken, "Ya arkadaşın? O bir şey yemiyor mu?" dedi.

"Arkadaşım değil o."

"Peşinden geldi."

Keiro omuz silkti. "Kızların beni takip etmelerini engelleyemem ki. Yani, şu görünüşüme baksana."

Kadın gülüp kafa salladı. "Pekâlâ yakışıklı. Parayı ver."

Keiro birkaç bozukluk verdi, birayı içti ve ayağa kalkıp gezindi. Yıkandıktan sonra kendini daha iyi hissediyordu ve alev kırmızısı yeleği ona hep yakışırdı. Masaların arasından geçerken, peşine düşen Attia'yı görmezden geldi ve loş arka sokağın yarısındayken kızın sesini duyunca durdu.

"Onları ne zaman bulacağız?"

Keiro arkasına dönmedi.

"Başlarına neler gelmiştir kimbilir. Söz vermiştin..."

Keiro döndü. "Neden defolmuyorsun?"

Kız, adamın bakışlarına karşılık verdi. Keiro onun ürkek, ufak tefek bir yaratık olduğunu düşünüyordu ama kız ikinci defadır ısrar ediyordu ve sinir bozucu olmaya başlamıştı. "Hiçbir yere gitmiyorum," dedi kız usulca.

Keiro sırıttı. "Onları terk edeceğimi düşünüyorsun, değil mi?"

"Evet."

Kızın açık sözlülüğüne şaşırdı. Sinirlendi. Dönüp yürümeye devam etti ama kız peşinden gölge gibi geldi. Köpek gibi.

"Bence bunu istiyorsun ama izin vermem. Anahtar'ı alıp gitmene izin vermem."

Keiro karşılık vermemeyi düşündü ama kendini tutamayıp konuştu. "Ne yapacağımı hiç bilmiyorsun. Finn ve ben kan kardeşiyiz. Bu her şeyden önemli. Hem ben sözümün eriyimdir."

"Sahi mi?" Kız, Jormanric'in kurnaz sesini taklit etti. *"Ben on yaşından beri, öz ağabeyimi bıçakla öldürdüğümden beri sözümü tutmadım hiç.* Kastettiğin bu mu Keiro? Bir Comitatus musun hâlâ?"

Keiro o zaman dönüp kıza saldırdı ama kız hazırlıklıydı. Sıçrayıp yüzünü tırmaladı, tekmeleyip itti ve sendelemesine, duvara çarpmasına yol açtı. Anahtar düşüp kirli kaldırım taşlarının üzerinde tıngırdadı; ikisi de Anahtar'a atıldılar ama kız daha hızlıydı.

Keiro öfkeyle tısladı. Kızı saçından tutup vahşice kendine çekti. "Onu bana ver!"

Kız çığlıklar atarak çırpındı.

"Bırak onu!"

Keiro daha sert çekti. Acıyla uluyan Attia, Anahtar'ı karanlığa fırlattı; Keiro hemen kızı bırakıp Anahtar'a koştu ama eline alır almaz haykırarak bıraktı.

Anahtar yerde yatıyordu, içinde küçük mavi ışıklar geziniyordu.

Birden etrafında bir görüntü alanı belirdi, kaygılandırıcı bir sessizlikle. Gösterişli bir elbise giymiş bir kız gördüler, sırtını bir ağaca yaslamıştı, çok parlak bir ışıkla aydınlanıyordu. Kız ikisine de bakıyordu. Konuştuğunda sesinde şüphe vardı.

"Finn nerede? Siz kimsiniz?"

Finn'e yemek olarak ballı kek, bazı tuhaf tohumlar ve biraz da köpüren sıcak bir içecek vermişlerdi ama Finn ilaçlı olabilir korkusuyla içeceği ağzını sürmemişti. Başına ne gelecekse gelsin zihninin açık olmasını istiyordu.

Ayrıca temiz giysiler ve yıkanması için su vermişlerdi. Oda kapısının ardında iki Turna-adam duruyordu, sırtları duvara yaslıydı.

Pencereye gitti. Bulunduğu yer epeyce yüksekteydi. Aşağıda şimdi bile kalabalık olan, dar bir sokak vardı; dilenen, satış yapan, derme çatma tezgâhlar kuran, çuvalların altında uyuyan insanlar vardı ve her tarafta hayvanlar geziniyordu. Gürültü sersemleticiydi.

Ellerini denizliğe dayayıp dışarı eğildi, çatılara baktı. Çoğu samandandı, yer yer metal plakalar görülüyordu. Finn'in çatılara tırmanması imkânsızdı; ev yıkılacakmış gibi öne eğikti ve Finn'in tırmanmaya çalışırsa düşeceği kesindi. İsimsiz bir yaratıkla karşılaşmaktansa düşüp de boynunu kırmasının daha iyi olup olmadığını merak etti bir an ama hâlâ zaman vardı. Durum değişebilirdi.

İçeri geri dönüp tabureye oturdu ve düşünmeye çalıştı. Keiro neredeydi? Ne yapıyordu? Planı neydi? Keiro kafasının dikine giden çılgın biriydi ama plan kurmakta ustaydı. Şehirlilere pusu kurma fikri ondan çıkmıştı. Aklına parlak bir fikir gelirdi mutlaka. Finn onun atılganlığını, mutlak özgüvenini şimdiden özlüyordu.

Kapı açıldı; aralıktan içeri Gildas girdi.

"Sen ha!" Finn ayağa fırladı. "Ne hakla buraya..."

Sapient ellerini kaldırdı. "Kızgınsın. Finn, seçme şansım yoktu. Başımıza ne gelecekti gördün." Kasvetli konuşmuştu; gidip tabureye çöktü. "Hem seninle geliyorum."

"Sadece benim gideceğimi söylediler."

"Gümüş paralar epeyce faydalı oluyor." Adam huysuzca homurdandı. "Anladığım kadarıyla insanlar genellikle Mağara'dan *çıkarılmak* için rüşvet veriyorlarmış, oraya götürülmek için değil."

Odada tek bir tabure vardı; Finn yere, samanların arasına oturdu ve kollarını dizlerine sardı. "Yalnızım sanmıştım," dedi usulca.

"Değilsin. Hem ben Keiro değilim ve medyumumu bırakıp gitmem."

Finn kaşlarını çattı. "İmgelemlerim olmasaydı beni terk eder miydin, peki?"

Gildas kuru ellerini birbirine sürtünce kâğıt gibi bir ses çıktı. "Tabii ki hayır."

Bir an suskun kalıp sokağın gürültüsünü dinlediler. Sonra Finn, "Mağara'dan bahset," dedi.

"Öyküyü biliyorsun sanıyordum. Sapphique, Yargıçlar Hisarı'na gelmişti, ki bulunduğumuz yer orası sanırım. Buranın halkının Canavar adıyla bilinen bir varlığa her ay haraç, şehirli genç bir adam ya da kadın verdiklerini öğrendi. Seçilmiş kişi dağ yamacındaki bir mağaraya giriyor; oradan geri dönen yok."

Adam sakalını kaşıdı. "Sapphique, Yargıçlar'ın karşısına çıktı ve ölüme gönderilecek bir kızın yerini almayı teklif etti. Dediklerine göre kız onun ayaklarına kapanıp ağlamış. Sapphique giderken bütün şehir halkı onu sessizce seyretmiş. Mağara'ya tek başına, silahsız girdi."

"Eee?" dedi Finn.

Gildas bir an sustu. Devam ettiğinde sesi alçaktı. "Üç gün hiçbir şey olmadı. Sonra dördüncü gün yabancının Mağara'dan çıktığı haberi hızla yayıldı. Şehirliler surlarda toplandılar, kapıyı açtılar. Sapphique yolda ağır ağır yürüyerek geldi. Şehir kapısına varınca elini kaldırdı ve sağ elinin işaret parmağının eksik olduğunu, elinden tozlara kan aktığını gördüler. Dedi ki: *'Borç öden-*

medi. Borcun tamamını ödeyemedim. O Mağara'da yaşayan şeyin açlığı asla dindirilemez. İçindeki boşluk asla doldurulamaz.' Sonra dönüp gitti, insanlar da gitmesine izin verdiler. Ama kız, hayatını kurtardığı kız onun peşinden koştu ve onunla bir süre yolculuk etti. Müritlerinden ilki o kızdı."

Finn, "Ne?.." dedi ama sözünü bitirmesine fırsat kalmadan kapı açıldı. Turna-adamlar seslendiler. "Dışarı. Delikanlı artık uyumalı. Işıkyanması'nda yola çıkacağız."

Gildas giderken geriye bir bakış fırlattı. Turna-adam, Finn'e birkaç battaniye attı; Finn battaniyelere sarınıp duvar dibine çöktü ve sokaktan gelen insan seslerini, şarkıları ve havlamaları dinledi.

Üşüyor ve kendini yapayalnız hissediyordu. Keiro'yu, Claudia'yı, Anahtar'ın gösterdiği kızı düşünmeye çalıştı. Peki, Attia onu unutacak mıydı? Hepsi onu kaderine mi terk edeceklerdi?

Dönüp kıvrıldı.

Sonra Göz'ü gördü.

Tavanın yakınında, örümcek ağlarının arasında yarı gizli duran küçücük bir Göz'dü.

Durmadan Finn'e bakıyordu; Finn de baktı ve sonra oturup ona döndü. "Konuş benimle," dedi hafif, öfkeli ve küçümseyici bir sesle. "Konuşamayacak kadar korkuyor musun benden? Madem beni sen doğurdun, benimle konuş öyleyse. Bana ne yapacağımı söyle. Kapıları aç."

Göz hiç kırpılmıyordu, kırmızı bir ışıltıydı.

"Orada olduğunu biliyorum. Beni duyabildiğini biliyorum. Hep biliyordum. Başkaları unutabilir ama ben unutmam." Şimdi ayaktaydı; gidip elini uzattı ama Göz her zamanki gibi fazla yukarıdaydı. "Ona, Maestra'ya, öldürülen kadına, öldürdüğüm kadına senden bahsettim. Onu gördün mü? Düştüğünü gördün mü, onu yakaladın mı? Onu bir yerlerde mi tutuyorsun, yaşıyor mu?"

Sesi titriyordu, ağzı kuruydu; belirtileri tanıdı ama duramayacak kadar öfkeliydi ve korkuyordu.

"Kaçış yolunu bulacağım. Yemin ederim senden kaçacağım. Gidecek bir yerler olmalı. Beni göremeyeceğin yerler. Senin olmadığın yerler!"

Terliyordu, midesi bulanıyordu. Oturmak, uzanmak, baş dönmesinin geçmesini beklemek zorunda kaldı; çeşitli görüntüler görüyordu, bir oda, bir masa, karanlık bir göldeki bir sandal. Görüntülerde boğuluyordu, onları kovmaya çalışıyordu, onların içine gömülüyordu. "Hayır," dedi. "Hayır." Göz bir yıldızdı. Kırmızı bir yıldız. Finn'in açık ağzına düşüyordu yavaşça. Ve Finn'in içinde patlayınca, Finn onun çok hafifçe, ıssız koridorlarındaki tozlarının mırıltısıyla, ateşin ortasındaki küllerin hışırtısıyla konuştuğunu işitti.

"Ben her yerdeyim," diye fısıldadı Hapishane. *"Her yerdeyim."*

19

Suçluluğun sonsuz koridorlarında akıyor

Gümüşi gözyaşlarım sicim gibi.

Parmak kemiğim kırık anahtar

Kanım yağdır, yumuşatır kilidi.

SAPPHIQUE ŞARKILARI

Claudia, hologörüntüye sıkıntıyla baktı. "Ne demek hapsedildi? Hepiniz zaten Hapishane'de değil misiniz?"

Delikanlı sırıttı; Claudia onun içten içe alay etmesine sinir olmaya başlamıştı bile. Delikanlı karanlık bir arka sokağa benzer bir yerde oturuyordu, arkasına yaslanmıştı ve Claudia'yı incelemekteydi. "Öyle miyiz? Peki siz neredesiniz, Prenses?"

Claudia kaşlarını çattı. Aslında yolda mola verdikleri hanın giysi odasındaydı; burası Protokol'e fazlasıyla uygun, pis kokulu bir taş odaydı. Ama açıklama yapmakla zaman harcamayacaktı. "Dinle beni, adın her neyse..."

"Keiro."

"Tamam, Keiro. Finn'le konuşmam şart. Hem sen bu Anahtar'ı ondan nasıl aldın bakayım? Yoksa çaldın mı?"

Delikanlının gözleri masmaviydi, saçlarıysa sarı ve uzundu. Yakışıklıydı ve bunun kesinlikle farkındaydı. "Finn'le ben kan kardeşiyiz, birbirimizi korumaya yeminliyiz," dedi. "Anahtar'ı bana emniyette olsun diye verdi."

"Sana güveniyor yani?"

"Elbette."

Başka bir ses, "Ama ben güvenmiyorum," dedi.

Keiro'nun arkasında bir kız belirdi; Keiro ona öfkeyle bakıp, "Çeneni kapar mısın?" diye mırıldandı ama kız çömelip Claudia'ya çabucak konuştu.

"Adım Attia. Bence o Finn ve Sapient'i terk edecek, Sapphique gibi kaçmaya çalışacak ve Anahtar'ın işine yarayacağını düşünüyor. Ona izin vermemelisin! Yoksa Finn ölür."

Bütün bu isimlerden kafası karışan Claudia, "Dur. Yavaş ol!" dedi. "Finn neden ölecekmiş?"

"Bu Kanat'takilerin bir çeşit ritüelleri var anlaşılan. Finn, Canavar'la yüzleşmek zorunda. Yapabileceğin bir şey var mı? Bir yıldız büyüsü filan? Bize yardım etmelisin!"

Kızın üzerinde Claudia'nın hayatında gördüğü en kirli giysiler vardı; saçı siyahtı ve kesimi kabaydı. Çok kaygılı olduğu belliydi. Düşünmeye çalışan Claudia, "Elimden ne gelir ki?" dedi. "Onu siz kurtarmalısınız!"

"Kurtarabileceğimizi nereden çıkardın?" diye sordu Keiro sakince.

"Başka seçeneğiniz yok." Han avlusundan bir bağırış gelince Claudia kaygıyla etrafa bakındı. "Çünkü Finn konuşabileceğim tek kişi."

"Ondan hoşlandın ha? İyi de sen kimsin?"

Claudia öfkeyle baktı. "Incarceron Müdürü babamdır."

Keiro küçümseyerek güldü. "Ne Müdür'ü?"

"O... Hapishane'nin yöneticisidir." Claudia buz kesmişti. Delikanlının küçümseyişi kızın içini dondurmuştu. Çabucak devam etti. "Belki Hapishane'nin haritalarını bulabilirim; gizli yollarını, çıkışa açılan kapılarla koridorlarını gösteren bir harita. Ama Finn'i görmeden size hiçbir şey söylemem."

Jared bu yalanı duysa inlerdi ama Claudia'nın seçme şansı yoktu. Keiro'ya güvenmiyordu; delikanlı fazla kibirliydi, kız da öfkeli ve korkmuş gibiydi.

Keiro omuz silkti. "Finn neden bu kadar önemli?"

Claudia duraksadı. Sonra, "Galiba... galiba onu tanıyorum," dedi. "Büyümüş, farklı görünüyor ama onda bir şey var, sesinde... Haklıysam asıl adı Giles ve buradaki... çok önemli bir kişinin oğlu." Çok şey anlatmamalıydı. Keiro'yu hareket geçirecek kadarı yeterdi.

Keiro hayretle bakakaldı. "Nasıl yani, o cidden Dışarı'dan mı? Bileğindeki resmin bir anlamı var mı?"

"Gitmeliyim. Sen onu kurtar yeter."

Keiro kollarını kavuşturdu. "Kurtarmazsam ne olacak?"

"O zaman yıldız büyüsünü unutun." Claudia kızla bir an bakıştı. "O zaman bu kristal Anahtar hiçbir işinize yaramaz. Ama kardeşseniz zaten onu kurtarmak istersin."

Keiro başıyla onayladı. "İstiyorum." Başıyla Attia'yı gösterdi. "Onu boş ver. Deli o. Hiçbir şey bilmiyor." Sesi kısık ve içtendi.

"Finn ve ben kardeşiz ve birbirimizin arkasını koruruz. Her zaman."

Attia, Claudia'ya bakıyordu; yüzü morarmıştı. Gözlerinde şüphe kımıldıyordu. "Finn akraban mı?" diye sordu usulca. "Kardeşin? Kuzenin?"

Claudia omuz silkti. "Sadece arkadaşız. Bir arkadaşıyım sadece." Görüntü alanını hemen kapadı.

Anahtar pis kokulu karanlıkta ışıldıyordu. Claudia onu etek cebine attı ve taze havaya ulaşmak için koşmaya başladı. Alys geçitte kaygıyla oyalanıyordu, tepsiler ve tabaklar taşıyan hizmetçiler yanından telaşla geçip duruyorlardı.

"Ah, işte oradasın Claudia! Kont Caspar seni arıyor." Ama Claudia delikanlının sesini, o tiz ve sinir bozucu anırmayı şimdiden duyabiliyordu ve konuştuğu kişinin Jared olduğunu, ikisinin Lord Evian'la birlikte gün ışığında, banklarda oturduklarını, han köpeklerinin ayaklarının dibine hevesle yayılmış olduklarını görünce canı sıkıldı.

Çıkıp kaldırım taşlarında yürüdü.

Evian hemen ayaklanıp zarifçe eğilerek selam verdi; Jared usulca yana kayıp yer açtı. Caspar, "Benden hep kaçıyorsun, Claudia!" dedi huysuzca.

"Tabii ki hayır. Neden kaçayım?" Claudia oturup gülümsedi. "Ne güzel. Bütün arkadaşlarım bir arada."

Caspar kaşlarını çattı. Jared hafifçe kafa salladı. Evian gülümseyişini dantelli mendiliyle gizledi. Claudia, adamın öldürtmeyi planladığı çocukla birlikte nasıl öyle sakin sakin oturabildiğini merak etti. Ama adam bunun kişisel değil, sadece siyasi bir mesele olduğunu söylerdi herhalde.

Claudia, Jared'a döndü. "Artık benimle birlikte yolculuk etmeni istiyorum. Öyle sıkıldım ki! Menessier'in *Diyar'ın Doğal Tarihi* kitabını tartışabiliriz."

"Beni niye istemiyorsun?" Caspar bir et parçasını köpeklere attı ve onların dövüşmelerini seyretti. "Ben sıkıcı değilim." Küçük gözlerini Claudia'ya çevirdi. "Değil mi?"

Bu bir meydan okumaydı. "Elbette değilsiniz, efendim." Claudia tatlı tatlı gülümsedi. "Ve elbette bizimle yolculuk etmenizi çok isterim. Menessier'in kozalaklı orman faunası üzerine mükemmel pasajları var."

Caspar ona tiksintiyle baktı. "Claudia, gözlerini öyle iri iri açıp da masum numarası yapma bana. Sana söyledim, ne yaptığın umurumda değil. Hem zaten her şeyi biliyorum. Fax dün gece söyledi."

Beti benzi atan Claudia, Jared'a bakamadı. Köpekler hırlayarak dövüşüyorlardı. Bir tanesi eteğine sürtününce Claudia ona tekme savurdu.

Caspar kibirli ve muzaffer bir edayla ayaklandı. Altın zincirli, gösterişli bir yaka takmış ve siyah bir kadife yelek giymişti; köpekleri inletene kadar tekmeleyip kovdu. "Ama seni uyarıyorum Claudia, daha dikkatli olmalısın. Annem benim kadar açık fikirli değildir. Öğrenirse küplere biner." Jared'a bakıp sırıttı. "Senin şu zekâ küpü hocanın hastalığı ağırlaşabilir durup dururken."

Claudia öyle sinirlendi ki neredeyse ayağa fırlayacaktı ama Jared hafifçe dokunup onu durdurdu. Caspar'ın han avlusunda, su birikintilerine ve gübre yığınlarına pahalı çizmeleriyle basmamaya özen göstererek, uzun adımlarla yürüyüp gitmesini seyrettiler.

Nihayet Lord Evian enfiye kutusunu çıkardı. "Vay canına," dedi usulca. "Resmen tehdit etti."

Claudia, Jared'la bakıştı. Gözleri kasvetli ve kaygılıydı. "Fax mı?" dedi Jared.

Claudia bezgince omuz silkti. "Dün gece beni odandan çıkarken gördü."

Adamın canının sıkıldığı belliydi. "Claudia..."

"Biliyorum. Biliyorum. Hepsi benim suçum."

Evian enfiyeyi zarifçe burnuna çekti. "İzninizle şunu söyleyeyim ki bu gerçekten talihsizlik olmuş."

"Sandığın gibi değil."

"Eminim değildir."

"Hayır. Cidden. Ayrıca rol yapmayı kesebilirsin. Jared'a... Çelik Kurtlar'dan bahsettim."

Adam hemen etrafa bakındı. "Claudia, yüksek sesle konuşma lütfen." Yapmacık tavrından eser kalmamıştı. "Öğretmenine güvenmeni anlıyorum ama..."

"Bana iyi ki söyledi." Jared masaya uzun parmaklarıyla vurdu. "Çünkü o plan baştan aşağı aptalca, tamamen canice ve birilerinin ihanet edeceği kesin. Claudia'yı öyle bir işe bulaştırmayı nasıl düşünebilirsin!"

"Çünkü onsuz yapamayız." Şişman adam sakindi ama alnı terden parlıyordu. "Havaarna'nın katı fermanlarının bizi ne hale getirdiğini en iyi sen bilirsin, Üstat Sapient. Bazılarımız zenginiz ve iyi yaşıyoruz ama özgür değiliz. Protokol elimizi kolumuzu bağladı; erkeklerle kadınların okuma bilmediği, yüzlerce yıllık bilimsel gelişmelerden ancak zenginlerin faydalanabildiği, ressamlarla şairlerin eski başyapıtları durmadan ve kısır bir şekilde taklit etmeye mahkûm edildiği statik, boş bir dünyaya köle edildik. Hiçbir şey yeni değil. Yenilik diye bir şey yok. Hiçbir şey değişmiyor; hiçbir şey büyümüyor, evrimleşmiyor, gelişmiyor. Zaman durdu. İlerleme yasaklandı."

Adam öne eğildi. Maskesini çıkarmış olan adamı ilk kez bu kadar ciddi gören Claudia'nın kanı dondu; Evian şimdi bambaşka birisiydi sanki; daha yaşlı, bitkin ve umutsuz bir adamdı.

"*Ölüyoruz, Claudia.* Kendimizi içine kapattığımız bu hücreden kurtulmalıyız, sıçanlar gibi dönüp durduğumuz bu çarktan kaçmalıyız. Ben kendimi bizi özgürleştirmeye adadım. Ölürsem ölürüm çünkü ölüm bile bir çeşit özgürlük olur."

Sessizlikte, tepedeki ağaçlardan karga gaklamaları yükseldi. Ahırın önünde eyerlenen atlar kaldırım taşlarına toynak vuruyordu.

Claudia kurumuş dudaklarını yaladı. "Şimdilik bir şey yapma," diye fısıldadı. "Sana vereceğim... bazı bilgiler olabilir. Ama henüz değil." Çabucak ayağa kalktı, daha fazla konuşmak istemiyordu, adamın bıçak gibi saplanan sözlerinin acısını hissetmek istemiyordu. "Atlar hazır. Gidelim."

Sokaklar insanlarla doluydu, herkes sessizdi. Sessizlikleri Finn'i dehşete düşürdü; kadınlar ve kirli çocuklar, sakatlar, yaşlılar, askerler ona öyle dikkatli bir şekilde ve aç gözlerle bakıyorlardı ki tökezledi; o soğuk, meraklı bakışlara karşılık vermeye cesaret edemediğinden aşağı doğru baktı, ayaklarına ve çamurlu yola baktı, o insanların dışında, her yere baktı.

Sarp sokaklarda sadece etrafındaki altı muhafızın düzenli adımları, demir ökçeli çizmelerinin kaldırım taşlarında çıkardığı takırtılar, çok yukarıdaki bulutların arasında bir alamet gibi turlayan tek bir büyük kuşun kederli çığlıkları ve Incareron'un kubbesinin yankılı rüzgârları duyuluyordu.

Sonra birisi geriye tek bir kederli notayla seslenince, bu bir sinyalmişçesine kalabalık hep bir ağızdan usulca aynı sesi çıkarmaya, kederlerini ve korkularını tek bir tuhaf ve hafif şarkıyla ifade etmeye başladı. Finn şarkının sözlerini duymaya çalıştı ama bölük pörçük işitebildi. *... Suçluluğun sonsuz koridorlarında akıyor... gümüşi gözyaşları sicim gibi.* Ve nakarata benzeyen, yinelenen şu akılda kalıcı kısmı duydu: *Parmak kemiği anahtar... kanı yağdır, yumuşatır kilidi.* Finn bir köşeyi dönerken geriye göz attı.

Gildas arkadan tek başına geliyordu. Muhafızlar ona aldırmıyorlardı ama adam başını dik tutarak yürüyordu ve insanlar onun üzerindeki yeşil Sapient cübbesine merakla bakıyorlardı. Yaşlı adam ciddi ve kararlı görünüyordu; Finn'i cesaretlendirmek için hafifçe başını salladı.

Keiro ve Attia'dan eser yoktu. Finn kalabalıklara umutsuzca bakıyordu. Başına gelenleri öğrenmiş miydiler? Mağara'nın girişinde bekleyecek miydiler? Claudia'yla konuşmuş muydular? İçi içini kemiriyordu ve zihninin karanlığında örümcek gibi, Incarceron'un alaycı fısıltısı gibi çöreklenmiş, ödünü patlatan şeyi düşünmekten sakınıyordu.

Keiro'nun Anahtar'ı alıp gitmiş olabileceğini.

Hayır dercesine kafa salladı. Comitatuslarla birlikte geçirdikleri üç yıl boyunca Keiro ona asla ihanet etmemişti. Evet, onunla dalga geçmişti, ona gülmüştü, ondan bir şeyler çalmıştı, onunla dövüşmüştü, tartışmıştı. Ama hep Finn'in yanında olmuştu. Oysa şimdi Finn aslında kan kardeşi hakkında, onun nereden geldiği hakkında çok az şey bildiğini fark edince birden ürperdi. Ona hiç soru sormamıştı. Kendi yitirdiklerinin acısıyla, ara sıra canlanan anılarla ve nöbetlerle fazlasıyla meşgul olmuştu hep.

Sorması gerekirdi.

Umursaması gerekirdi.

Üzerine küçük, siyah taç yaprakları yağmaya başladı. Başını kaldırınca onları atan adamları gördü; avuç avuç attıkları taç yaprakları kaldırım taşlarına düşüyordu ve yolda hoş kokulu siyah bir halı oluşturuyordu. Finn taç yapraklarının tuhaf olduklarını da gördü; birbirlerine dokununca eriyorlardı ve kokuların en tatlısını yayan, yapışkan, yer yer pıhtılaşmış bir sıvı oluklar ve sokaklardan akıyordu.

Bunu görünce kendini tuhaf hissetti. Ve sanki bir rüyaya girmişçesine, geceleyin duyduğu sesi anımsadı.

Ben her yerdeyim. Hapishane ona yanıt vermişti sanki. Finn, açık bir ağzı andıran hisar kapısından geçerlerken yukarı bakınca parmaklıklı kapıda duran, hiç kırpılmadan kendisine bakan tek bir kırmızı Göz gördü.

"Beni görebiliyor musun?" diye fısıldadı. "Benimle konuştun mu?"

Ama kapı geride kalmıştı ve Şehir'den çıkmışlardı.

Dosdoğru uzanan yol boştu. Yanından yapışkan yağ akıyordu; Finn arkasından kapanan hisar kapısının, kapatılan ahşap sürgülerin, inen parmaklıklı demir kapının seslerini işitti. Burada, dışarıda, kubbenin altında dünya bomboş görünüyordu, ovada buz gibi rüzgârlar esiyordu.

Askerler omuzlarında taşıdıkları ağır baltaları indirdiler hemen; öndekinde ayrıca metal bir cihaz vardı; Finn bunun bir alev makinesi olduğunu tahmin etti. "Sapient'i bekleyelim," dedi.

Sanki Finn artık tutsakları değil, liderleriymişçesine yavaşladılar ve Gildas nefes nefese gelerek, "Kardeşinden eser yoktu," dedi.

"Gelecek." Bunu söylemek kendisini iyi hissetmesini sağladı.

Birbirlerine sokulup hızla yürüdüler. İki taraftaki arazide birçok çukur ve tuzak vardı; Finn bunların derinliklerinde parıldayan çelik dişler gördü. Geriye bakınca Şehir'in şimdiden bu kadar uzakta olmasına şaşırdı; surları seyreden, bağıran, çocuklarını görsünler diye yukarı kaldıran insanlarla doluydu.

Muhafızbaşı, "Burada yoldan ayrılıyoruz," dedi. "Dikkatli olun; sadece bizim bastığımız yerlere basın ve kaçmayı düşünmeyin. Yer, ateşküreleriyle dolu."

Finn, ateşküresi nedir bilmiyordu ama Gildas kaşlarını çattı. "Bu Canavar sahiden korkunç olmalı," dedi.

Adam ona göz attı. "Ben onu hiç görmedim Üstat, görmeye de niyetim yok."

Düz yoldan çıktıklarında ilerleyişleri yavaşladı. Bakır rengi toprakta derin tırmık izleri var gibiydi; yer yer yanıp kömürleşmişti, neredeyse camlaşmıştı, attıkları adımlar kömür tozları havalandırıyordu. Finn toprağın bu hale gelmesi için muazzam bir ısının gerektiğini düşündü. Ayrıca topraktan kesif bir kül kokusu geliyordu. Adamların peşinden ayrılmadı, adımlarına kaygıyla dikkat etti; duraksadıklarında başını kaldırdı ve ovanın epeyce içinde olduklarını gördü; Hapishane'nin ışıkları o kadar yukarıdaydı ki parlayan güneşler gibiydiler, Finn'in ve Gildas'ın arkasına gölgeler düşürüyorlardı.

Kilometrelerce yukarıda kuş tur atıyordu hâlâ. Bir kere cıyaklayınca muhafızlar başlarını kaldırıp ona baktılar. En yakındaki, "Leş arıyor," diye mırıldandı.

Finn daha ne kadar yürüyeceklerini merak etmeye başladı. Burada tepe veya dağ yoktu, mağara neredeydi peki? Orayı metal bir uçurumdaki karanlık bir delik olarak hayal etmişti. Şimdiyse yeni bir kaygıya kapılmıştı çünkü hayal gücü bile ona ihanet ediyordu.

"Durun." Muhafızbaşı elini kaldırdı. "İşte burası."

Orada bir şey yoktu. Finn'in ilk düşüncesi bu oldu. Rahatladı. Bütün bunlar roldü. Şimdi onu serbest bırakacaklardı, Şehir'e koşa koşa geri dönmesine izin vereceklerdi, o korkunç canavar masalını sırf insanları sindirebilmek için uydurmuşlardı.

Sonra adamları iterek aralarından geçince yerdeki çukuru gördü.

Ve Mağara'yı.

"Onlara var olmayan haritaları vadetmişsin!" dedi Jared. "Saçmalamışsın, Claudia. Durum giderek daha tehlikeli bir hal alıyor!"

Claudia, adamın çok kaygılandığını biliyordu. Faytonda ona sokularak, "Biliyorum Üstat," dedi. "Ama bu çok önemli."

Jared başını kaldırıp bakınca Claudia, adamın gözlerinin ardında yine ızdırap gördü. "Claudia, Evian'ın o saçma sapan planını ciddiye almadığını söyle. Biz katil değiliz!"

"O planı düşünmüyorum. Benim planım işe yararsa ona ihtiyacımız kalmayacak." Ama asıl düşüncesini söylemedi; Kraliçe,

Caspar'ın tehlikede olduğunu öğrenirse, onu kurtarmak için hepsini, Claudia'nın babasını bile öldürtürdü.

Bunu Jared da biliyordu belki. Fayton sarsılırken pencereden dışarı baktı ve yüz ifadesi karardı, siyah saçları Sapient cübbesinin yakasına sürtündü. "Burası da *bizim* hapishanemiz," dedi adam karamsarca.

Adamın baktığı yere bakan Claudia, Saray'ın sivri çatılarını, cam kulelerini, bayraklar ve flamalarla bezeli taretler ile kuleleri gördü ve kendisini karşılamak için çalınan çanları, havalandırılan kumruların kanat çırpışlarını, kilometrelerce yükseklikteki bütün teraslarda onun şerefine yapılan top atışlarını işitti, masmavi gökyüzünde ihtişamla yükselen gülleleri gördü.

20

Elimizde avucumuzda kalan her şeyi bunun için kullandık.
O artık hepimizden daha büyük.

PROJE RAPORU; MARTOR SAPIENS

"Şunu al, şunu da."

Muhafızbaşı, Finn'in ellerine küçük bir deri torba ve bir kılıç tutuşturdu. Torba öyle hafifti ki boş gibiydi. "İçinde ne var?" diye sordu Finn kaygıyla.

"Görürsün." Adam geri çekilip Gildas'a göz attı. Sonra, "Neden kaçmıyorsun, Üstat?" dedi. "Neden canını harcıyorsun?"

"Benim canım Sapphique'e aittir," dedi Gildas. "Onun kaderi benimdir."

Muhafızbaşı kafa salladı. "Keyfin bilir. Ama ondan başka geri dönen olmadı hiç." Başıyla Mağara girişini gösterdi. "İşte orada."

Bir an gergin bir sessizlik oldu. Muhafızlar baltalarını sımsıkı kavradılar; Finn şimdi kaçmaya çalışmasını beklediklerini biliyordu, ne de olsa elinde bir kılıç ve arkasında bilinmeyen dehşetler vardı. Haraç olarak getirilen kaç kişi burada çığlık çığlığa, panikle dövüşmüştü?

O bunu yapmayacaktı. O Finn'di.

Sabırsızca dönüp yarığa baktı.

Yarık incecikti ve zifirî karanlıktı. Kenarları yanıp kavrulmuştu, sanki Hapishane'nin metali defalarca eriyip tuhaf kabartılar ve sivrilikler oluşturmuştu. Bu metal dudakların arasından sürünerek çıkan şey her neyse, çeliği karamel gibi eritebiliyordu sanki.

Gildas'a göz attı. "Önden gideyim." Sapient'in itiraz etmesine fırsat vermeden dönüp o karanlık yarığa girdi; uzaklara son bir kez çabucak göz attı. Ama kavrulmuş ova bomboştu, Şehir ise uzaklardaki bir kaleydi.

Çizmeleriyle basacak yer bulunca vücudunun tamamını içeri soktu.

Yer seviyesinin altına inince karanlıkta kaldı. Elleriyle ayaklarını kullanarak etrafı yoklayınca yarığın, eğik katmanlar arasından aşağı doğru uzanan, yatay bir mekân olduğunu anladı. İnebilmek için kollarıyla bacaklarını iyice açmak zorunda kaldı, bastıkça canını acıtan taşlar ve pürüzsüz, erimiş metal küreleriyle kaplı olan bir kaya tabakasının üzerinde santim santim yürüdü. Parmaklarıyla tozları ve taş yığınlarını yokluyordu; tutunduğu bir çıkıntı kemik gibi ufalanıverdi. Onu hemen elinden attı.

Tavan alçaktı; iki kere sırtına sürtününce Finn burada kısılı kalmaktan korkmaya başladı. Bunu düşünür düşünmez soğuk soğuk terleyerek durdu.

Derin bir nefes aldı kan ter içinde. "Neredesin?"

"Hemen arkandayım." Gildas'ın sesi gergin gibiydi. Adamın sesi yankılanınca Finn'in saçlarıyla gözlerine tozlar yağdı biraz. Çizmesini bir el kavradı. "Devam et."

"Neden?" Finn başını geriye çevirip bakmaya çalıştı. "Işıksönmesi'ni bekledikten sonra usulca geri dönüp dışarı çıksak? O adamların karanlığa kadar dışarıda bekleyeceklerini söyleme bana. Çoktan gitmişlerdir herhalde. Bizi ne engelleyebilir ki?.."

"Ateşküreleri engelleyebilir, salak çocuk. Dönümlercesi. Yanlış bir adım attın mı bacağın parçalanıverir. Hem sen dün gece gördüklerimi görmedin; Şehir surlarında devriye gezdiler, ovayı dev projektörlerle sabaha kadar taradılar. Bizi kolayca görürler." Karanlıkta kasvetle güldü. "Kör kadınlara söylediğimde ciddiydim. Sen bir Yıldızgörücü'sün. Sapphique buraya geldiyse biz de gelmeliyiz. Gerçi korkarım çıkış yolunun yukarılarda olduğu teorim çürütülmeye mahkûm."

Finn hayret içinde başını salladı. Bu berbat durumda bile yaşlı adam hâlâ teorilerine her şeyden çok önem veriyordu. Sürünerek ilerlemeyi sürdürdü.

Sonraki beş dakikada tavan öyle alçaldı ki Finn sıkışıp kalacağından korkmaya başladı; sonra aralık büyüyünce ve aynı zamanda sola sapıp daha sarp bir eğim kazanınca rahatladı. Nihayet başını tavana çarpmadan dizlerinin üzerinde doğrulabiliyordu. "Burası yüksek." Sesi boğuktu.

"Beni bekle."

Gildas telaşlı hareketler yaptı; bir çatırtı koptu ve bir ışık tıslayarak yandı; Comitatusların acil durumlarda kullandıkları ilkel, duman çıkaran işaret fişeklerinden biriydi bu. Finn, Sapient'in yüzükoyun yattığını ve çantasından bir mum çıkardığını gördü.

Adam işaret fişeğiyle mumu yaktı; kıvılcımlar saçan kırmızı ışık sönerken küçük mum alevinin titreşmesi, yukarıda bir yerden hava geldiğini gösteriyordu.

"Yanına bunları aldığını bilmiyordum."

"Bazılarımız," dedi Gildas, "güzel giysiler ve işe yaramaz yüzüklerden başka şeyler de almayı akıl ettik." Elini aleve siper etti. "Sessiz yürü. Gerçi o yaratık her neyse kokumuzu alıp sesimizi duymuştur çoktan."

Cevap gelircesine, ileriden bir ses yükseldi. Bu alçak gıcırtının titreşimini ellerinde hissettiler. Finn kılıcı çıkarıp sımsıkı tuttu. Zifirî karanlıkta hiçbir şey göremiyordu.

İlerleyince tünel iyice genişledi. Finn titreşen küçük mum alevinin aydınlığında metal katmanlarının girintili çıkıntılı yüzeylerini, kristal kuvars çıkıntılarını, ışıkta turkuvaz ve turuncu parıltılar saçan, tuhaf oksit tabakalarını gördü. Emeklemeye başladı.

İleride bir şey kımıldıyordu. Finn onu görmekten çok, işitti; genzini gıcıklayan, pis kokulu bir esinti hissetti. Hiç kımıldamadan durup kulak kabarttı; pürdikkat kesilmişti. Gildas arkasından homurdandı.

"Kımıldama!"

Sapient küfretti. "Yaratık mı?"

"Sanırım."

Finn mekânı görebiliyordu giderek. Karanlığa alıştıkça, eğik kayaların kenarlarını ve ön yüzlerini gölgelerden ayırt edebilmeye başladı; sivri bir kavrulmuş taş gördü ve bunun devasa olduğunu, çok uzakta olduğunu fark edince afalladı; esinti artık yüzüne vuran bir rüzgârdı, dev bir yaratığın ılık nefesi gibiydi, kokusu berbattı ve yoğundu.

Sonra birden yaratığın etrafında kıvrılmış olduğunu, o siyah kayanın aslında yaratığın pullu derisi olduğunu, dev taşlarınsa fosilleşmiş pençeler olduklarını, için için yanan bir hayvanın yıllanmış, pullu derisinden oluşma bir mağarada bulunduğunu anladı.

Gildas'ı haykırarak uyarmak için döndü.

Ama dev bir göz yavaşça, korkunç bir gıcırtıyla açıldı.

Göz kapağı ağır olan bu göz, Finn'den büyüktü.

Bütün sokaklardan gelen gürültü sağır ediciydi. Durmadan çiçekler atılıyordu; arabanın çatısından sürekli gelen darbe ve sürtünme sesleri Claudia'nın sinirini bozmaya başladı; sokaklardan yükselen ezik çiçek sapı kokusu giderek yoğunlaştı ve iç bulandırıcı hale geldi. Sarp yokuşlardan çıkıyorlardı ve Claudia koltuğa rahatsız edici bir şekilde yapışmıştı; yanındaki Jared solgun görünüyordu. Claudia onun kolunu tuttu. "İyi misin?"

Adam bitkince gülümsedi. "Keşke dışarı çıkabilsek. Saray merdivenine kusmam hoş olmaz."

Claudia gülümsemeye çalıştı. Birlikte sessizce oturdular; araba Dış Hisar'ın kapılarından, dev surun altından, avlular ve parke taşlı revaklardan tangır tungur geçerek ilerledikçe, sağa sola saptıkça Claudia kendisini burada bekleyen hayata, iktidarın ve ihanetin labirentlerinin derinliklerine girdiğini biliyordu. Bağrışmalar giderek hafifledi; araba artık sarsılmıyordu ve Claudia perdeyi aralayıp dışarı bakınca yolun pahalı kırmızı halılarla kaplanmış olduğunu, bütün sokakların çelenklerle bezendiğini ve çatılarla yan duvarların arasında kumruların uçtuğunu gördü.

Burada da insanlar vardı; Saray mensuplarının, Özel Meclis ve Protokol Ofisi çalışanlarının daireleri vardı ve tezahüratlar daha kibardı; arada sırada viyola, havai fişek, yan flüt ve davul sesleri duyuluyordu. İleriden bağrışma ve alkışlar geliyordu; Caspar arabasının penceresinden dışarı sarkıp insanları selamlıyordu herhalde.

"Gelini görmek isteyecekler," diye mırıldandı Jared.

"O daha gelmedi."

Sessizlik. Sonra Claudia, "Korkuyorum, Üstat," dedi. Adamın şaşırdığını hissetti. "Cidden korkuyorum. Evdeyken kim olduğumu, ne yapacağımı biliyorum. Müdür'ün kızıyım, konumumu biliyorum. Ama burası tehlikeli bir yer, tuzaklarla dolu. Beni beklediğini hayatım boyunca biliyordum ama şimdi onunla yüzleşebilir miyim bundan emin değilim. Beni kendilerine benzetmek isteyecekler ama değişmeyeceğim işte, değişmeyeceğim! Kendim olarak kalmak istiyorum."

Jared iç geçirince Claudia, adamın örtülü pencereye karanlık gözlerle baktığını gördü. "Claudia, sen tanıdığım en cesur insansın."

"Değilim..."

"Öylesin. Ve kimse seni değiştirmeyecek. Sen buranın hâkimi olacaksın, gerçi kolay olmayacak. Kraliçe güçlüdür ve seni kıskanacak çünkü gençsin ve onun yerine geçeceksin. Onun kadar güçlüsün sen."

"Ama seni uzaklara gönderirlerse..."

Adam döndü. "Gitmem. Cesur bir adam değilim, bunu biliyorum. Mücadeleden çekinirim; babana baktım mı ödüm kopuyor, Sapient olsam da. Ama beni senden ayıramazlar, Claudia." Doğrulup ona sırtını döndü. "Yıllardır ölümle burun burunayım ve bu, en azından insanı biraz fütursuz hale getiriyor."

"Öyle konuşma."

Adam hafifçe omuz silkti. "Eninde sonunda öleceğim. Ama kendimizi bu kadar düşünmemeliyiz. Finn'e yardım edip edemeyeceğimizi düşünmeliyiz. Bana Anahtar'ı ver, biraz daha inceleyeyim. Keşfedilmeyi bekleyen bir sürü ayrıntısı var."

Araba sarsılırken Claudia, Anahtar'ı gizli cebinden çıkarıp adama verdi ve bunu yaparken kristalin derinliklerindeki kartalın kanatları titreşti; sanki hayvan kanat çırparak havalanıyordu. Jared hemen perdeyi açınca Anahtar ışıldadı.

Kuş uçuyordu.

Siyah bir arazinin, kavrulmuş bir ovanın üzerinde uçuyordu. Çok aşağıda, yeryüzünde bir yarık vardı ve kuş süzülerek içeri dalıp dar bir aralıkta yanlamasına uçarak, Claudia'nın korkudan tıslamasına yol açtı.

Anahtar karardı. İçinde tek bir kırmızı ışık yanıp sönüyordu.

Ama ona bakarlarken araba sarsılarak durdu, atlar nefes verdiler ve kapı birden açıldı. Müdür'ün gölgesi eşiği kararttı. "Gel, canım," dedi adam usulca. "Herkes bekliyor."

Claudia, Jared'a bakmadan, kendine düşünme fırsatı bile vermeden arabadan inip babasının koluna girerek kendini dikleştirdi.

Karşılarında çift sıra halinde uzanan Saray mensupları alkışlıyorlardı, görkemli ipek sancaklar vardı, büyük merdiven tahta doğru yükseliyordu.

Tahtta oturan Kraliçe geniş fırfırlı yakalı, göz kamaştırıcı bir gümüşi elbise giymişti. Saçlarıyla dudaklarının kırmızısı, boynundaki elmasların ışıltısı bu uzaklıktan bile seçiliyordu. Omzunun arkasında duran Caspar somurtuyordu.

Müdür sakince konuştu: "Gülümsemen iyi olur sanırım."

Claudia gülümsedi. O neşeli, özgüvenli gülümseme hayatındaki her şey gibi sahteydi, soğukluğun üstüne örtülmüş bir pelerindi.

Basamakları düzenli adımlarla çıktılar.

Finn kâbuslarındaki alaycı gözü tanıyınca boğuk bir sesle, "*Sen ha?*" dedi.

Arkasındaki Gildas'ın inlediğini işitti. "Vur ona. Vursana, Finn!"

Göz dönüyordu. Göz bebeği hareket eden bir spiraldi, kızıl bir galaksiydi. Etrafındaki karanlığın her yerinde hareketler vardı; Finn, Canavar'ın engin derisinin nesnelerle, giysi ve mücevher parçalarıyla, kemiklerle, silah parçalarıyla bezeli olduğunu gördü. Bunlar asırlar öncesinden kalmaydılar; üzerlerini deri ve tüyler kaplamıştı. Bir yırtılma sesiyle ve çatırtıyla birlikte, kara bir kaya parçası yaratığın kafasına dönüştü ve Finn'in karşısında yükseldi; metal pençeler mağaranın eğimli, sarsılan zeminini kavradılar.

Finn kımıldayamıyordu. Toz duman içinde kalmıştı.

"Vursana!" Gildas onu kolundan tuttu.

"İşe yaramaz. Görmüyor musun?.."

Gildas hiddetle bağırıp kılıcı Finn'den aldı ve yaratığın boğumlu derisine sapladıktan sonra, dışarı kan boşanmasını beklercesine geriye sıçradı. Sonra Finn'in gördüğü şeyi görünce bakakaldı.

Yara yoktu. Deri açılıp dağılıvermişti ve kılıcı içine alıp yutmuştu. Canavar milyonlarca varlıktan, yarasalardan ve kemiklerden ve Kınkanatlılardan, siyah arı bulutlarından, kaya ve metal parçalarından oluşma, gıcırdayan, hızla hareket eden, sürekli değişen bir kaleydoskobu andıran, karma bir yaratıktı. Dönüp de mağaranın tavanına doğru yükselince, yüzyıllar boyu Şehir'in bütün dehşetini ve korkusunu özümsemiş olduğunu, onu yatıştırmak için gönderilen Haraçların hepsini yiyerek büyüdüğünü gördüler. İçinde bir yerlerde, Yargıçlar'ın kararıyla buraya zorla getirilip ölmüş insanların, kurbanların ve çocukların milyarlarca atomu vardı. Mıknatıslanmış bir et ve metal kütlesiydi; pul pul dökülen kuyruğunda tırnaklar, dişler ve pençeler görülüyordu.

Başını çok yukarı kaldırdıktan sonra eğdi; büyük, kırmızı Gözler'ini Finn'in yüzüne yaklaştırdı, tenini kızıla boyadı, titreyen ellerinin kanla kaplıymış gibi görünmesine yol açtı.

"*Finn,*" dedi derin bir hazla, genizden gelen boğuk bir sesle. "*Sonunda.*"

Finn geri çekilince Gildas'a çarptı. Sapient'in eli onu dirseğinden tuttu. "Adımı biliyorsun."

"*Adını ben koydum.*" Yaratığın karanlık, mağaramsı ağzındaki dili titreşti. "*Çok eskiden, sen hücrelerimde doğunca. Oğlum olunca.*"

Finn titriyordu. Haykırarak itiraz etmek istiyordu ama konuşamıyordu.

Yaratık başını yana eğip onu inceledi. Üzerinden arılar ve pullar dökülen uzun burnu dağılıp bir yusufçuk bulutuna dönüştü ve tekrar birleşti. "*Geleceğini biliyordum,*" dedi. "*Seni gözlüyordum, Finn çünkü çok özelsin. Vücudumun iç organlarında ve damarlarında, içimdeki milyonlarca varlığın arasında senin gibisi yok.*"

Baş iyice yaklaştı. Gülümser gibi oldu. *"Benden kaçabileceğini mi sanıyorsun gerçekten? Seni öldürebileceğimi, ışıksız ve havasız bırakabileceğimi, birkaç saniyede yakıp kül edebileceğimi unutuyor musun?"*

"Unutmuyorum," demeyi başardı Finn.

"Çoğu insan unutuyor. Çoğu insan hapishanede yaşamaya ve buranın dünyaları olduğunu düşünmeye razı ama sen değilsin, Finn. Beni hatırlıyorsun. Etrafına bakınca seni izleyen Gözler'imi görüyorsun; o karanlık gecelerde bana seslendiğinde seni duydum..."

"Karşılık vermedin," diye fısıldadı Finn.

"Ama orada olduğumu biliyordun. Sen bir Yıldızgörücü'sün, Finn. Bu öyle ilginç ki."

Gildas öne çıktı. Bembeyazdı, seyrek saçları terden ıslanmıştı. "Kimsin sen?" dedi hırıltılı bir sesle.

"Ben Incarceron'um, ihtiyar. Bilmen gerekir. Beni Sapientler yarattı. Ben sizin büyük, dev, muazzam başarısızlığınızım. Can düşmanınızım." Yaratık zikzak çizerek yaklaştı; ağzı öyle büyüktü ki içinde asılı duran giysi parçalarını görebiliyorlardı, yağlı ve tuhaf bir şekilde tatlı olan pis kokusunu alabiliyorlardı. *"Ah, Bilgeler'in gururu. Şimdi de kalkmış kendi aptallığınızın ürününden kurtulmanın yolunu aramaya cüret ediyorsun."*

Yaratık geri çekildi, kırmızı Gözler kısıldı. *"Bana ödeme yap, Finn. Sapphique de yapmıştı. Bana etini ver, kanını ver. Bana bu ihtiyarı ve onun korkunç ölüm tutkusunu ver. Belki o zaman Anahtar'ın hayal bile etmediğin kapıları açabilir."*

Finn'in ağzı kupkuruydu. "Bu bir oyun değil."

"Değil mi?" Yaratığın gülüşü hafif ve sinsiydi. *"Bir oyun tahtasındaki piyonlar değil misiniz?"*

"İnsanız." Finn sinirleniyordu. "Acı çeken insanlarız. İşkence ettiğin insanlarız."

Yaratık bir an dağılıp böcek sürülerine dönüştü. Sonra tekrar birleşip yeni bir yüz oluşturdular, yılansı ve kıvrımlı bir yüz. *"Korkarım hayır. Onlar birbirlerine işkence ediyorlar. Bunu hiçbir sistem durduramaz, hiçbir sistem kötülüğü dışarıda tutamaz çünkü insanlar onu içlerinde taşıyarak getirirler, çocuklar bile. Öyle insanlar iflah olmazlar ve benim görevim onları içeride tutmak. Onları kendi içimde tutuyorum. Onları bütün bütün yutuyorum."*

Uzanan bir dokunaç Finn'in bileğine dolandı. *"Bana ödeme yap, Finn."*

Finn başını geriye çevirerek Gildas'a baktı. Sapient büzülmüş gibiydi, yüzü çökmüştü, sanki birden dehşete kapılmıştı ama, "Bırak beni alsın, çocuk," dedi yavaş yavaş. "Artık yaşamamın bir anlamı yok."

"Hayır." Finn başını kaldırıp Canavar'a, birkaç santim ötedeki sürüngensi gülümseyişine baktı. "Sana bir can verdim zaten."

"Ah. O kadın." Yaratığın gülümsemesi genişledi. *"Ölümü nasıl da içini kemiriyor. Vicdan ve utanç öyle nadide ki. İlgimi çekiyorlar."*

Yaratığın sırıtması Finn'in nefesini kesti. Birden umuda kapıldı; *"O ölmedi!"* diye inledi. "Onu tuttun, düşerken tuttun! Değil mi? Onu kurtardın."

Kırmızı spiral, Finn'e göz kırptı. *"Burada hiçbir şey ziyan olmaz,"* diye mırıldandı yaratık.

Finn bakakaldı ama kulağında Gildas'ın sesi hırıldadı. "Yalan söylüyor, çocuk."

"Olabilir. Ama belki de..."

"Seninle oyun oynuyor." Yaşlı adam dönüp duran Göz'e tiksintiyle baktı. "Senin gibi bir şeyi bizim yarattığımız doğruysa, aptallığımızın bedelini ödemeye hazırım."

"Hayır." Finn onu sımsıkı tuttu. Başparmağından çıkardığı donuk gümüş halkayı kaldırdı; halka ışıldadı. "Haraç olarak bunu al, *Baba*."

Kurukafa-yüzüktü bu. Finn artık umursamıyordu.

21

Dışarı'dakinin kopyası olan bir cihaz yapmak için yıllarca gizlice çalıştım. Şimdi o beni koruyor. Timon geçen hafta öldü, Pela da ayaklanmalar sırasında ortadan kayboldu ve ben bu kayıp salonda saklanıyor olsam da Hapishane beni arıyor. "Lordum," diye fısıldıyor, "seni hissediyorum. Seni hissediyorum, derimi karıncalandırıyorsun."

LORD CALLISTON'IN GÜNLÜĞÜ

Kraliçe haşmetle ayaklandı.

Yüzünün porselen beyazlığında, tuhaf gözleri berrak ve soğuktu. "Canım, canım, Claudia."

Claudia reverans yaptı, yanaklarının hafifçe öpüldüğünü hissetti; kendisine sımsıkı sarılan kadının kemikleri inceydi, kemikli korsesinin ve geniş kasnaklı eteğinin içindeki vücudu ufak tefekti.

Kraliçe Sia'nın yaşını bilen yoktu. Sonuçta o bir büyücüydü. Belki de Müdür'den bile yaşlıydı ama adam onun yanında ağırbaşlı ve kasvetli duruyordu, kırçıl sakalı bakımlıydı. Kadın narin olsa da olmasa da gençliği ikna ediciydi; neredeyse kendi oğluyla yaşıt görünüyordu.

Dönüp Claudia'yı içeri götürürken, somurtarak bakan Caspar'ın önünden geçti. "Çok güzel görünüyorsun, şekerim. Elbisen muhteşem. Saçların da! Şimdi söyle bakayım, saç rengin doğal mı yoksa saçını boyattın mı?"

Claudia uzun bir nefes verdi; sinirlenmeye başlamıştı bile ama cevap vermesine gerek yoktu. Kraliçe konuyu değiştirmişti. "... umarım fazla ileri gittiğimi düşünmezsin."

"Hayır," dedi Claudia, anlık bir sessizlikten sonra.

Kraliçe gülümsedi. "Harika. Bu taraftan."

Çift kanatlı bir ahşap kapı iki uşak tarafından açıldı ama Claudia geçince kapı kapandı ve küçücük odanın tamamı sessizce yükselmeye başladı.

"Evet, biliyorum," diye mırıldandı Kraliçe, Claudia'yı yanından ayırmadan. "Tam bir Protokol ihlali. Ama sadece ben kullanıyorum, yani kim bilecek?"

Claudia kolunu sımsıkı tutan kadının küçük, beyaz ellerindeki tırnakların battığını hissediyordu. Nefesi kesilmişti, sanki kaçırılmıştı. Babasıyla Caspar bile aşağıda kalmışlardı.

Kapı açılınca Claudia'nın karşısında uzanan koridorda yaldızlı nesneler ve aynalar vardı; burası Claudia'nın evinin üç katı büyüklüğünde olmalıydı. Kraliçe onu elinden tutarak Diyar'daki bütün ülkelerin dev haritalarının arasından geçirdi; bu haritaların köşelerine fantastik dalgalar, deniz kızları ve deniz canavarları çizilmişti.

"Şurası kütüphane. Kitaplara bayıldığını biliyorum. Caspar maalesef senin kadar çalışkan değil. Hatta onun okuma yazma bildiğinden bile emin değilim. İçeri girmeyeceğiz."

Claudia kararlılıkla götürülürken arkasına baktı. Haritaların aralarında birer tane, içine insan sığabilecek büyüklükte, mavili beyazlı, porselen, ayaklı vazo duruyordu ve aynalar gün ışığında birbirlerini öyle yansıtıyorlardı ki Claudia bir an koridorun sonunu göremedi, hatta koridorun sonu olduğuna bile emin olamadı. Beyazlara bürünmüş, kısa boylu Kraliçe'nin görüntüsü ileride, geride ve yanda yansıyordu, öyle ki Claudia'nın faytonda hissettiği korku sanki o doğal olamayacak kadar genç görünen kadının hızlı adımlarında, sert ve özgüvenli sesinde odaklandı.

"Burası da süitin. Baban yan odada kalacak."

Oda çok genişti.

Claudia'nın ayakları halıya gömülüyordu; safran rengi cibinlikli yatağa uzansa boğulacaktı sanki.

Birden elini çekip Kraliçe'den kurtularak geri çekildi; tuzağı fark etmişti. Tuzağa düştüğünü biliyordu.

Sia susuyordu. Havadan sudan konuşmayı kesmişti. Bakıştılar.

Sonra Kraliçe gülümsedi. "Eminim seni uyarmama gerek yoktur, Claudia. John Arlex'in kızısın, iyi yetiştirilmişsindir ama yine de sana aynaların çift taraflı olduğunu ve Saray'ın her yerindeki dinleme cihazlarının gayet güzel işlediğini söylememde bir sakınca yoktur herhalde." Bir adım yaklaştı. "Anlarsın ya, son zamanlarda sevgili müteveffa Giles hakkında biraz meraklandığını duydum."

Claudia yüzünün sakinliğini korudu ama elleri buz kesti. Gözlerini indirdi. "Onu düşündüğüm oldu. İşler farklı olsaydı..."

"Evet. Onun ölümü hepimizi yıktı. Ama Havaarna Hanedanı'nın nesli tükenmiş olsa da Diyar'ın yönetilmesi gerek. Ve senin bu işi çok iyi yapacağından şüphem yok, Claudia."

"Benim mi?"

"Elbette." Kraliçe dönüp yaldızlı bir koltuğa zarifçe oturdu. "Caspar'ın kendini yönetmekten aciz olduğunu biliyorsundur sanırım. Gel otur, canım. Sana tavsiye vereyim."

Claudia şaşkınlıktan donakalmıştı. Oturdu.

Kraliçe öne eğildi, kırmızı dudaklarıyla hafifçe gülümsedi. "Buradaki hayatın çok güzel olabilir. Caspar bir çocuk; onu oyuncaklarından, atlarından, saraylarından, kızlardan mahrum bırakmazsan hiç sorun çıkarmaz. Siyasetten hiç anlamamasına özen gösterdim. Çabucak sıkılıveriyor! Sen ve ben çok iyi zaman geçirebiliriz, Claudia. Bunca erkeğin arasında hayat ne kadar can sıkıcı olabiliyor bilemezsin."

Claudia kendi ellerine bakıyordu. Bütün bunlar gerçek miydi? Ne kadarı oyundu?

"Ben sanmıştım ki..."

"Senden nefret ettiğimi mi?" Kraliçe genç kız gibi kıkırdadı. "Sana ihtiyacım var, Claudia. Diyar'a birlikte hükmedebiliriz, bu işi çok iyi yapacaksın! Baban da öyle kasvetli kasvetli gülümseyecek. Yani." Küçük elleriyle Claudia'ya hafifçe vurdu. "Artık Giles'ı düşünüp üzülmek yok. O daha güzel bir yere gitti, canım."

Claudia yavaşça başını sallayıp onayladı ve ayaklanınca Kraliçe de ipek elbisesini hışırdatarak ayağa kalktı.

"Tek bir şey daha var."

Eli kapı kolunda olan Sia döndü. "Evet?"

"Jared Sapiens. Öğretmenim. Ben..."

"Öğretmene ihtiyacın olmayacak. Artık sana her şeyi ben öğretebilirim."

"Kalmasını istiyorum." Claudia kararlılıkla konuşmuştu.

Kraliçe onun bakışlarına karşılık verdi. "O fazla genç bir Sapient. Baban onu işe alırken ne düşündü bilmiyorum..."

"Kalacak." Claudia bunun bir rica olmadığını belli etmeye özen gösterdi.

Kraliçe'nin kırmızı dudakları titredi. Gülümsemesi tatlıydı. "Nasıl istersen, canım. Ne istersen."

Jared tarayıcıyı kapı çerçevesine yerleştirdi, küçük kutuyu açtı ve yatağa oturdu. Oda sade döşenmişti, Saray'dakiler bir Sapiente bunu uygun görmüşlerdi belki de; ahşap döşeme tahtaları ve yonca biçiminde süsler ve kaba gül resimleriyle bezeli siyah panelleri vardı.

İçerisi saman ve rutubet kokuyordu ve büyüklüğü ancak yetecek gibiydi ama Jared şimdiden iki küçük dinleme cihazını etkisizleştirmişti ve daha başkaları da olabilirdi. Yine de riske girmek zorundaydı.

Anahtar'ı çıkarıp tuttu ve konuşmalinkini aktive etti.

Sadece karanlık vardı.

Odaklanarak tekrar dokundu; karanlık büyüyerek geniş bir daire halini aldı ama hâlâ ışık yoktu. Sonra içinde, çömelmiş birisini profilden gördü hayal meyal. "Konuşamayız," diye fısıldadı bu kişi. "Şimdi olmaz."

"Öyleyse dinle." Jared kısık sesle konuşuyordu. "Bunun faydası olabilir. Dokunmatik panele iki, dört, üç ve biri tuşlayınca bir gizleme sahası oluşur. Takip sistemi seni algılayamaz. Tarayıcılar seni bulamaz. Anlıyor musun?"

"Salak değilim." Keiro'nun küçümseyici fısıltısı çok hafifti.

"Finn'i buldun mu?"

Karşılık gelmedi. Bağlantı kesilmişti.

Jared parmaklarını kenetledi ve Sapient diliyle usulca küfretti. Pencerenin ardından gelen insan sesleri yükseldi, uzak bahçelerdeki kemancılar oynak ve hızlı bir dans şarkısı çalmaya başladılar. Bu gece Veliaht'ın gelini şerefine dans edilecekti.

Ama yaşlı Bartlett haklıysa, gerçek Veliaht yaşıyordu ve Claudia onun bu Finn denen delikanlı olduğuna emindi. Jared başını salladı, ceketinin yakasını uzun parmaklarıyla açtı. Claudia bunun doğru olmasını öyle istiyordu ki. Jared'ın şüphelerini kendine saklaması gerekecekti çünkü Claudia'nın bu umuttan başka hiçbir şeyi yoktu. Hem sonuçta haklı da olabilirdi, bu çok küçük bir ihtimal bile olsa.

Sert yastığa bitkince yaslandı, cebinden ilaç kesesini çıkardı ve dozu ayarladı. İlacı son bir haftadır üç gram fazla kullanıyordu ama vücudunun derinliklerinde barınan acı giderek artmayı sürdürüyordu, sanki canlı bir varlık gibiydi; Jared onun ilacı yediğini, o acıyı kendi elleriyle beslediğini düşünüyordu bazen.

Şırıngayı enjekte ederken kaşlarını çattı. Bunlar tuhaf ve aptalca fikirlerdi.

Ama sırtüstü yatıp uyuduğunda rüyasında duvarda bir gözün, galaksiler kadar kızıl bir gözün açılıp kendisine baktığını gördü bir an.

Finn çaresizdi; yüzüğü kaldırdı. "Bunu al ve gitmemize izin ver."

Göz yaklaşıp yüzüğü yakından inceledi. *"Bu nesnenin değerli olduğunu mu düşünüyorsun?"*

"İçinde bir can var. Hapsedilmiş bir can."

"Bu duruma tam uyuyor. Hepiniz benim içimde hapsedildiniz."

Finn titriyordu. Keiro dinliyorsa şimdi harekete geçerdi mutlaka. *Buradaysa.*

Gilas anladı. Anlamış olmalıydı çünkü, "Al onu! Bırak gidelim," diye bağırdı.

"Sapphique'ten Haraç aldığım gibi mi? Bunu aldığım gibi mi?" Canavar'ın pıhtılaşmış derisinin üzerinde bir ışık belirdi; açılan deliğin derinliklerinde küçük, ince bir kemik gördüler.

Gildas bir dua mırıldandı huşuyla.

"Ne kadar da minicik!" Canavar durup bunu düşündü. *"Ama öyle çok acıya mal oldu ki. Şu hapsedilmiş canı göreyim."*

Dokunacını yaklaştırdı. Finn, yüzüğü yumruğunda tuttu; teri yüzüğü kayganlaştırıyordu. Sonra elini açtı.

Göz hemen kırpıldı. Büyüdü, küçüldü, etrafa bakındı. Canavar'ın genzinden bir fısıltı yağ gibi kayarak çıktı; yaratık şaşırmıştı, büyülenmişti.

"Bunu nasıl becerdin? Neredesin?"

Bir el, Finn'in ağzını kapadı; Finn çırpınarak dönerken Attia'yı gördü; kız parmağını dudaklarına götürmüştü, onu uyarıyordu. Arkasında Keiro duruyordu; bir elinde Anahtar, diğerindeyse bir alev makinesi vardı.

"Sen görünmezsin!" Canavar afallamış gibiydi. *"Bu mümkün değil!"*

Dokunaçlar gönderdi; etrafı yokluyorlardı, yapışkan ipliklerin ucundaki küçük örümcekler gibiydiler.

Finn tökezleyerek geriledi.

Keiro alev makinesini omzuna koydu. "Bizi istiyorsan," dedi sakince, "işte buradayız."

Bir alev patlaması gürleyerek Finn'e doğru yayıldı; Canavar hiddetle uludu. Biçim ve düzenden kurtulan, salıverilen kuşlar, arılar ve yarasalar mağarada panikle uçuşmaya başladılar birden; çok yüksekteki mağara tavanına doğru döne döne uçtular ve kendilerini kayaya vurmaya başladılar anlamsızca.

Keiro neşeyle bağırdı. Tetiğe tekrar basınca sarı alevler yayıldı ve Canavar gürültüyle çözülüp aşağı yağdı, kavrulmuş deri ve taş parçaları halinde yağdı; kırmızı Göz'ü korkuyla kaçışan, küçük böceklerden ibaretti artık.

Alevler cızırdadı, duvarlara çarptı ve geri sekerek birden ortalığı ısıttı. "Boş ver onu!" diye bağırdı Finn. "Çıkalım buradan!"

Ama tavan ve zemin yan yatıyordu, yarık etraflarında kapanıyordu.

O gürültüde, "*Seni göremiyor olabilirim,*" dedi Hapishane hınçla, "*ama buradasın ve seni sımsıkı tutacağım, oğlum.*"

Onları sırt sırta vermeye zorladı ve spiraller çizerek alçaldı; mağaranın duvarları yıkılıyordu, tavanın parçaları yere düşüyordu. Finn o kaosta Attia'nın elini tuttu. "Birbirimizden ayrılmayalım!"

"Finn." Gildas'ın sesi boğuktu. "Duvarda. Oraya çıkalım."

Finn, adamın neyi kastettiğini bir an anlamadı; sonra gördü. Yukarıda bir yarık vardı.

Attia hemen kendini kurtardı. Koşup sıçradı; çıkıntılara tutunarak Canavar'ın pullarına tırmandı, savrulan dokunaçların erişemeyeceği denli yukarı çıktı.

Adam, Gildas'ı öne itti; yaşlı adam beceriksizce ama çaresizliğin verdiği bir canlılıkla tırmandı; tutundukça ellerinin altından taş ve mücevher parçaları yuvarlanıyordu.

Finn döndü.

Keiro silahı hazır tutuyordu. "Sen git! Bizi arıyor!"

Incarceron kör olmuştu. Finn, Canavar'ın bazı parçalarının tekrar birleştiğini, bir pençe ve bir kuyruk oluşturduğu, yaratığın karanlıkta çırpınarak el yordamıyla onları aradığını gördü. Yaratık onları derisinde hissediyordu, hareketlerinin titreşimlerini algılıyordu. Finn, Keiro'ya Canavar'ı kör etmeyi nasıl başardığını sormak istedi ama zaman yoktu, bu yüzden dönüp Gildas'ın peşinden telaşla tırmandı.

Duvar her dakika değişiyordu, biçim değiştirip dalgalanıyordu, Canavar onları sırtından atmak için şahlanıp döndükçe dikleşiyordu. Onları mağaranın yukarılarına çıkmaya zorluyordu; tutunuyorlardı ve Finn yukarı bakınca orada ışık saçan çatlaklar, incecik parıltılar gördü ve baş döndürücü bir an boyunca kendini yıldızların arasında buldu ve sonra bir tanesi döne döne üzerinde alçalınca, onun bir ışıldak olduğunu anladı; ışıldak ellerini ve yüzünü gümüş rengine boyayıp da onu ifşa edince acizce inledi.

Attia döndü; yüzü hayal meyal seçiliyordu. "Yavaş olun! Anahtar'dan uzaklaşmamalıyız!"

Keiro çok aşağıdan tırmanıyordu; alev makinesini atmıştı. Canavar'ın çıkıntılı derisi dalgalanınca Keiro kaydı ve bir ayağı havada sallandı; Canavar bunu fark etmiş olabilirdi çünkü tısladı ve havaya birden buhar yayıldı.

"Keiro!" Finn döndü. "Onu almak için geri dönmeliyim."

Aitta dönüp aşağı baktı. "Hayır. Kendi başına başarabilir."

Keiro sımsıkı tunuyordu. Kendini tekrar yukarı çekti; Canavar titredi. Sonra güldü; Finn bu sinsi kıkırtıyı çok iyi hatırlıyordu. *"Demek gizlenmenizi sağlayan bir cihazınız var. Tebrikler. Ama ne olduğunu öğrenmek niyetindeyim kesinlikle."*

Tozlar yağdı; bir hüzme belirdi. "Bekle!" Finn Gildas'a seslenmişti; yaşlı adam hayır anlamında başını salladı.

"Daha fazla tutunamam!"

"Tutunabilirsin!"

Finn, Attia'ya acizce baktı; kız, Gildas'ın kolunu kendi omuzlarına atıp, "Ben onunla kalırım," dedi.

Finn, Keiro'nun yanına neredeyse düşerek indi; onu bir eliyle sımsıkı tuttu. "Boşuna uğraşıyoruz! Çıkış yok!"

"Olmalı," diye inledi Keiro. "Anahtar'ımız yok mu?"

Anahtar'ı çıkardı ve Finn onu tuttu; bir an Anahtar'ı birlikte tuttular. Sonra Finn, Anahtar'ı çekip aldı. Bütün düğmelerine bastı; kartalın küresine, tacına bastı. Hiçbir şey olmuyordu. Altlarındaki Canavar sarsılırken Finn, Anahtar'ı salladı, ona küfretti ve birden onun, ellerinde ısındığını, berbat bir uğultu çıkardığını işitti. Acıyla haykırarak Anahtar'ı diğer eline geçirdi hemen; derisi yanmıştı.

"Kullan onu!" diye haykırdı Keiro. "Kayayı erit!"

Finn, Anahtar'ı kayaya bastırdı. Anahtar hemen uğuldayarak ve tıkırdayarak kayanın içine girdi.

Incarceron çığlık attı. Acıyla haykırdı. Yukarıdan kayalar yağdı, Attia bağırdı. Finn öylece bakarken duvarda geniş bir beyaz yarık açıldı fermuar gibi; dünyanın dokusu yarılmıştı sanki.

***

Pencerede Claudia'nın yanında duran Müdür aşağıdaki, meşalelerle aydınlanan şenliğe bakıyordu. "İyiydin," dedi ciddiyetle. "Kraliçe memnun kaldı."

"İyi." Claudia öyle yorgundu ki doğru dürüst düşünemiyordu.

"Belki yarın birlikte..." Adam sustu.

Tiz, acil bir bip sesi. Israrcı ve yüksekti. Şaşıran Claudia etrafa bakındı. "Bu ne?"

Babası hiç kımıldamıyordu. Sonra yelek cebinden saatini çıkardı ve altın kapağını başparmağıyla açtı. Claudia zarif kadrana baktı, saati gördü. On bire çeyrek vardı.

Ama çalan şey müzik değildi. Alarmdı.

Müdür bakakaldı. Yukarı baktığında gözleri soğuk ve griydi. "Gitmeliyim. İyi geceler, Claudia. İyi uykular."

Claudia, babasının uzun adımlarla kapıya gitmesini hayretle seyretti. "Şeyde mi... Hapishane'de mi sorun var?" dedi.

Babası dönüp dik dik baktı. "Neden öyle dedin?"

"Alarm... ilk kez duyuyorum da..."

Babası onu seyrediyordu. Claudia kendine küfretti. Sonra adam, "Evet," dedi. "Bir... sorun var gibi görünüyor. Merak etme. Bizzat ilgileneceğim."

Kapı arkasından kapandı.

Claudia bir an donakaldı. Ahşap panellere baktı; hareketsizlikleri onu eyleme geçmeye sevk etmişçesine, siyah bir şalı kapıp sarındı ve koşup kapıyı çabucak açtı.

Babası yaldızlı koridorda epeyce uzaklaşmıştı, hızlı yürüyordu. Adam köşeyi döner dönmez Claudia onun peşinden koştu; nefes nefeseydi, yumuşak halılarda ses çıkarmıyordu. Yansımaları loş aynalarda titreşiyordu.

Büyük bir porselen vazonun yanındaki bir perde kımıldıyordu; Claudia usulca perdenin ardına geçince kendini loş bir spiral merdivenin tepesinde buldu. Kalbi küt küt atarak bekledi, siyahlara bürünmüş babasının inmesini seyretti, adamın telaşla koştuğunu gördü. Hızla onun peşinden gitti, merdiveni döne döne inerken elini nemli tırabzandan ayırmadı; sonunda yaldızlı duvarlar tuğlaya ve ardından taşa dönüştüler; artık basamaklar eskiydi ve kaygan yeşil likenlerle kaplıydı.

Burası soğuktu ve zifirî karanlıktı. Claudia'nın nefesi buharlı çıkıyordu. Ürperdi ve şala sımsıkı sarındı.

Babası Hapishane'ye gidiyordu.

Incarceron'a gidiyordu!

Çok ileriden hafif alarm sesi geliyordu, yüksek ve telaşlı bip sesleri, panik halleri hiç azalmıyordu.

Claudia şarap mahzenlerine inmişti. Bunlar fıçılarla ve varillerle dolu, duvarlarında yılankavi kablolar bulunan, tuğlalarının arasından beyaz tuz sızmış devasa, kubbeli odalardı. Görünüşleri Protokol'e gayet uygundu.

Claudia bir fıçı yığınının kenarından bakarken kendini hiç kımıldamamaya zorladı.

Babası bir kapıya varmıştı. Duvarın derinliklerine gömülü bu yeşil kapı tunçtandı, üzerinde salyangoz izleri ışıldıyordu, eski ve paslıydı. Üzerine iri perçin çivileri çakılmıştı. Önünde paslı zincirler asılıydı. Claudia pas tabakalarıyla neredeyse tamamen kaplı olan, kanatlarını açmış Havaarna kartalını görünce kalp atışlarının hızlandığını hissetti.

Babası çabucak etrafa bakınınca Claudia nefes nefese geri çekildi. Sonra adam kartalın tuttuğu kürenin çeşitli noktalarına çabucak bastı; Claudia bir tıkırtı duydu.

Zincirler gürültüyle açıldılar.

Kapı sarsılarak açılırken yukarıdan örümcek ağları, salyangozlar ve toz yağdı.

Kapının arkasında ne olduğunu görmeye can atan Claudia dışarı eğildi ama sadece karanlık vardı, bir de ekşi, metalik, pis bir koku; babası geri dönünce Claudia hemen gizlenmek zorunda kaldı.

Tekrar baktığında adam gitmişti ve kapı kapalıydı.

Claudia ıslak tuğlalara sırtını yaslayıp soluk verince hafif bir ıslık sesi çıktı.

Sonunda. Nihayet.

Aradığını bulmuştu.

Tiz alarm sesini dişlerinde, sinirlerinde, kemiklerinde hissediyorlardı. Finn nöbet geçirmekten korkuyordu; yarığa ulaşmaya dehşetle çabalarken, oradan esen buz gibi rüzgârla mücadele ediyordu.

Canavar gitmişti. Keiro, Finn'in üzerinden tırmanıp Gildas'ı tutarken Canavar dağılıvermişti; birden hep birlikte aşağı düşmüşlerdi parçalarla birlikte ve sonra duvara çarpmışlardı; şimdi onları Finn taşıyordu.

Acıyla haykırdı. "Sizi taşıyamıyorum!"

"Öyle bir taşırsın ki!" diye inledi Keiro.

Finn iyice dehşete kapıldı. Keiro'nun eli aşağı kaydı; bu ani hareket Finn'in canını acıttı.

Yapamazdı. Eli yanıyordu.

Üzerine bir gölge düştü. Bunu Canavar'ın kafasının veya büyük bir kartalın gölgesi sandı ama acizce dönüp de yukarı bakınca yarığın içinden, enerjiyle uğuldayan gümüşi bir geminin süzüldüğünü gördü; bu eski geminin yelkenleri örümcek ağlarındandı, birbirine dolanmış halatları yandan sarkıyordu.

Gemi tepelerine geldi ve dibinde bir kapak açıldı çok yavaşça. Dört kalın kablonun ucunda sallanan bir sepet sarktı ve geminin kenarından aşağı bir yüz baktı; bu korkunç gargoyle yüzünde koruyucu gözlük ve tuhaf bir solunum aparatı vardı.

"Binin," dedi hırıldayarak. "Fikrimi değiştirmeden önce."

Finn bunu nasıl yaptıklarını anlayamadı ama birkaç saniye sonra Keiro şiddetle sallanan sepetin içine düştü ve peşinden Gildas atladı. Attia da sadece bir an duraksadıktan sonra atladı ve ardından Finn kendini aşağı bıraktı; öyle rahatlamıştı ki düşerken korkmadı ve sepete çarptığını hissetmedi; ortalığa çöken gayet hoş bir sessizlik, kulağının dibinde Keiro'nun bağırmasıyla bozuldu. "Kalk üzerimden, Finn!"

Finn güçlükle doğruldu. Attia üzerine eğilmişti, kaygılıydı. "İyi misin?"

"... Evet."

Aslında iyi değildi ama sepetin kenarına yaslanıp aşağı baktı; esen buz gibi rüzgâr başını döndürdü.

Mağara'dan çıkmışlardı, ovanın üzerindeydiler, Şehir'in kilometrelerce yukarısındaydılar. Şehir ovada oyuncak gibi duruyordu ve bu yükseklikten bakınca etrafındaki kavrulmuş kısımları ve duman izlerini görebiliyorlardı; sanki arazi aşağıda gürleyen, hiddetten kuduran Canavar'ın derisiydi.

Bulutların arasından geçiyorlardı, metalik sarı buharlar vardı, bir de gökkuşağı.

Finn, Gildas'ın kendisini tuttuğunu hissetti; rüzgâr sevinçten deliye dönmüş ihtiyarın sesini bastırıyordu. "Yukarı baksana, çocuk! Bak da gör! Hâlâ güçlü Sapientler var!"

Finn başını çevirdi. Ve gümüşi gemi spiral çizerek yükselirken, incecik ve inanılmayacak kadar yüksek bir kule gördü; bu kule bir bulutun üzerinde dengede duran bir iğne gibiydi, ucu ışıl ışıldı. Finn nefesinin buz kestiğini ve düşüp parçalandığını hissetti; her buz parçası kule tarafından polarılıyordu, her kristal sanki bir mıknatıs tarafından o yöne çevriliyordu. Seyrek havayı solumaya çalışarak yaşlı adamın koluna tutundu, soğuktan ve korkudan titriyordu, tekrar aşağı bakmaya cesaret edemiyordu; gördüğü tek şey iğnenin ucundaki iniş pistinin giderek büyüdüğüydü, tepesinde yavaşça dönen küreydi.

Ama çok yüksekte olsalar da yukarıda Incarceron gecesi, buz gibi gökyüzünde kilometrelerce uzanıyordu.

Kapı sesleri Jared'ın korkudan soğuk terler dökerek uyanmasına yol açtı.

Bir an ne olduğunu anlayamadı, sonra da Claudia'nın fısıldadığını işitti. "Jared! Çabuk, benim!"

Jared doğrulup yataktan telaşla indi, çerçevedeki tarayıcıyı kapadı ve kapı mandalını açmaya çalıştı. Açar açmaz kapı az kalsın yüzüne çarpacaktı; sonra Claudia içeri daldı, nefes nefeseydi ve kir içindeydi, ipek elbisesinin üzerine pis bir şal örtmüştü.

"Ne oldu?" diye sordu Jared telaşla. "Claudia, baban öğrendi mi? Anahtar'ın bizde olduğunu biliyor mu?"

"Hayır. Hayır." Claudia soluksuz kaldı; yatağa atlayıp böğrünü tutarak iki büklüm oldu.

"Öyleyse ne?"

Claudia elini kaldırıp ona beklemesini işaret etti; bir an sonra, tekrar konuşabildiğinde başını kaldırınca Jared, kızın yüzündeki muzaffer ifadeyi gördü.

Birden şüphelenerek geri çekildi. "Ne yaptın, Claudia?"

Claudia acı acı gülümsedi. "Yıllardır istediğim şeyi. Babamın sırrına açılan kapıyı buldum. Incarceron'un girişini."

Boşlukta Asılı Bir Dünya

22

"Liderler neredeler?" diye sordu Sapphique.

"Kalelerindeler," diye karşılık verdi kuğu.

"Peki ya şairler?"

"Rüyalarında gördükleri başka dünyalarda kendilerini kaybettiler."

"Peki zanaatkârlar?"

"Karanlığa meydan okumak için makineler yapıyorlar."

"Peki dünyayı yaratan Bilgeler?"

Kuğu siyah boynunu üzüntüyle büktü.

"Eski hallerinden eser kalmadı, kulelerdeki kocakarılar ve büyücüler haline geldiler."

SAPPHIQUE, KUŞLAR KRALLIĞI'NDA

Finn kürelerden birine dikkatle dokundu.

Küreden yansıyan yüzü, leylak rengi kırılgan camda tuhaf bir şekilde şişkin görünüyordu. Arkasındaki kemerli geçitten Attia'nın gelip etrafa bakındığını gördü.

"Bu *ne?*" Kız tavandan sarkan kabarcıkların arasında hayretle durdu; Finn onun bu sabah tertemiz olduğunu gördü; kızın saçları yıkanmıştı ve yeni giysileriyle eskisinden de genç görünüyordu.

"Onun laboratuvarı. Buraya baksana."

Kürelerden bazılarında manzaralar vardı. Bir tanesinde koloni halindeki, altın sarısı kürklü, küçük yaratıklar mışıl mışıl uyuyor ya da kumlu tepecikleri kazıyorlardı. Attia ellerini cama koydu. "Ilık sanki."

Finn başıyla onayladı. "Uyudun mu?"

"Biraz. Sessizlik yüzünden uyanıp durdum. Sen?"

Finn başıyla onayladı; bitkinliği yüzünden kendini küçük beyaz yatağa soyunmadan atıp anında uykuya daldığını söylemek istemedi. Gerçi bu sabah uyandığında birisinin, üzerine battaniyeler örtüp sade, beyaz odadaki sandalyeye temiz giysiler bırakmış olduğunu fark etmişti. Keiro'nun işi miydi?

"Gemideki adamı gördün mü? Gildas onun bir Sapient olduğunu düşünüyor."

Kız başını salladı. "Yüzmaskesinden belli olmuyor ki. Hem dün gece sadece, 'Şu odalarda yatın, sabah konuşuruz,' dedi o kadar." Finn'e baktı. "Keiro için geri dönmen cesurcaydı."

Bir süre suskun kaldılar. Finn gelip onun yanında durdu ve hayvanların kaşınıp yuvarlanmalarını seyrederken, bu kürenin ardında birçok cam dünyayla dolu bir odanın uzandığını, bu dünyaların deniz yeşili ve altın sarısı ve uçuk mavi olduğunu, her birinin incecik bir zincirin ucundan sarktığını, bazılarının yumruktan küçük ve bazılarının salon büyüklüğünde olduğunu, içlerinde kuşların uçtuğunu veya balıkların yüzdüğünü ya da milyonlarca böceğin sürü halinde gezindiğini fark ettiler.

"Sanki hepsi için kafesler yapmış," dedi Attia usulca. "Umarım bizi de bir tanesine tıkmaz." Sonra Finn'in yansımasının birden irkildiğini görünce, "Ne oldu? Finn?" dedi.

"Hiç." Finn küreye eğildi; elleri orada sıcak lekeler bıraktı.

"Bir şey gördün." Attia'nın gözleri fal taşı gibi açıktı. "Yıldızları mı gördün Finn? Cidden milyonlarca yıldız mı var? Karanlıkta toplanıp şarkı mı söylüyorlar?"

Finn onu hayal kırıklığına uğratmak istemediği için kendini aptal gibi hissetti. "Ben," dedi, "büyük bir binanın önünde bir havuz gördüm. Geceydi. Suyun üzerinde fenerler salınıyordu, küçük kâğıt fenerler, içlerinde birer mum vardı, renkleri mavi, yeşil ve kızıldı. Göldeki kayıklardı ve ben birinin içindeydim." Yüzünü ovuşturdu. "Oradaydım, Attia. Yandan eğilip sudaki yansımama dokunmaya çalışıyordum ve evet, yıldızlar vardı. Ve kızgındılar çünkü yenim ıslanmıştı."

"Yıldızlar mı kızgındı?" Attia yaklaştı.

"Hayır. İnsanlar."

"Hangi insanlar? Kimdi onlar, Finn?"

Finn denedi. Bir koku vardı. Bir gölge.

"Bir kadın," dedi. "Kızgındı."

Acıtıyordu. Anımsamak acıtıyordu. Işık patlamalarına yol açıyordu; gözlerini kapadı, terliyordu, ağzı kuruydu.

"Yapma." Kız kaygıyla elini uzattı; bileklerinde zincirlerden kalma kırmızı izler vardı. "Sakin ol."

Finn, giysisiyle yüzünü ovuşturdu; doğduğu hücreden beri karşılaşmadığı bir sessizlik vardı odada. Şaşkınca mırıldandı: "Keiro hâlâ uyuyor mu?"

"Boş ver onu!" Kız kaşlarını çattı. "Kimin umurunda?"

Finn, kızın kürelerin arasında gezinmesini seyretti. "Ondan hiç hoşlanmıyor olamazsın. Şehir'de onun yanında kaldın."

Kız konuşmayınca devam etti: "Bizi takip etmeyi nasıl başardınız?"

"Kolay olmadı." Kız dudaklarını birbirine bastırdı. "Haraç konusunda söylentiler duyduk, sonra da Finn bir alev makinesi çalmamız gerektiğini söyledi. O, bir tane çalabilsin diye ben insanların dikkatini dağıtmak zorunda kaldım. Teşekkür bile etmedi."

Finn güldü. "Keiro öyledir. Asla kimseye teşekkür etmez." Ellerini kürenin üzerine yayıp alnını eğince içerideki sürüngenler kayıtsızca baktılar. "Keiro'nun geleceğini biliyordum. Gildas gelmez dedi ama ben, Keiro'nun asla bana ihanet etmeyeceğini biliyordum."

Kız karşılık vermedi ama Finn onun sessizliğinde tuhaf bir gerginlik seziyordu; başını kaldırıp kıza bakınca, onun kendisini öfkeye benzer bir ifadeyle seyrettiğini gördü. "Çok yanılıyorsun, Finn! Onun gerçek yüzünü göremiyor musun? Seni gözünü bile kırpmadan terk edebilirdi, Anahtar'ı alıp gidebilirdi, seni hiç umursamadan!"

"Hayır," dedi Finn şaşırarak.

"Evet!" Attia onun karşısına geçti; yüzünün beyaz tenindeki morluklar parlaktı. "Sırf o kız tehdit etti diye kaldı."

Finn buz kesti. "Hangi kız?"

"Claudia."

"Keiro onunla konuştu ha!"

"Kız onu tehdit etti. *'Finn'i bul,'* dedi, *'yoksa Anahtar hiçbir işine yaramaz.'* Keiro'ya cidden çok sinirlendi." Attia hafifçe omuz silkti. "Asıl o kıza teşekkür etmelisin."

Finn buna inanamadı.

İnanamazdı.

"Keiro zaten gelecekti." Sesi kısık ve inatçıydı. "Nasıl göründüğünü biliyorum, kimseyi umursamazmış gibi görünüyor ama onu tanıyorum. Birlikte dövüştük. Yemin ettik."

Kız hayır dercesine başını salladı. "Sen çok safsın, Finn. Gerçekten, Dışarı'da doğmuş olmalısın çünkü buraya hiç uymuyorsun." Sonra ayak sesleri duyunca çabucak konuştu: "Ona Anahtar'ı sor. Sor hele. Göreceksin."

Keiro odaya girip ıslık çaldı. Üzerinde koyu mavi bir yelek vardı, saçları ıslaktı ve odalarındaki tabaktan aldığı bir elmayı yiyordu hâlâ; parmaklarındaki son iki kurukafa-yüzük ışıldıyordu. "Demek buradasınız!"

Kendi ekseninde bir tam dönüş yaptı. "Ve burası bir Sapienţin kulesi. Bizim moruğun kafesine on basar."

"Öyle düşünmene sevindim." En büyük kürelerden birinin tıkırdayarak açıldığını ve içinden bir yabancının çıktığını, peşinden de Gildas'ın geldiğini gören Finn'in canı sıkıldı. Konuşulanların ne kadarını duyduklarını ve kürenin içinde aşağı inen bir merdivenin nasıl olabileceğini merak etti ama emin olmasına fırsat kalmadan küre tıkırdayarak kapandı ve diğer yüzlerce kürenin arasındaki donuk bir ışığa dönüştü.

Gildas'ın üzerinde yanardöner bir yeşil cübbe vardı. Keskin hatlı yüzü yıkanmıştı, beyaz sakalı düzeltilmişti. Finn onun farklı göründüğünü düşündü. Adamın yüzündeki açlık azalmıştı biraz; konuştuğunda sesi tartışmacı değildi, yeni bir ağırbaşlılık taşıyordu.

"Bu Blaize," dedi Gildas. Sonra usulca ekledi: "Blaize Sapiens."

Uzun boylu adam başını hafifçe eğerek selam verdi. "Hoş geldiniz, burası benim, Dünyalar Odası."

Ona bakakaldılar. Solunum maskesi olmayınca hoş görünen yüzünde yer yer yara izleri, lekeler ve asit yanıkları vardı; ince telli kıvırcık saçları yağlı bir kurdeleyle arkadan toplanmıştı. Sapient cübbesinin altına kimyasal madde lekeleriyle kaplı, eski bir dar pantolonla bir zamanlar belki de beyaz olan, buruşuk bir gömlek giymişti.

Bir an kimse konuşmadı. Sonra Finn, Attia'nın, "Bizi kurtardığınız için teşekkür etmeliyiz, Üstat. Yoksa ölecektik," demesine şaşırdı.

"Ah... şey. Evet." Adam, Attia'ya baktı; tuhaf, çarpık bir şekilde gülümsedi. "Bu gerçekten doğru. Aşağı insem iyi olur diye düşündüm."

"Neden?" Keiro'nun sesi sakindi.

Sapient döndü. "Anlamadım?.."

"Neden uğraştın bizi kurtarmak için? İhtiyacın olan bir şey mi var bizde?"

Gildas kaşlarını çattı. "Üstat, bu Keiro. Kendisi görgüsüzün tekidir."

Keiro küçümsemeyle güldü. "Bana, bu adamın Anahtar'ı bilmediğini söyleme." Sessizlikte elmayı katır kutur ısırdı.

Blaize, Finn'e döndü. "Sen de Yıldızgörücü olmalısın." Gözleri Finn'i huzursuz edici bir biçimde inceledi. "Meslektaşım,

Sapphique'in sana bir Anahtar gönderdiğini, bu Anahtar'ın seni Dışarı'ya çıkaracağını söyledi. Bir de senin Dışarı'dan geldiğine inandığını."

"Evet."

"Hatırlıyor musun, peki?"

"Hayır. Sadece inanıyorum."

Adam bir an ona baktı, yanağındaki bir yara izini ince eliyle dalgınca kaşıyarak. Sonra, "Maalesef yanıldığını söylemeliyim," dedi.

Gildas hayretle döndü; Attia bakakaldı.

Sinirlenen Finn, "Ne demek istiyorsun?" dedi.

"Demek istediğim şu ki sen Dışarı'dan gelmedin. Dışarı'dan hiç kimse gelmedi. Çünkü, anlarsın ya, *Dışarı'sı yok.*"

Bir an sessizce, afallamış bir halde, hayretle durdular. Sonra Keiro hafifçe gülüp elma çekirdeğini taş zemine attı. Gelip Anahtar'ı aldı ve cam kürenin yanına küt diye koydu. "Pekâlâ, Bilge. Dışarı'sı yoksa bu neye yarıyor?"

Blaize eğilip Anahtar'ı aldı. Elinde özensizce çevirip sakince konuştu. "Ah, evet. Böyle cihazlardan bahsedildiğini duymuştum. Belki de ilk Sapientlerin icadıdır. Bir efsaneye göre Lord Calliston gizlice bir tane yapmış ve deneyemeden ölmüş. Kullanıcının Gözler'e görünmemesini sağlar, başka özellikleri de vardır kuşkusuz. Ama sizi dışarı çıkaramaz."

Kristali yavaşça masaya bıraktı. Gildas ona öfkeyle baktı. "Saçmalıyorsun kardeşim! Hepimiz biliyoruz ki Sapphique bizzat..."

"Sapphique hakkında muğlak öykü ve efsanelerden başka bir şey bilmiyoruz. Şu aşağıdaki, Şehir'deki salaklar, sırf can sıkıntısından izlediğim salaklar, her yıl yeni Sapphique öyküleri uyduruyorlar." Kollarını kavuşturdu; gri gözleri amansızdı. "İnsanlar öyküler uydurmaya bayılırlar, kardeşim. Hayal kurmaya bayılırlar. Yeraltının derin olduğunu hayal ederler; yukarı çıkabilirsek bir çıkış yolu, bir kapak bulabileceğimizi ve başka bir diyara geçebileceğimizi, orada gökyüzünün mavi olduğunu, topraktan mısır ve bal elde edildiğini ve kimsenin acı çekmediğini hayal ederler. Ya da Hapishane'nin merkezini dokuz halkanın çevrelediğini ve onların yeterince derinine inersek Incarceron'un kalbine, canlı varlığına ulaşacağımızı ve içinden geçip başka bir dünyaya çıkacağımızı." Hayır dercesine başını salladı. "Efsaneler. Başka bir şey değil."

Finn afallamıştı. Gildas'a göz attı; yaşlı adam gücenmiş gibiydi, sonra birden öfkeyle patladı. "Nasıl öyle konuşabilirsin?" dedi. "Sen ki bir Sapientsin? Ne olduğunu anlayınca mücadelemiz kolaylaşacak sanmıştım, anlayacağını sanmıştım..."

"Anlıyorum inan bana."

"Öyleyse nasıl Dışarı'sı yok dersin?"

"Çünkü gördüm."

Sesi öyle kasvetli ve umutsuzdu ki Keiro bile dolanmayı kesip ona baktı. Finn'in yanındaki Attia titredi. "Nasıl?" diye fısıldadı.

Sapient siyah, boş bir küreyi gösterdi. "Orada. Onlarca yıl deney yaptım, kararlıydım. Sensörlerim metali ve deriyi, kemiği ve teli aştılar. Incarceron'un içinde, salon ve koridorlarının, deniz ve nehirlerinin içinde kilometrelerce ilerledim." Acı acı güldü, kısa tırnaklarını ısırdı. "Ve evet, Dışarı'yı buldum sayılır." Dönüp kontrollere dokununca küre aydınlandı. "Bunu buldum."

Karanlıkta bir şekil gördüler. Kürenin içinde bir küre vardı, mavi metalden bir küre. Boşluğun sonsuz karanlığında tek başına, sessizce asılı duruyordu.

"Bu, Incarceron." Blaize parmağıyla gösterdi. "Ve biz onun içinde yaşıyoruz. Bir dünya. Yaratılmış veya kendiliğinden oluşmuş olabilir, kimbilir. Ama tek başına, engin bir boşlukta, bir vakumda. Hiçlikte. Dışarıda Hiçlik var." Omuz silkti. "Üzgünüm. Ömür boyu inandığınız hayalleri yıkmak istemem. Ama gidecek başka yer yok."

Finn nefes alamadı. Sanki o iç karartıcı sözler canını emmişti. Küreye bakarken, arkasından Keiro'nun yaklaştığını hissetti, kan kardeşinin sıcaklığını ve enerjisini hissedip rahatladı. Ama hepsini şaşırtan Gildas oldu.

Adam güldü. Kaba, boğuk, küçümseyici bir kahkaha attı. Dikelip Blaize'e döndü ve öfkeyle baktı. "Bir de kalkmış, kendine Bilge diyorsun! Hapishane'nin fesatlığı, seni kandırıyor. Sana yalanlar gösteriyor ve onlara inanıyorsun, burada insanlardan yukarıda yaşıyorsun ve onları küçük görüyorsun. Salaktan da betersin sen!" Kendisinden daha uzun boylu olan adama yaklaştı; Finn peşinden bir adım attı hemen. Yaşlı adamın öfkeli halini iyi biliyordu.

Ama Gildas boğumlu parmağını havaya sapladı ve sert, kısık sesle konuştu. "Sen ne cüretle karşımda durup da bana umudu, bu insanlara da yaşama fırsatını çok görürsün? Sen ne cüretle bana Sapphique'in bir hayal olduğunu, Hapishane'den başka hiçbir şeyin var olmadığını söylersin!"

"Çünkü bu doğru," dedi Blaize.

Gildas, Finn'in elinden kurtuldu. "Yalancı! Sen Sapient değilsin. Ve unutuyorsun. Biz Dışarı'dakileri gördük."

"Evet!" dedi Attia. "Ve onlarla konuştuk."

Blaize duraksadı. "Onlarla konuştunuz mu?"

Adamın özgüveni sarsılır gibi oldu bir an. Parmaklarını iç içe geçirip gergin bir sesle konuştu. "Kiminle konuştunuz? Kim onlar?"

Herkes Finn'e baktı; Finn, "Claudia diye bir kız," dedi. "Bir de bir adam. Kız ona Jared diyor."

Bir an sessizlik oldu. Sonra Keiro, "Eee, bunu açıkla bakalım," dedi.

Blaize sırtını döndü. Ama neredeyse anında geriye döndü; yüzü ciddiydi. "Sizi altüst etmek istemem. Ama altı üstü bir kızla bir adam görmüşsünüz. Nerede olduklarını nereden biliyorsunuz?"

"Burada değiller," dedi Finn.

"Sahi mi?" Blaize ona çabucak bakıp sivilceli yüzünü yana eğdi. "Nereden biliyorsun? Onların da Incarceron'da olabileceklerini düşünmedin mi? Başka bir Kanat'ta, uzak bir katta, hayatın farklı göründüğü bir yerde, hapiste olduklarını bile bilmedikleri bir yerde? Düşünsene, çocuk! Bu Kaçış tutkusu hayatını tüketen bir saçmalık olacak. Yıllarca boşu boşuna gezeceksin, arayıp duracaksın! Kendine yaşayacak bir yer bul, huzur içinde yaşamayı öğren daha iyi. Yıldızları unut."

Cam kürelerin arasında gezinen mırıltısı, yüksek tavanın ahşap kirişlerine yükseliyordu. Canı sıkılan, Gildas'ın öfkeli bağırışlarını hayal meyal duyan Finn pencereye döndü ve kapalı camın ardına, Incarceron'un stratosferinde salınan bulutlara baktı; burası kuşların çıkamayacağı kadar yüksekteydi ve kilometrelerce aşağıda buzlu araziler, uzak tepeler ve sur olabilecek karanlık yamaçlar uzanıyordu.

Kendi korkusu ona dehşet veriyordu.

Bu doğruysa, buradan veya kendisinden Kaçış yoksa...

O Finn'di, hep Finn olacaktı, geçmişsiz ve geleceksiz olacaktı ve geri dönebileceği bir yer yoktu. Daha önceki bir hali yoktu.

Gildas'la Attia kızgındılar; tartışıyorlardı ama Keiro'nun sakin sesi gürültüyü bıçak gibi kesti ve herkesi susturdu. "Neden onlara sormuyoruz?" dedi. Anahtar'ı alıp kontrollere dokundu; Finn çabucak dönen Keiro'nun bu işte ne kadar usta olduğunu gördü.

"Anlamı yok," dedi Blaize hemen.

"Bizim için var."

"Öyleyse sizi yalnız bırakayım da arkadaşlarınızla konuşun." Blaize döndü. "Benim öyle bir arzum yok. Kule evinizmiş gibi davranın. Karnınızı doyurun, dinlenin. Söylediklerimi düşünün."

Kürelerin arasından geçip kapıdan çıkarken lekeli giysileri dalgalandı ve ardında hafif bir asit kokusuyla karışık, tatlı bir koku bıraktı.

O gider gitmez Gildas ağız dolusu küfretti uzun uzun.

Keiro sırıttı. "Comitatuslardan faydalı bir şey öğrenmişsin."

"Onca yıldan sonra nihayet bir Sapient buluyorum, o da böyle zayıf çıkıyor!" Yaşlı adam tiksintiden kusacak gibiydi. Sonra elini uzattı. "Şu Anahtar'ı ver."

"Gerek yok." Keiro, Anahtar'ı hemen masaya bırakıp geri çekildi. "Çalışıyor."

Tanıdık uğultu yükselti; bir ışık çemberinin içinde hologörüntü belirdi. Çember bugün eskisinden parlak gibiydi, sanki kaynağına daha yakındı veya gücü artmıştı. İçine, Claudia girdi; sanki aralarındaymış gibi canlı görünüyordu. Gözleri parlaktı, yüzü dikkatliydi. Finn elini uzatsa kıza dokunacaktı sanki.

"Seni bulmuşlar," dedi.

"Evet," diye fısıldadı Finn.

"Çok sevindim."

Jared, kızın yanındaydı, bir kolunu ağaç gibi görünen bir şeye yaslamıştı. Finn birden onların bir tarlada ya da bahçede oturduklarını ve oradaki ışığın muhteşem bir altın sarısı olduğunu fark etti.

Gildas ona omuz atıp yanından geçti. "Üstat," dedi kısaca. "Sen bir Sapientsin, değil mi?"

"Evet." Jared kalkıp eğilerek resmî bir selam verdi. "Görüyorum ki sen de öylesin."

"Elli yıldır, evlat. Sen daha doğmadan önce. Şimdi üç sorumu cevapla ve doğruyu söyle. Incarceron'un dışında mısınız?"

Claudia bakakaldı. Jared başını yavaşça sallayarak onayladı. "Evet."

"Nereden biliyorsun?"

"Çünkü burası hapishane değil, saray. Çünkü tepemizde güneş var, geceleri de yıldızlar çıkıyor. Çünkü Claudia, Hapishane'ye açılan kapıyı keşfetti..."

"Buldun mu?" diye inledi Finn.

Ama kızın karşılık vermesine fırsat kalmadan Gildas atıldı: "Bir şey daha. Dışarı'daysanız Sapphique nerede? Oraya geldiğinde neler yaptı? Ne zaman geri dönüp bizi kurtaracak?"

Bahçede çiçekler, parlak kırmızı gelincikler vardı. Jared, Claudia'ya baktı ve o sessizlikte taç yapraklarının üzerinde vızıldayan bir arı, Finn'in yitik anıları hatırlayıp ürpermesine yol açtı.

Sonra Jared kalkıp yaklaştı, öyle yaklaştı ki Gildas'la yüz yüze geldi. "Üstat," dedi kibarca. "Cehaletimi bağışla. Merakımı da. Bu soru sana aptalca gelirse beni bağışla. Ama Sapphique kim?"

23

Hiçbir şey değişmedi ve değişmeyecek. Bu yüzden biz değiştirmeliyiz.

ÇELİK KURTLAR

Finn arının bulutları andıran sarı çiçeklerin arasından havalanıp üzerine konacağını sandı. Arı yakınında vızıldayınca elini geri çekti; arı uçup gitti.

Finn, Gildas'a baktı. Yaşlı adam neredeyse sendelemişti; Attia onun oturmasına yardım ediyordu, Jared da ona yardımcı olmak istercesine elini uzatmıştı ve yüzü sıkıntılıydı. Claudia'ya baktı; Finn adamın mırıldandığını işitti. "Sormamalıydım. Deney..."

"Sapphique kaçtı." Keiro holoışıltıya bir sıra çekip oturdu; ışığa girince kırmızı ceketi aydınlandı. "Dışarı çıktı. Bunu başaran tek kişi o. Efsaneye göre."

"Efsane değil," dedi Gildas boğuk sesle. Başını kaldırıp baktı. "Gerçekten bilmiyor musunuz? Sizin oralarda... önemli bir adam olmuştur... kral olmuştur, diye düşünüyordum."

"Hayır," dedi Claudia. "En azından... eh, biraz araştırabiliriz. Belki de saklanıyordur. Bizim burası da mükemmel değil."

Hızla ayaklandı. "Belki bilmiyorsunuzdur ama buradaki insanlar Incarceron'un harika bir yer olduğunu düşünüyorlar. Bir cennet."

Kıza bakakaldılar.

Kız onların yüzlerindeki afallamışlığı ve şaşkınlığı gördü; Keiro neredeyse anında sırıttı alaycı bir edayla. "İşe bak," diye mırıldandı.

Sonra kız onlara anlattı. Deney'den, babasından, Hapishane'nin mühürlü gizeminden bahsetti. Ardından Giles'tan bahsetti. Jared, "Claudia..." dedi ama kız ona elini sallayıp konuşmayı sürdürdü, yemyeşil çimenlerde dolanarak. "Onu öldürmediler, bunu biliyoruz. Onu sakladılar. Ben sizin oraya sakladıklarını düşünüyorum. Bence o sensin."

Dönüp onlara bakınca Keiro, "Nasıl yani?" dedi ve sonra durup kan kardeşine bakakaldı. "Finn... Prens mi?" Hayretle güldü. "Kafayı mı yedin sen?"

Finn kendine sarıldı. Titrediğini biliyordu ve nadiren eksik olan şaşkınlığı zihninin köşelerine yeniden yerleşmişti; anlık hatıralar loş aynalardaki gölgeler gibi belirip kayboluveriyorlardı.

"Ona benziyorsun," dedi Claudia ısrarla. "Artık fotoğraflar yasak, Protokol'e uygun değil ama yaşlı adamda bir fotoğraf vardı." Kaldırıp mavi torbadan çıkardı. "Bak."

Attia derin bir soluk aldı.

Finn ürperdi.

Çocuğun saçları parlaktı ve yüzünde masum bir mutluluk vardı. İnanılmayacak kadar sağlıklı görünüyordu. Tuniği altın işlemeliydi; tombul ve pembe tenliydi. Bileğinde küçük bir kartal resmi vardı.

Finn yaklaştı. Elini uzatınca Claudia minyatürü ona kaldırdı; Finn yaldızlı çerçeveyi tuttuğunu, ona dokunduğunu hissetti bir an. Sonra parmaklarında bir şey hissetmeyince resmin çok uzakta, hayal edemeyeceği kadar uzakta olduğunu anladı. Ve onun çok eskiye ait olduğunu.

"Yaşlı bir adam vardı," dedi Claudia. "Bartlett. Senin bakıcındı."

Finn, kıza bakakaldı. Adamın içindeki boşluk, ikisini de ürküttü.

"Kraliçe Sia'yı da mı hatırlamıyorsun? Üvey annen, senden nefret ediyordu herhalde. Caspar'ı hatırlıyor musun, üvey kardeşini? Ölen babanı, Kral'ı. Hatırlıyorsundur!"

Finn hatırlamak istiyordu. Onları zihninin karanlığından çekip çıkarmak istiyordu ama orada hiçbir şey yoktu. Yanında Keiro duruyordu ve Gildas onu kolundan tutmuştu ama delikanlının tek görebildiği Claudia'nın hevesle, dikkatle kendisine bakan, ondan anımsamasını isteyen yüzüydü. "Biz nişanlıydık. Sen yedi yaşına basınca büyük bir şölen düzenlendi. Büyük bir kutlama yapıldı."

"Onu rahat bırak," dedi Attia öfkeyle. "Bırak onu."

Claudia yaklaştı. Elini uzatıp Finn'in bileğine dokunmaya çalıştı. "Baksana, Finn. Onu senden alamadılar. Kim olduğunun kanıtı."

"Hiçbir şeyin kanıtı değil!" Attia öyle hızlı döndü ki Claudia geriye çekildi. Kız yumruklarını sıkmıştı, morluklarla bezeli yüzü beyazlaşmıştı. "Ona işkence etmeyi kes! Onu sevseydin, onun böyle üzerine gitmezdin! Acı çektiğini, hatırlayamadığını görmüyor musun? Onun kim olduğu, Giles olup olmaması senin umurunda değil. Tek istediğin şu Caspar'la evlenmemek!"

Şaşkınlıkla yüklü sessizlikte Finn hızlı hızlı soludu. Keiro onu banka itti; dizleri bükülen Finn oturuverdi.

Claudia'nın beti benzi atmıştı. Bir adım geri çekildi ama gözlerini Attia'dan hiç ayırmadı. Sonra, "Aslında bu doğru değil," dedi. "Ben gerçek Kral'ı istiyorum. Gerçek Veliaht'ı, Havaarna'lardan olsa bile. Ayrıca sizi oradan kurtarmak istiyorum. Hepinizi."

Jared yaklaşıp çömeldi. "İyi misin?"

Finn başıyla onayladı. Zihni bulanıktı; yüzünü elleriyle ovuşturdu.

"Bazen böyle oluyor," dedi Keiro. "Daha da kötü olabiliyor."

"İlaçlar yüzünden olabilir." Sapient, siyah gözlerini Gildas'a çevirerek onunla bakıştı. "Unutsun diye ilaç vermiş olmalılar. Antidotlar, terapiler denedin mi, Üstat?"

"İlaçlarımız kısıtlı," diye homurdandı Gildas. "*Tumentine* tozu ve gelincik suyu kullanıyorum. Bir keresinde tavşandişi verdim ama kusmasına yol açtı."

Jared kibarlığı elden bırakmasa da afallamış gibiydi. Claudia, adamın yüzüne bakınca buradaki Sapientlerin öyle şeyleri ilkel bulduklarını, neredeyse unuttuklarını anladı. Acizliği yüzünden hiddetlendi birden; elini uzatıp Finn'i dışarı çekmek, görünmez engeli aşmak istiyordu. Ama bunu başaramayacağını bildiğinden kendini sakinleştirerek, "Ne yapacağıma karar verdim," dedi. "Oraya geleceğim. Kapıdan geçerek."

"Bunun bize ne faydası olacak ki?" diye sordu Keiro, Finn'i seyrederek.

Jared cevap verdi. "Anahtar'ı dikkatle inceledim. Görebildiğim kadarıyla bağlantımız düzeliyor. Görüntü netleşiyor. Claudia'yla ben Saray'a geldiğimiz için olabilir; size daha yakınız, belki bunun yararı oluyordur. Sizin de kapıya yaklaşmanız işe yarayabilir."

"Haritalar var sanıyordum." Keiro, Claudia'yı süzdü. "Prenses öyle söylemişti."

Claudia sabırsızca iç geçirdi. "Yalan söyledim."

Keiro'nun gözlerinin içine baktı; delikanlının mavi gözleri buz gibiydi.

"Ama," diye devam etti Jared çabucak, "bazı sorunlar var. Aklımı karıştıran tuhaf bir... kopukluk var. Anahtar'ın bizi birbirimize göstermesi fazla uzun sürüyor; her seferinde fiziksel veya zamansal bir parametreyi ayarlıyor sanki... dünyalarımız bir şekilde senkronsuzmuş gibi..."

Keiro küçümseyici bir ifade takınmıştı; Finn onun bütün bunları zaman kaybı olarak gördüğünü biliyordu. Oturduğu sıradan başını kaldırıp usulca konuştu: "Ama Incarceron'un başka bir dünya olduğunu düşünmüyorsun, değil mi Üstat? Dünya'dan çok uzakta, uzayda salındığını?"

Jared bakakaldı. Sonra kısık sesle konuştu: "Hayır, öyle düşünmüyorum. Çok ilginç bir teori."

"Sana bunu kim söyledi?" diye atıldı Claudia.

"Önemli değil." Finn sallanarak ayağa kalktı. Claudia'ya baktı. "Sizin Saray'da bir göl var, değil mi? Orada mumlu fenerler yüzdürürdük?"

Claudia'nın etrafındaki gelincikler gün ışığında kıpkırmızıydı. "Evet," dedi kız.

"Ve doğum günü pastamda küçük gümüşi küreler vardı."

Claudia'nın nefesi kesildi.

Sonra o dayanılmaz gerginlikte Finn, kıza bakarken Claudia'nın gözleri fal taşı gibi açıldı; dönüp haykırdı: "Jared! Kapa şunu! *Kapa!*"

Sapient ayağa fırladı.

Ve küreler odası karanlığa gömüldü birden; şimdi tuhaf bir şekilde başları dönüyordu ve havada gül kokusu vardı.

Keiro hologörüntünün önceden bulunduğu yere sağ elini dikkatle uzattı. Kıvılcımlar saçıldı; Keiro küfrederek geri çekildi.

"Bir şey onları korkuttu," diye fısıldadı Attia.

Gildas kaşlarını çattı. "Bir şey değil. Birisi."

Claudia, adamın kokusunu almıştı. Aslında epeydir bu kokuyu aldığını ama kapıldığı heyecan yüzünden önemsemediğini yeni fark ettiği, tatlı, karıştırılamaz bir parfüm kokusuydu bu. Şimdi parlak lavanta çiçeklerinin, hezarenlerin ve güllerin bulunduğu tarafa bakarken, arkasındaki Jared'ın yavaşça ayaklandığını hissetti, durumu anlayan adamın sıkıntıyla iç geçirdiğini işitti.

"Ortaya çık," dedi Claudia buz gibi bir sesle.

Adam güllerin arkasındaydı. Gönülsüzce ortaya çıktı; şeftali rengi takım elbisesinin ipeği taç yaprakları gibi yumuşaktı.

Bir an kimse konuşmadı.

Sonra Evian utangaçlıkla gülümsedi.

"Ne kadarını duydun?" diye sordu Claudia sert bir sesle, ellerini beline koyarak.

Adam bir mendil çıkararak yüzünün terini sildi. "Korkarım çoğunu duydum, canım."

"Rol yapmayı kes." Claudia çok sinirliydi.

Adam, önce Jared'a, ardından da merakla Anahtar'a baktı. "Bu muhteşem bir cihaz. Var olduğunu bilsek her yerde onu arardık."

Claudia öfkeyle tısladıktan sonra arkasını döndü. Adam, Claudia'nın sırtına kurnazca konuştu: "O çocuk gerçekten Giles ise, bunun anlamını biliyorsun."

Claudia karşılık vermedi.

"Yapacağımız darbeye büyük katkısı olur. Üstelik davamızı meşrulaştırır. Söylediğin doğruysa, gerçekten Veliaht oysa, bu çok heyecan verici. Bana vadettiğin bilgi buydu, değil mi?"

"Evet." Claudia dönüp de adamın hayretle baktığını görünce yine ürperdi. "Ama dinle, Evian. Bu işi benim yöntemimle yapacağız. Her şeyden önce o kapıdan geçeceğim."

"Tek başına değil."

"Hayır," dedi Jared hemen. "Benimle birlikte."

Claudia ona hayretle göz attı. "Üstat..."

"Birlikte, Claudia. Yoksa olmaz."

Saray'da bir boru çaldı. Claudia binaya sinirle baktı. "Tamam. Ama bakın, suikasta gerek yok, görmüyor musunuz? Halk, Giles'ın sağ olduğunu öğrenirse, onlara Giles'ı gösterirsek, Kraliçe itiraz edemez kesinlikle..."

Onlara bakarken kız giderek sessizleşti. Jared çimlerin arasından aldığı küçük bir beyaz çiçekle mutsuzca oynuyor, onu parmaklarının arasında ezip tatlı özünü çıkarıyordu. Claudia'ya bakmıyordu. Evian bakıyordu ama onun da küçük gözlerinde neredeyse acıma vardı. "Claudia," dedi adam, "hâlâ bu kadar saf mısın gerçekten?" Kızın yanına geldi; ondan daha uzun boylu değildi ve güneşin altında terliyordu. "Halka, Giles'ı gösteremezsin. Kraliçe buna izin vermez. Seni ve onu acımasızca öldürtür, sözünü ettiğiniz şu yaşlı adam gibi. Jared'ı ve bu kumpastan haberdar olan herkesi de öldürtür."

Kollarını kavuşturan Claudia, yüzünün kızardığını hissetti. Kendini küçük düşmüş hissediyordu, şefkatle azarlanan bir çocuk gibi hissediyordu. Çünkü adam haklıydı, elbette.

"Asıl öldürülmesi gereken onlar." Evian'ın sesi kısıktı ve sertti. "Ortadan kaldırılmaları gerek. Bu konuda kararlıyız. Ve harekete geçmeye hazırız."

Claudia başını kaldırıp ona baktı. "Hayır."

"Evet. Çok az kaldı."

Jared çiçeği yere atıp başını çevirdi. Beti benzi atmıştı. "En azından düğünden sonra yapın."

"Düğün iki gün sonra yapılacak. Düğün biter bitmez harekete geçeceğiz. Ayrıntıları bilmeseniz daha iyi olur..." Claudia'yı susturmak için elini kaldırdı. "Lütfen, Claudia, sakın sorma. Bir terslik olursa hiçbir şeyi ele veremezsiniz böylece. Zamanı, mekânı, yöntemi bilmeyeceksiniz. Çelik Kurtlar'ın kimliğini bilmeyeceksiniz. Böylece kimse sizi suçlayamaz."

Kendimden başka, diye düşündü Claudia acı acı. Caspar açgözlü, zorba bir çocuktu ve büyüdükçe daha da kötüleşecekti. Kraliçe'yse ağzı iyi laf yapan bir katildi. Protokol'ü dayatacaklardı hep. Asla değişmeyeceklerdi. Yine de Claudia, ellerinde onların kanını istemiyordu.

Boru tekrar, telaşla çaldı. "Gitmeliyim," dedi Claudia. "Kraliçe avlanıyor, yanında olmam gerek."

Evian başıyla onaylayıp arkasını döndü ama henüz iki adım atmışken Claudia zorlanarak konuştu. "Bekle. Bir şey daha."

Şeftali rengi ipek ışıldıyordu. Bir kelebek, adamın omzuna telaşla kondu.

"Babam. Babama ne olacak?"

Saray'ın binlerce kulesinden birinden güvercinler güzel, mavi gökyüzüne havalandı. Evian arkasına dönmedi ve sesi öyle kısıktı ki Claudia onu güçlükle işitebildi. "O tehlikeli. Suç ortağı."

"Ona zarar vermeyin."

"Claudia..."

"Sakın." Claudia yumruklarını sıktı. "O öldürülmeyecek. Bana şimdi söz ver. Yemin et. Yoksa hemen şimdi Kraliçe'ye gider, ona her şeyi anlatırım."

Bunun üzerine adam telaşla döndü. "Bunu yapmazsın..."

"Beni tanımıyorsun."

Claudia ona buz gibi, sert bir ifadeyle baktı. Babasının kalbine bıçak saplanmasını ancak inatçılığıyla engelleyebilirdi. Babasının onun düşmanı, kurnaz hasmı, satranç tahtasının diğer tarafındaki soğuk rakibi olduğunu biliyordu. Ama yine de onun babasıydı.

Evian, Jared'a göz attıktan sonra uzun uzun, kaygıyla iç geçirdi. "Pekâlâ."

"Yemin et." Claudia adamın elini sımsıkı tuttu; Evian'ın eli sıcak ve terliydi. "Jared şahit olsun."

Adam, Claudia'nın iç içe geçmiş parmaklarını kaldırmasına gönülsüzce izin verdi. Jared zarif elini tepeye koydu.

"Yemin ederim. Bir Diyar Lordu ve Dokuz Parmaklı'nın hizmetkârı olarak." Lord Evian'ın küçük, gri gözleri gün ışığında soluktu. "Incarceron Müdürü öldürülmeyecek."

Claudia başıyla onayladı. "Teşekkürler."

Adamın elini çekip uzaklaşmasını, parmaklarını bir ipek mendille titizlikle silmesini, kireç yeşili yolda yürüyerek gözden kaybolmasını seyrettiler.

O gider gitmez, Claudia çimlere oturup mavi elbisesinin altındaki dizlerini kavradı. "Ah, Üstat. Ne karmaşık bir durum."

Jared onu pek dinlemiyor gibiydi. Kramp girmişçesine, huzursuzca dolanıyordu. Sonra öyle aniden duruverdi ki Claudia adamı arı soktuğunu sandı. "Dokuz Parmaklı kim?"

"Ne?"

"Evian, öyle dedi." Adam döndü; siyah gözlerinde bazen gece gündüz deneylerle uğraşmasına yol açan, Claudia'nın çok iyi tanıdığı şiddetli saplantıları çağrıştıran bir gerginlik vardı. "Öyle bir tarikattan bahsedildiğini duydun mu hiç?"

Claudia hararetle omuz silkti. "Hayır. Ve bunu düşünecek zamanım yok. Dinle. Bu gece balodan sonra Kraliçe düğün ve sonrasındaki işlerle ilgili bir Meclis toplantısı düzenleyecek. Caspar, Müdür ve sekreteri, önemli herkes orada olacak. Ve çıkamayacaklar."

"Sen olmayacak mısın?"

Claudia omuz silkti. "Ben kimim ki, Üstat? Tahtadaki bir piyonum altı üstü." Güldü, Jared'ın nefret ettiğini bildiği sert ve acı kahkahasını attı. "İşte o zaman Incarceron'a gireceğiz. Ve bu sefer riske girmeyeceğiz."

Jared uysallıkla başını salladı. Yüzü asılmıştı ama hâlâ biraz heyecanlıydı. "Beni dâhil etmene sevindim, Claudia," diye mırıldandı.

Claudia başını kaldırıp baktı. "Senin için korkuyorum," dedi basitçe. "Ne olursa olsun."

Adam başıyla onayladı. "Ben de senin için."

Bir an sustular.

"Kraliçe bekliyordur."

Ama Claudia yerinden kımıldamadı ve Jared ona bakınca, kızın yüzünün gergin ve dalgın olduğunu gördü. "O kız, Attia. Kıskandı. Beni kıskandı."

"Evet. Finn ve arkadaşları birbirlerine epeyce yakın olabilirler."

Claudia omuz silkti. Kalkıp elbisesini polenlerden temizledi. "Eh. Yakında öğreniriz."

24

Incarceron'un anahtarını mı arıyorsun?

Kendi içine bak. Anahtar hep orada gizlidir.

RÜYALAR AYNASI'NDAN SAPPHIQUE'E

Sapient'in kulesi tuhaf, diye düşündü Finn.

O, Keiro ve Attia, adamın kendilerini evlerinde gibi hissetmeleri sözünden cesaret alıp bütün günü kulenin her tarafını keşfetmekle geçirmişlerdi ve kafalarını kurcalayan şeyler vardı.

"Örneğin yiyecekler." Keiro kâseden küçük bir yeşil meyve alıp ihtiyatla kokladı. "Bu nerede yetişti? Gökyüzünde kilometrelerce yüksekteyiz ve iniş yolu yok. Gümüşi gemisiyle pazara gidiyor demeyin bana."

İniş yolu olmadığını biliyorlardı çünkü yatakların bulunduğu bodrum odaları çıplak kayaların üzerine inşa edilmişti. Mobilyaların arasından küçük dikitler yükseliyordu ve tavanda kalsiyum sarkıtları asılıydı, bunlar Hapishane'nin bir buçuk yüzyıllık hayatı boyunca oluşmuş tortulardı; gerçi Finn böyle şeylerin daha uzun sürede, hatta binlerce yılda oluştuğunu düşünmüştü.

Attia'nın peşinden giderek mutfaktan, depodan, rasathaneden geçerken bir an şaşırtıcı, dehşet verici bir gündüz düşüne kapılmıştı; sanki Incarceron gerçekten bir dünyaydı, kadim ve canlıydı, Finn ise onun içindeki mikroskobik bir yaratıktı, bakteri kadar küçüktü ve Claudia da buradaydı ve Sapphique bile aslında Kaçış yolu olmamasından ödleri kopan Mahkûmların kurduğu bir hayaldi.

"Bir de kitaplar var!" Keiro kütüphane kapısını açıp bütün kitaplara tiksintiyle baktı. "Bu kadar çok kitaba ne gerek var! Bunları kim oturup okuyacak ki?"

Finn onun yanından geçti. Keiro kendi ismini bile okumakta zorlanırdı ve bundan gurur duyardı. Bir keresinde Jormanric'in adamlarından birinin bir duvara kendisiyle ilgili yazdığı bir yazıyı hakaret sanıp kavgaya tutuşmuştu; Keiro o kavgadan sağ kurtulsa da feci dayak yemişti. Finn, grafitide hakaret değil, biraz övgü olduğunu ona söyleyememişti.

Finn okuyabiliyordu. Bunu kimden öğrendiğini bilmese de Gildas'tan bile iyi okuyabiliyordu; o adam sözcüklerin yarısını yüksek sesle mırıldanıyordu ve hayatında ancak bir düzine kadar kitap görmüştü. Sapient şimdi buradaydı, kütüphanenin ortasındaki masada oturuyordu, boğumlu elleri deri ciltli büyük bir kodeksin sayfalarını çeviriyordu, gözleri el yazısı metnin yakınındaydı.

Etrafındaki raflar gölgeli tavana kadar yükseliyordu; Blaize'in kütüphanesi çok büyüktü, kule gibi yükselen kitaplıklar hepsi de altın sarısı harflerle numaralanmış, yeşil ve kestane rengi ciltlerle doluydu.

Gildas başını kaldırdı. Huşuya kapılmasını beklemişlerdi ama sesi sertti. "Kitaplar mı? Burada kitap yok, çocuk."

Keiro küçümseyerek baktı. "Gözlerin sandığından daha bozuk."

Yaşlı adam sabırsızlıkla başını salladı. "Bunlar işe yaramaz. Baksanıza. İsimler, sayılar. İşimize yarayacak bir bilgi yok."

Attia en yakındaki raftan bir kitap alıp açtı; Finn kızın omzunun üstünden baktı. Bu aslında bir defterdi, kalındı, tozluydu ve kenarları kemirilmiş sayfaları öyle kuruydu ki ufalanıyordu. Sayfada bir isim listesi vardı:

MARCION

MASCUS

MASCUS ATTOR

MATTHEUS PRIME

MATTHEUS UMRA

Her isimden sonra bir sayı geliyordu. Uzun, sekiz haneli bir sayı.

"Mahkûmlar mı?" dedi Finn.

"Öyle görünüyor. İsim listeleri. Ciltler dolusu. Her Kanat'a, her Kat'a dair yüzyıllık listeler."

Her ismin yanında küçük, kare biçiminde bir yüz fotoğrafı vardı. Attia bir tanesine dokununca kitabı az kalsın elinden düşürecekti. Finn inleyince, Keiro masaya, arkalarına geldi.

"Vay vay," dedi.

Sayfadaki her ismin yanında fotoğraflar hızla belirip kayboluyordu; sonunda Attia bir tanesine küçük parmak ucuyla dokununca fotoğraf dondu, açıldı ve sarı ceketli, kambur bir adamın tam sayfa fotoğrafına dönüştü. Attia parmağını çekince fotoğraflar yine dalgalandılar; aynı adamın yüzlerce görüntüsü vardı, bazılarında sokakta yürüyordu, bazılarındaysa yolculuk ediyordu, bir şöminenin yanında konuşuyordu, uyuyordu; bütün hayatı orada kataloglanmıştı, vücudu gözlerinin önünde yaşlanıyordu, iki büklüm oluyordu, şimdi bastonluydu, dileniyordu, korkunç cüzzam hastalığına yakalanmıştı.

Sonrasında bir şey yoktu.

Finn usulca konuştu: "Gözler. İzlemekle kalmayıp kayıt da yapıyorlar demek ki."

"Peki, Blaize bütün bunları nereden buldu?" Keiro birden afallayarak başını kaldırdı. "Ben de burada olabilir miyim sizce?" Cevap beklemeden K harfli rafa gitti, uzun merdiveni bulup defterlere dayadı ve kolayca tırmandı. Defterleri sabırsızca çıkarıp geri koymaya başladı.

Attia A bölümüne geçmişti, Gildas ise okumakla meşguldü, bu yüzden Finn de F harfini bulup kendi ismini aradı.

FIMENON

FIMMA

FIMMIA

FIMOS NEPOS

FINARA

Sayfayı çevirip de yukarıdan aşağı tararken parmakları titriyordu; sonunda buldu.

FINN

Bakakaldı. On altı Finn vardı ama kendisi en sondaydı. Sayı oradaydı, bütün siyah renkli tanıdıklığıyla, hücrede tulumunun üzerinde yazan sayı, ezberlediği sayı. Yanında küçük bir resim vardı; iki üçgen iç içe geçmişti, biri tersti. Bir yıldız. Kaygıdan kusacak gibi olan Finn resme dokundu.

Görüntüler dalgalandı. Beyaz tünelden sürünerek çıkışı.

Hemen durdurdu.

İşte oradaydı, daha genç ve temiz görünüyordu, yüzü bir korku ve ağlamaklı bir kararlılık maskesiydi. Ona bakmak üzücüydü. Geri dönmeye çalıştı ama bu ilk görüntüydü; öncesinde bir şey yoktu.

Hiçbir şey.

Kalp atışları hızlandı. Aşağıdaki görüntülere geçti yavaşça.

O ve Keiro. Comitatusların fotoğrafları. Dövüşürkenki, yemek yerkenki, uyurkenki görüntüleri. Bir tanesinde gülüyordu. Büyüyordu, değişiyordu. Bir şeyler kaybediyordu. Sürekli değişen görüntülerinde sertleştiğini, dikkatlileştiğini, kaşlarının çatıldığını, hep Keiro'nun tartışmalarının ve kumpaslarının arka planında olduğunu görebiliyordu. Bir görüntüde nöbet geçiriyordu; kıvrılmış, sarsılan bedenine ve çarpılmış yüzüne tiksintiyle baktı. Fotoğraf akışını görüntüleri neredeyse seçemeyeceği kadar hızlandırdı, ta ki birden durdurana dek.

Pusu.

Donakalmış, zincirlerin yarısından kurtulmuş, Maestra'nın kolunu tutan halini gördü. Kadın nasıl bir tuzağa düştüğünü anlamış olmalıydı; yüzünde tuhaf, incinmiş, neredeyse ezik bir ifade vardı ve gülümseyişi şimdiden solmaktaydı.

Daha fazla fotoğraf varsa bile Finn onları görmek istemiyordu.

Defteri kapayınca çıkan gürültü, sessiz odada Gildas'ın homurdanmasına ve Attia'nın başını çevirip bakmasına yol açtı.

"Bir şey buldun mu?" diye sordu kız.

Finn omuz silkti. "Bilmediğim bir şey bulamadım. Ya sen?" Kızın A bölümünden ayrılıp C'lere geçmiş olduğunu fark etti. "Orada ne var?"

"Blaize'in Dışarı'sı hakkında söylediklerinden sonra Claudia'ya bakayım dedim."

Finn buz kesti. "Ve?"

Kızın elinde büyük, yeşil bir defter vardı. Hemen kapayıp döndü ve kitabı rafa geri koydu. "Hiç. Blaize yanılıyor. Claudia, Incarceron'da değil."

Sesinde bir bastırılmışlık vardı ama Finn buna kafa yormaya fırsat bulumadan, Keiro'nun öfkeyle tısladığını duyunca ona döndü.

"Burada hakkımda her şey var! Her şey!"

Finn, Keiro'nun bebekken öksüz kaldığını ve anlaşılan sürekli Comitatusların etrafında takılan kirli sokak çocuklarından oluşma bir çetede büyüdüğünü biliyordu; bunlar savaşçıların piçleriydiler, öldürdükleri kadınların çocuklarıydılar, kimsenin tanımadığı çocuklardılar. O vahşi ortamda sağ kalıp üstüne üstlük Keiro gibi yüzüne yara almadan kurtulmak epeyce zor olmalıydı. Kan kardeşi belki de bu yüzden o kadar kaygılanmıştı. O da defteri sertçe kapadı.

"Önemsiz geçmişlerinizi boş verin." Gildas başını kaldırıp baktı; keskin yüz hatlarında neşe vardı. "Gelin de gerçek bir kitap okuyun. Bu Lord Calliston diye birisinin, Çelik Kurt denilen kişinin günlüğü. İlk Mahkûm olduğu söylenir." Bir sayfayı çevirdi. "Hepsi burada, Sapientlerin Gelişi, ilk tutuklular, Yeni Düzen'in kuruluşu. Başta sayıları göreceli olarak azmış anlaşılan, ayrıca o zamanlar Hapishane'yle birbirleriyle konuşur gibi konuşuyorlarmış."

Şimdi sesinde huşu vardı.

Etrafına toplanınca bu defterin diğerlerinden küçük olduğunu, sayfalarındaki el yazısınınsa gerçekten kalemle yazılmış olduğunu gördüler. Gildas sayfaya tık tık vurdu. "Kız haklıymış. Hapishane'yi sorun çıkaran herkesi tıkacak bir yer olarak tasarlamışlar ama kusursuz bir toplum yaratmayı da umuyorlarmış kesinlikle. Burada yazılanlara göre, hepimizin çoktan sakin filozoflar olmamız gerekirmiş. Şuraya bakın."

Hırıltılı sesiyle okudu.

"Her şey hazırlanmış, her türlü tedbir alınmış. Besleyici yiyeceklerimiz var, parasız eğitim alıyoruz, sağlık hizmetleri Dışarı'dakinden iyi çünkü orada artık Protokol kuralları uygulanıyor. Hapishane'nin, izleyen ve cezalandıran ve yöneten o görünmez varlığının disiplinine tabiyiz.

"Ama yine de.

"Yozlaşma oluyor. Muhalif gruplar oluşuyor; bölgeler sahipleniliyor ve çekişmeler oluyor. Evleniliyor, kan davası güdülüyor. Daha şimdiden iki Sapient müritleriyle birlikte inziva hayatı yaşamaya gitti, katillerin ve hırsızların asla değişmeyeceğinden korktuklarını, bir adamın öldürüldüğünü, bir çocuğun saldırıya uğradığını söyleyerek. Geçen hafta iki adam bir kadın yüzünden yumruklaştı. Hapishane müdahale etti. O zamandan beri ikisini de gören yok.

"Sanırım öldüler ve Incarceron onları sistemine entegre etti. İdam cezası yoktu ama artık ipler Hapishane'nin elinde. Kendi kendine düşünüyor."

Sessizlikte Keiro, "Öyle bir fikrin işe yarayacağını cidden düşünmüşler mi?" dedi.

Bir an sonra Gildas sayfayı çevirdi. Fısıltısı sessizlikte yüksekti. "Öyle görünüyor. Neyin ters gittiğini net söylemiyor. Belki de öngörülmeyen bir unsur devreye girip dengeyi bozmuştur; belki de her şey sadece bir sözle, küçük bir eylemle başlamıştır ve mükemmel ekosistemlerindeki kusur giderek büyüyüp onu yok etmiştir. Belki de Incarceron arızalanıp tirana dönüşmüştür, orası kesin de sebebi ve etkileri neydi acaba? Bir de şu var."

Sözcükleri okurken onlara gösterdi; öne eğilen Finn sözcüklerin altlarının çizili olduğunu, sayfanın da birçok kez el değmişçesine kirli olduğunu gördü.

"... yoksa mesele insanoğlunun içinde kötülüğün tohumlarını taşıması mı? Kendisi için hazırlanmış mükemmel bir cennete konsa bile orayı kendi kıskançlıklarıyla ve arzularıyla giderek zehirleyecek olması mı? Korkarım kendi yozluğumuzun suçunu Hapishane'ye atıyoruz. Kendimi de dâhil ediyorum çünkü ben de insan öldürdüm ve sadece kendi çıkarımı düşündüm."

Geniş odanın tavanından inen hüzmenin içinde toz zerrecikleri uçuşuyordu.

Gildas kitabı kapadı. Başını kaldırıp Finn'e baktığında yüzü griydi. "Burada kalmamalıyız," dedi kasvetle. "Burası her şeyin toz tuttuğu, insanın içine şüphe düşüren bir yer. Gitmeliyiz, Finn. Burası sığınılacak bir yer değil. Bir tuzak."

Tozlu zeminden gelen ayak seslerini duyunca başlarını kaldırıp baktılar. Tavan penceresini çevreleyen galeride duran Blaize, parmaklığa sımsıkı tutunmuştu ve onlara tepeden bakıyordu.

"Dinlenmelisiniz," dedi sakince. "Hem buradan inemezsiniz. Ben, sizi indirmeye karar verinceye kadar."

Claudia titiz davranmıştı; önceden bütün mahzenlere tarayıcılar yerleştirmişti, kendisinin ve Jared'ın yataklarında mışıl mışıl uyuyan hallerinin hologörüntülerini hazırlamıştı; toplantının süresini, evlilik anlaşmasındaki maddelerin sayısını, bütün işlerin ne kadar zaman alacağını öğrenmek için kâtip yardımcısına yüklü bir rüşvet vermişti. Son olarak Evian'la görüşmüş ve ona her şeye itiraz etmesini söylemişti. Babası vakit geceyarısını epeyce geçene kadar Büyük Salon'dan çıkmamalıydı.

Üzerinde siyah giysilerle fıçıların ve varillerin arasından usulca geçerken kendini yukarıdaki bitmek bilmez balodan, kibarca gevezeliklerden, kırmızı dudaklı Kraliçe'nin usandırıcı samimiyetinden kurtarılmış bir gölge gibi hissediyordu; kadın, Claudia'nın elini sımsıkı tutmuş ve ne kadar mutlu olacaklarından, dikecekleri saraylardan, avlardan, danslardan, elbiselerden söz edip durmuştu neşeyle. Caspar ise Claudia'ya ters ters bakmış, şarabı fazla kaçırmış ve bir hizmetçi kızla buluşmak için ilk fırsatta sıvışmıştı. Claudia'nın babasıysa, uzun masada, üzerinde siyah frak ceketiyle ve ışıl ışıl çizmeleriyle, ağırbaşlı bir şekilde dimdik otururken onunla bir kez göz göze gelmişti; mumlarla çiçeklerin arasından çabucak bakışmışlardı.

Babası onun bir planı olduğunu tahmin etmiş miydi?

Artık kuruntuya kapılacak zaman yoktu. Örümcek ağlarının altından eğilerek geçtikten sonra uzun boylu birine çarpınca az kalsın çığlık atacaktı.

Adam onu tuttu. "Pardon, Claudia."

Jared da siyahlara bürünmüştü. Claudia ona öfkeyle baktı. "Ödümü kopardın yahu! Her şeyi aldın mı?"

"Evet." Adamın yüzü solgundu, gözlerinin altı kararmıştı.

"İlaçlarını?"

"Her şeyi." Adam zoraki bir şekilde, hafifçe gülümsedi. "Gören de ben öğrenciyim sanır."

Claudia, adamın gülümsemesine karşılık verdi; onun neşelenmesini istiyordu. "Her şey yolunda gidecek. Bakmalıyız, Üstat. İçeri'yi görmeliyiz."

Adam başıyla onayladı. "Öyleyse acele et."

Claudia onu kubbeli odalardan geçirdi. Tuğlalar bu gece eskisinden rutubetli gibiydiler; tuzlu duvarlardan esen pis havaysa nefeslerine buhar katıyordu.

Kapı eskisinden yüksek görünüyordu ve Claudia yaklaşınca kapının önüne yeniden zincir çekilmiş olduğunu gördü; o metal halkaların her biri Claudia'nın kolundan kalındı. Ama onu asıl ürperten şey salyangozlar oldu; bu titrek, tombul, iri yaratıklar metallerin üzerinde, yüzyıllardır orada ürercesine gezinirken, arkalarında birbiriyle kesişen gümüşi izler bırakıyorlardı.

"Iyy." Bir tanesini çekip almaya çalıştı; yaratık zincirden ayrılırken hafif bir ses çıktı ve Claudia onu yere attı. "İşte burası. Babam kilide şifre koymuş."

Havaarna kartalı uzun kanatlarını açmıştı. Tuttuğu kürede yedi tane yuvarlak çukur vardı; Claudia tam onlara dokunmak üzereyken Jared, kızın parmaklarını tuttu.

"Hayır! Yanlış kombinasyon girersen alarmlar çalar. Daha da kötüsü burada hapsolabiliriz. Dikkatli olmalıyız, Claudia."

Küçük tarayıcı çıkarıp paslı zincirlerin arasında çömeldi ve son derece özenli okumalar, ayarlar yapmaya başladı.

Sabırsızlanan Claudia dönüp mahzenleri kontrol ettikten sonra geri geldi.

"Çabuk ol, Üstat."

"Bu işi aceleye getiremem." Jared kendini kaptırmıştı, parmakları hafifçe kımıldıyordu.

Uzun dakikalardan sonra Claudia iyice sabırsızlandı. Adamın arkasında dururken Anahtar'ı çıkarıp baktı. "Sence?.."

"Bekle, Claudia. İlk rakamı buldum sayılır."

Bu iş saatlerce sürebilirdi. Kapıda bir disk vardı; yeşilimsi-bronz bir renkti ve etrafındaki metalden biraz daha parlaktı. Claudia, Jared'ın başının üstünden uzanıp diski yana çekti.

Bir anahtar deliği.

Kristal gibi altıgendi.

Claudia uzanıp Anahtar'ı oraya soktu.

Anahtar parmaklarının arasından gidiverdi.

Anahtar kendi kendine dönerken çıkan tiz ses Claudia'nın çığlık atmasına ve Jared'ın dehşetle geriye sıçramasına yol açtı. Zincirler şangırdadı. Paslar döküldü. Kapı sarsılarak aralandı.

Ayağa fırlayan Jared bütün alarmları telaşla kontrol ediyordu; "Claudia, bu yaptığın çok aptalcaydı!" diye inledi. Ama Claudia'nın umurunda değildi; o gülüyordu çünkü kapı, Hapishane açıktı. Claudia, Incarceron'un kapısını açmıştı.

Son zincir de yere düştü.

Mahzende yankılar sürüyordu.

Jared son sesin de dinmesini bekledi.

"Eee?" dedi Claudia.

"Gelen yok. Yukarıda her şey normal." Jared bir eliyle alnının terini sildi. "Duyamayacakları kadar aşağıdayız herhalde. Hak etmediğimiz kadar şanslıyız, Claudia."

Claudia omuz silkti. "Ben, Finn'i bulmayı hak ediyorum. O da özgür olmayı hak ediyor."

Karanlık aralığa bakıp beklediler. Claudia kapıdan dışarı, Mahkûmların fırlamasını bekliyordu biraz.

Ama hiçbir şey olmayınca ilerleyip kapıyı açtı.

Ve İçeri'ye baktı.

25

Bir zamanlar Cennet'te bir elma yiyen bir kızın öyküsünü hatırlıyorum. Elmayı ona bilge bir Sapient vermiş. Kız elmayı yiyince her şeyi farklı görmeye başlamış. Altın paralar sandığı şeyler ölü yapraklarmış aslında. İhtişamlı giysiler örümcek ağlarından yapılma paçavralarmış. Ve kız dünyanın etrafında bir duvar ve kilitli bir kapı olduğunu görmüş.

Gücüm giderek azalıyor. Diğerlerinin hepsi öldü. Anahtarı bitirdim ama onu kullanacak cesaretim yok artık.

LORD CALLISTON'IN GÜNLÜĞÜ

Bu imkânsızdı.

Donakalan Claudia, umutlarının yıkıldığını hissetti.

Karanlık koridorlar, hücrelerle dolu bir labirent, sıçan kaynayan rutubetli taş geçitler görmeyi beklemişti.

Bunu değil.

Tuhaf bir şekilde eğri olan girişin ardındaki beyaz oda, babasının çalışma odasının bire bir kopyasıydı. Tıkır tıkır çalışan makineleri uğulduyordu, tek masası ve sandalyesi tavandan gelen hüzmenin içinde tertemiz görünüyordu.

Claudia bezgince iç geçirdi. "Tıpatıp aynısı!"

Jared etrafı dikkatle tarıyordu. "Müdür kendi zevkleri konusunda titizdir." Cihazı indirince Claudia, adamın da kendisi gibi afallamış olduğunu yüzünden anladı. "Claudia, artık kapı açık olduğuna göre şunu söyleyebilirim ki aşağıda Hapishane yok, yeraltı labirenti yok. Bu odadan başka bir şey yok."

Sersemlemiş halde olan Claudia, hayır dercesine başını salladı. Sonra içeri girdi.

Daha önce yaşadıklarının aynısını yaşadı hemen; yine o tuhaf uğultuyu ve tıkırtıyı duydu, sanki ayaklarının altındaki zemin düzleşti ve duvarlar dikleşti. Odanın havası bile farklıydı, daha serin ve kuruydu, mahzenlerinki gibi rutubetli değildi.

Dönüp Jared'ı seyretti.

"İşte bu çok tuhaf," dedi adam. "Deminki uzamsal bir değişimdi. Dediğim gibi, odayla mahzen tam olarak... birbirine komşu değil."

Claudia'nın peşinden içeri girdi; Claudia, adamın siyah gözlerinin fal taşı gibi açık olduğunu gördü. Ama öyle büyük bir hayal kırıklığı yaşıyordu ki bunu pek umursamadı.

"Neden buraya çalışma odasının bir kopyasını yaptırmış ki?" Gidip masayı öfkeyle tekmeledi. "Diğerinden daha çok kullanılmış gibi görünmüyor!"

Jared etrafa hayretle bakındı. "Tıpatıp aynısı mı?"

"En küçük ayrıntısına kadar." Claudia masaya eğilip şifre olan, "*Incarceron*" kelimesini söyleyince çekmece açılıverdi. İçeride Anahtarlarının aynısı olan kristal bir Anahtar vardı tahmin ettiği gibi. "Evde ve burada birer Anahtar tutuyor. Ama Hapishane başka bir yerde."

Sesindeki üzüntü Jared'ın kaygıyla bakmasına ve kızın yanına gelmesine yol açtı. Adam usulca konuştu: "Kendine işkence etme..."

"Finn'e içeri girmenin yolunu bulacağımı söylemiştim!" Claudia tiksintiyle dönüp kollarını kendi bedenine sardı. "Şimdi ne yapacağız peki? Yarın Caspar'la evlendirileceğim ya da hainlik suçlamasıyla idam edileceğim."

"Ya da kraliçe olacaksın," dedi Jared.

Claudia ona baktı. "Ya da kraliçe olacağım. Hayatım boyunca aklımdan çıkmayacak bir katliamdan sonra."

Uzaklaşıp uğuldayan gümüşi makinelere hınçla baktı. Arkasından Jared'ın konuştuğunu işitti: "Şey, en azından..."

Adam sustu.

Jared'ın cümlesi yarım kalınca dönen Claudia, adamın Anahtar'lı çekmeceye eğildiğini gördü. Adam yavaşça doğrulup başını yana çevirerek Claudia'ya baktı. Konuştuğunda sesi heyecandan boğuklaşmıştı.

"Burası bir kopya değil. *Aynı oda.*"

Claudia bakakaldı.

"Baksana, Claudia. Gel bak."

Anahtar. Siyah kadifenin üzerinde yatıyordu ve Jared elini uzatıp dokununca Claudia, adamın parmaklarının görüntünün içinden geçip alttaki yumuşak kumaşa dokunduğunu görerek şoke oldu. Anahtar bir hologörüntüydü.

Claudia'nın oraya bıraktığı hologörüntüydü.

Claudia geri çekilip etrafa bakındı. Sonra birden eğilip masanın ayaklarının etrafına telaşla bakındı. "Aynısıysa burada bir..." İnledi ve şaşkınca mırıldanarak ayağa fırladı. Elinde küçücük bir metal parçası tutuyordu. "Bu daha önce de buradaydı! Ama nasıl olur? Nasıl aynı oda olabilir? O oda evde. Kilometrelerce ötede." Açık kapıya, Saray'ın loş mahzenlerine baktı.

Jared korkusunu unutmuş gibiydi. Dar yüzünde neşe vardı; metal parçasını alıp yakından baktıktan sonra cebinden çıkardığı küçük bir poşete koydu. Tarayıcıyı sandalyeye çevirdi. "Tam burada bir tuhaflık var. Uzamsal uyuşmazlık daha fazla gibi." Sıkıntıyla kaşlarını çattı. "Ah, keşke elimizde daha iyi cihazlar olsaydı, Claudia! Keşke Sapientler bunca yıldır Protokol'le kısıtlanmasalardı!"

"Sandalyenin," dedi Claudia, "yere sabitlenmiş olduğunu fark ettin mi?"

Bunu daha önce görmemişti ama sandalye, metal yuvalara oturtulmuştu. Claudia onun etrafında dolandı. "Hem niye burası? Masaya fazla uzak. Yukarıdan gelen şu ışık var bir tek."

Başlarını kaldırıp ışığa baktılar. Dar, mavimsi bir hüzmeydi; yalnızca sandalyenin üzerine düşüyordu. Kitap okumaya ancak yetecek kadar aydınlatıyordu.

Claudia aklına gelen bir düşünceyle ürperdi. "Üstat... burası bir işkence yeri olamaz, değil mi?"

Adam başta cevap vermedi ve sonra ölçülü bir sesle konuşması Claudia'nın minnet duymasına yol açtı. "Sanmıyorum. Kelepçe tarzı şeyler, şiddet uygulandığına dair belirtiler yok. Babanın öyle yöntemler kullanmaya ihtiyacı var mıdır sence?"

Claudia buna karşılık vermedi. Bunun yerine, "Göreceğimizi gördük," dedi. "Haydi çıkalım." Vakit geceyarısını geçmişti. Claudia ayak seslerine kulak kabarttı pürdikkat.

Jared gönülsüzce başını sallayarak onayladı. "Yine de bu odada sırlar var, Claudia; onları keşfetmek için dünyaları verirdim. Hem belki burası *sahiden* bir giriştir. Belki de buradaki şeyi görmüyoruz."

"Jared. Bu kadarı yeter."

Claudia kapıya gidip dışarı çıktı. Mahzenler hâlâ sakin ve loştu. Alarmlar suskundu. Yine de birden dehşete kapıldı; sanki seyreden karanlık figürler vardı; sanki Fax oradaydı, Claudia'nın babası da onun az önce durduğu gölgeli yerdeydi; sanki bronz kapı ansızın kapanıverip Jared'ı içeri hapsedecekti. Claudia, Jared'ı öyle çabuk dışarı çıkardı ki adam az kalsın düşecekti.

Claudia, Anahtar'ı çıkarınca kapının hemen sessizce kapanmasını, zincirlerin eski yerlerine dönmelerini, salyangozların kartalın aşınmış kanatlarının üzerinde azimle ve arkalarında sümüksü izler bırakarak ilerlemeye devam etmesini seyretti.

Sapient'in karanlık figürünün peşinden giderken, fıçı yığınlarının arasından geçerken başarısızlığın verdiği sıkıntı ve hayal kırıklığı yüzünden suskundu. Finn şimdi onun hakkında ne düşünecekti? Keiro küçümsemeyle gülecekti, o kız da pis pis sırıtacaktı. Kendisininse bir günlük özgürlüğü kalmıştı.

Merdivenin tepesinde Jared'ı kolundan çekerek durdurdu. "Ayrı ayrı geri dönmeliyiz, Üstat. Birlikte görülmemeliyiz."

Adam başıyla onayladı; Claudia karanlıkta onun biraz kızardığını görür gibi oldu. "Önce sen git. Dikkatli ol."

Claudia yerinden kımıldamadı ve karamsar bir sesle konuştu. "Buraya kadarmış, değil mi? Her şey bitti. Finn orada sonsuza dek çürüyecek."

Jared sırtını sütuna yaslayıp derin bir soluk aldı. "Umutsuzluğa kapılma, Claudia. Incarceron yakınlarda bir yerde. Buna eminim." Cebinden bir şey çıkardı; Claudia bunun yerden alınıp plastik poşete konmuş küçük metal parçası olduğunu görünce şaşırdı.

"O ne?"

"Hiçbir fikrim yok. Yarın buradaki Sapient kulesine gidip biraz araştırma yapmaya çalışacağım."

"Ne şanslısın." Claudia somurtarak döndü. "Benimse gelinlik provam var."

Adamın karşılık vermesine fırsat tanımadan gitti, merdiveni usulca çıkıp mumlarla aydınlanan koridorlara, Saray'ın geceyarısı sessizliklerinin ve fısıltılarının arasına girdi.

Jared küçük metal parçasını parmak uçlarının arasında çevirdi.

Nemli saçlarını geriye doğru atıp yavaş yavaş nefes verdi.

O odanın tuhaflığı, acısını kısa süreliğine unutturmuştu. Şimdiyse acı geri gelmişti ve onu cezalandırmak istercesine, iyice şiddetliydi.

Blaize'i saatlerce görmediler. Adam ortadan kaybolmuş gibiydi ve Finn onun yerini bilmiyordu.

"Bu kulenin henüz bulmadığımız bir yeri var," diye mırıldandı Keiro, "ve çıkışı orada." Yatağa yayılıp beyaz tavana baktı. "O defterlerle ilgili saçmalıkların da... tek kelimesine inanmadım."

Blaize, Hapishane kayıtlarıyla ilgili sorularına gülmüştü. "Bu kule boştu ve herhalde sırf o defterler konsun diye inşa edildi," demişti, o akşam sofrada ekmek uzatırken. "Burayı bulunca hoşuma gitti, o yüzden taşındım. Sizi temin ederim ki o görüntü kayıtlarının burada ne aradığını hiç bilmiyorum, onlara bakmak için ne zamanım ne de isteğim var."

"Ama burada kendini güvende hissediyorsun," diye mırıldanmıştı Gildas.

"Güvendeyim. Bana kimse ulaşamaz. Burayı Gözler'den temizledim, Kınkanatlılar da içeri giremiyor. Incarceron'un pek çok gözetleme yöntemi var elbette, gözetlendiğim kesin çünkü benim de herkes gibi bir defterde görüntülerim var. Ama şu an gözetlenmiyoruz, Anahtar'ınızın tuhaf gücü sayesinde. Şu an hepimiz görünmeziz." O zaman gülümsemişti, çenesindeki yara kabuklarını ovuşturarak. "Bende öyle bir cihaz olsa çok şey öğrenebilirdim. Sanırım onu vermeyi düşünmezsiniz, değil mi?"

"Onu istiyor." Keiro şimdi dikeliverdi. "Gildas ona güldüğünde yüzünde nasıl bir ifade belirdi gördünüz mü? Bir soğukluk vardı, bir şey vardı. Anahtar'ı istiyor."

Finn yere oturup dizlerini yukarı çekti. "Asla alamayacak."

"Anahtar nerede?"

"Güvende, kardeşim." Finn ceketine pat pat vurdu.

"Güzel." Keiro tekrar uzandı. "Kılıcını da yanından ayırma. O kabuk tutmuş Sapient beni huzursuz ediyor. Ondan hoşlanmadım."

"Attia, adamın tutsakları olduğumuzu söylüyor."

"O küçük kaltak." Ama Keiro dalgın konuşmuştu; Finn onun yataktan kalkıp penceredeki yansımasına çabucak göz atmasını seyretti. "Ama merak etme, kardeşim. Keiro'nun bir planı var."

Ceketini giyip kapının kenarından dikkatle bakarak dışarı çıktı.

Yalnız kalan Finn, Anahtar'ı çıkarıp baktı. Attia uyuyordu; Gildas ise defterleri telaşla karıştırmaktaydı, buraya geldiklerinden beri başka bir şey yapmamıştı sanki. Finn kapıyı usulca kapayıp sırtını yasladı. Sonra Anahtar'ı çalıştırdı.

Anahtar hemen aydınlandı.

Finn giysiler saçılı bir oda gördü, ayrıca gözlerini rahatsız eden bir ışık vardı; bir pencereden giren gün ışığı. Anahtar'ın çemberinin dışında büyük ve ağır bir ahşap yatak, duvar halıları, bir duvarı tamamen kaplayan, oymalı paneller görülüyordu. Sonra Claudia belirdi nefes nefese.

"Beni önceden uyarmalısın! Seni görebilirlerdi!"

"Kimler?" diye sordu Finn.

"Hizmetçiler, terziler. Yapma böyle, Finn!"

Claudia'nın yüzü kızarmıştı, saçı başı dağınıktı. Finn, kızın üzerinde beyaz bir elbise olduğunu fark etti; dantel korsesi incilerle bezeliydi. Bir gelinlik.

Finn ne diyeceğini bilemedi bir an. Sonra kız yanına oturdu, hasırlı zemine çömeldi. "Başaramadık. Kapıyı açtık ama Incarceron'un kapısı değilmiş, Finn. Aptalca bir hataydı. Babamın çalışma odasını buldum sadece." Kız kendinden tiksinmiş gibiydi.

"Ama baban Müdür," dedi Finn yavaşça.

"Bunun ne anlamı varsa." Kız kaşlarını çattı.

Finn başını salladı. "Keşke seni hatırlayabilsem, Claudia. Seni, Dışarı'yı, hepsini." Başını kaldırıp baktı. "Ya ben Giles değilsem? O resim... bana benzemiyor. Ben o çocuk değilim."

"Bir zamanlar sendin." Claudia'nın sesi inatçıydı; dönüp Finn'e bakınca ipek hışırtısı duyuldu. "Bak, tek istediğim Caspar'la evlenmemek. Sen kurtulunca, özgür olunca... evlenmemize gerek yok. Attia yanılıyordu; konu yalnızca bencil olmam değil." Acı acı gülümsedi. "O nerede?"

"Uyuyor. Sanırım."

"Senden hoşlanıyor."

Finn omuz silkti. "Onu kurtardık. Minnet duyuyor."

"Öyle mi dersin?" Claudia önüne, boşluğa baktı. "Incarceron'da insanlar birbirini sever mi, Finn?"

"Seven varsa bile ben görmedim." Ama sonra Maestra'yı anımsayan Finn utandı. Gergin bir sessizlik oldu. Claudia, hizmetçilerin yan odada çene çaldıklarını işitebiliyordu; Finn'in ardındaki küçük odada bulunan, buğulu bir pencereden hafif, yapay bir alacakaranlık ışığı geldiğini görebiliyordu.

Bir koku da vardı. Claudia bunu fark edince sert bir nefes aldı; Finn ona baktı. Hapsedilip tekrar tekrar kullanılan havada metalik ve ekşi, pis bir küf kokusu vardı. Claudia dizlerinin üzerinde doğruldu. "Hapishane'nin kokusunu alabiliyorum!"

Finn bakakaldı. "Koku yok ki. Hem sen nasıl..."

"Bilmiyorum ama kokuyu alabiliyorum!"

Claudia ayağa fırlayıp Finn'in görüş alanından koşarak çıktı ve küçük bir cam şişe getirdi; şişenin kapağını açtı ve gün ışığına doğru biraz parfüm sıktı.

Minik damlacıklar tozların arasında ışıldadı.

Finn haykırdı çünkü o yoğun ve güçlü koku belleğini bıçak gibi yarmıştı; ağzını elleriyle örtüp o kokuyu tekrar tekrar içine çekti, gözlerini kapadı, kendini düşünmeye zorladı.

Güller. Sarı güllerle dolu bir bahçe.

Finn pastayı bıçakla kesiyordu, bu iş kolaydı, gülüyordu. Parmaklarında kırıntılar vardı. Pastanın tatlı tadı.

"Finn? Finn!" Claudia'nın sesi onu sonsuz mesafeden geri döndürdü. Ağzı kuruydu, cildi uyarıyormuşçasına karıncalanıyordu. Ürperdi, kendini sakinleşmeye ve daha yavaş soluk almaya zorladı; alnındaki terin soğumasını bekledi.

Claudia yanındaydı. "Kokusunu alabiliyorsan damlacıklar senin tarafa geçiyor olmalılar, değil mi? Belki şimdi bana dokunabilirsin. Denesene, Finn."

Eli yakındaydı. Finn elini onunkinin üzerine koyup parmaklarını kapadı.

Parmakları, Claudia'nınkilerin içinden geçtiler; Finn hiçbir şey algılamadı, ne ısı ne de his. Geri çekildi ve suskun kaldılar.

Finn sonunda, "Buradan çıkmam gerek, Claudia," dedi.

"Çıkacaksın." Kız dizlerinin üzerinde doğruldu, yüzü vahşiydi. "Yemin ederim pes etmeyeceğim. Babamın karşısında diz çöküp yalvarmam gerekse bile bunu yapacağım." Arkasına döndü. "Alys sesleniyor. Bekle beni."

Çember karardı.

Finn dayanılmayacak kadar ıssız gelen odada kollarını bedenine sarıp vücudu uyuşana kadar oturdu; sonra kalktı, Anahtar'ı ceket cebine koyarak dışarı çıktı, merdivenden kütüphaneye koşarak indi; orada Gildas huzursuzca ileri geri dolanıyordu, Blaize ise yiyeceklerle bezeli bir masanın ardından onu seyrediyordu. Sıska Sapient, Finn'i görünce ayaklandı.

"Birlikte son yemeğimiz," dedi bir elini uzatarak.

Finn şüpheyle kafa sallayıp onayladı. "Sonra ne olacak?"

"Sonra hepinizi güvenli bir yere götüreceğim ve yolculuğunuza devam etmenize izin vereceğim."

"Keiro nerede?" diye atıldı Gildas.

"Bilmiyorum. Gitmemize izin mi veriyorsun yani?"

Blaize ona baktı; gri gözleri sakindi. "Elbette. Başından beri tek amacım size yardım etmekti. Gildas beni yolunuza devam etmeniz gerektiğine ikna etti."

"Peki ya Anahtar?"

"Onsuz idare etmeliyim."

Attia masada oturuyordu, ellerini kenetlemişti. Finn'le göz göze gelince hafifçe omuz silkti. Blaize doğruldu. "Sizi yalnız bırakayım da plan yapın. Afiyet olsun."

O gittikten sonra çöken sessizlikte Finn, "Onu yanlış anlamışız," dedi.

"Ben hâlâ onun tehlikeli olduğunu düşünüyorum. O bir Sapient ise neden kendi yüzünü iyileştirmiyor?"

"Sen Sapientler hakkında ne bilirsin ki, cahil kız?" diye homurdandı Gildas.

Tırnağını kemiren Attia, Finn'in elini uzattığı bir elmayı ondan önce kapıp ısırdı. "Yiyeceklerini önce ben kontrol edeceğim," dedi usulca. "Unuttun mu?"

Finn sinirlendi. "Ben Kanatlordu değilim. Sen de kölem değilsin."

"Hayır, Finn." Kız masanın üzerine eğildi. "Ben dostunum. Bu çok daha önemlidir."

Gildas oturdu. "Claudia'dan haber var mı?"

"Başaramamışlar. Kapı buraya açılmıyormuş."

"Tahmin etmiştim." Yaşlı adam yavaş yavaş başını sallayarak onayladı. "O kız akıllı ama onlardan medet ummamalıyız. Sapphique'in izinden gitmeliyiz. Aslında durumumuza uyan bir öykü var..."

Elini meyvelere uzattı ama Finn, adamın elini tuttu. Gözlerini Attia'dan ayırmıyordu; beti benzi atmış olan kız doğruldu ve birden boğulurcasına hareketler yapmaya başladı, elmanın sapı parmaklarının arasından düştü. Kız, boğazını tırmalayarak yere yığılırken Finn öne atılıp onu tuttu.

"Elma," diye inledi kız. "Beni yakıyor!"

26

Acele karar verdin. Seni uyarmıştım. O kız cin gibi ve sen Sapient'i hafife alıyorsun.

KRALİÇE SIA'DAN MÜDÜR'E; ÖZEL MEKTUP

"Zehirli!" Finn masanın üzerine çıkıp kızı tuttu; boğulan Attia, Finn'in kollarını sımsıkı kavradı. "Bir şeyler yap!"

Gildas onu yana itti. "İlaç torbamı getir. Çabuk!"

Finn torbayı bulana kadar değerli saniyeler harcadı ve geri döndüğünde Gildas acıyla kıvranan Attia'yı yan yatırmıştı. Sapient torbayı kapıp içini açtı ve kapağını açtığı küçük bir cam şişeyi kızın dudaklarına götürdü. Attia çırpınıyordu.

"Boğuluyor," diye mırıldandı Finn ama Gildas küfretmekle yetinerek onu kıza zorla içirdi; Attia öksürdü ve spazm geçirdi.

Sonra korkunç bir şekilde öğürerek kustu.

"Güzel," dedi Gildas usulca. "İşte böyle." Kızı sımsıkı tutup çabucak nabzını yokladı, elini onun terli alnına koydu. Attia yeniden kustuktan sonra sırtüstü yattı; yüzü beyazlaşmış ve yer yer kızarmıştı.

"Çıkardı mı? İyi mi?"

Ama Gildas hâlâ kaşlarını çatıyordu. "Fazla soğuk," diye mırıldandı. "Battaniye getir." Sonra da: "Kapıyı kapa ve nöbet tut. Blaize gelirse onu içeri sokma."

"Neden gelsin ki?.."

"Anahtar için, salak çocuk. Anahtar'ı istiyor. Yoksa bunu niye yapsın ki?"

Attia inledi. Şimdi titriyordu, dudaklarıyla göz altları tuhaf bir şekilde morarmıştı. Finn, Gildas'ın sözünü dinleyip kapıyı kapadı.

"Çıkardı mı?"

"Bilmiyorum. Sanmam. Kan dolaşımına neredeyse anında karışmış olabilir."

Finn, adama sıkıntıyla baktı. Gildas zehirlerden anlardı; Comitatus kadınları bu konuda uzmandılar ve Gildas onlardan bir şeyler öğrenmekten utanmamıştı.

"Başka ne yapabiliriz?"

"Hiçbir şey."

Kapı açılıverdi; Finn'in omzuna çarpınca Finn kılıcını çekerek döndü. Keiro kımıldamadan duruyordu.

"Neler?.." Keiro durumu çabucak anladı. "Zehir mi?" dedi.

"Bir çeşit aşındırıcı." Gildas, kızın öğürmesini ve kıvranmasını seyretti. Pes etmiş bir halde yavaşça ayaklandı. "Yapabileceğim bir şey yok."

"Olmalı!" Finn onu yana itti. "O elmayı ben de yiyebilirdim! Ben de yiyebilirdim!" Kızın yanında diz çöktü, onu kaldırmaya çalıştı, rahatlatmaya çalıştı ama onun acıyla mırıldandığını duyunca durdu. Kendini öfkeli ve aciz hissediyordu. "Bir şeyler yapmalıyız!"

Gildas onun yanına çömeldi. Sert sesi kızın iniltilerini bastırdı. "Zehir asitli, Finn. Kızın iç organları, dudakları, genzi çoktan yanmış olabilir. Birazdan ölecek."

Finn, Keiro'ya baktı.

"Gidelim," dedi kardeşi. "Hemen şimdi. Gemiyi buldum."

"Attia'sız olmaz."

"O ölüyor." Gildas, Finn'i bakmaya zorladı. "Yapacak bir şey yok. Onu ancak bir mucize kurtarabilir ve bu beni aşar."

"Kendimizi mi kurtaralım yani?"

"O bunu yapmamızı isterdi."

Finn'i tutmuşlardı ama silkinerek onlardan kurtuldu ve kızın yanında diz çöktü. Attia kımıldamıyordu ve solukları çok hafif gibiydi; yüzündeki morluklar iyice belirginleşmişti. Finn ölen insanlar görmüştü, ölüme alışkındı ama şimdi gördüğü şeye bütün ruhu isyan ediyordu ve Maestra'ya ihanet etmenin acısı geri gelip her yerine ısı gibi yayıldı. Konuşmaya çalıştı, başaramadı; gözlerinin yaşlarla dolduğunu biliyordu.

Attia'nın kurtulması için bir mucize gerekiyorsa, bir mucize olacaktı.

Ayağa fırlayıp Keiro'ya döndü ve adamın ellerini tuttu. "Bir yüzük. Yüzüklerden birini daha ver bana."

"Dur bir dakika." Keiro geri çekildi.

"Ver!" Finn'in sesi hırıltılıydı; kılıcı kaldırdı. "Bunu kullanmaya zorlama beni, Keiro. Hem zaten sende bir tane kalacak."

Keiro sakindi. Izdırapla kıvranan Attia'ya mavi gözleriyle baktı bir an. Sonra bakışlarını yeniden Finn'e çevirdi. "İşe yarar mı sence?"

"Bilmiyorum! Ama deneyebiliriz."

"O bir kız. Değersiz."

"Her birimize birer tane demiştin. Benimkini ona veriyorum."

"Seninkini aldın zaten."

Bir an karşı karşıya durdular; Gildas seyrediyordu. Sonra Keiro yüzüklerden birini parmağından çıkarıp yüzüğe baktı. Konuşmadan onu Finn'e attı.

Finn yüzüğü yakalayıp kılıcı bıraktı ve Attia'nın elini tutup yüzüğü bir parmağına takmaya çalıştı; yüzük fazla büyük geldiğinden, kızın parmağından düşmesin diye tuttu ve Sapphique'e, canı yüzüğün içinde olan adama, aklına gelen herkese fısıldayarak dua etti. Gildas onun yanına çömeldi; hiç umutlu olmadığı belliydi.

"Bir şey olmuyor. Ne olması gerekiyor?"

Sapient kaşlarını çattı. "Bu batıl inanç. Sen de inanmıyordun."

"Nefesi. Yavaşlıyor."

Gildas kızın nabzını yokladı, zincirlerin açtığı kirli yaralara dokundu. "Finn. Kabullenmelisin. Onu kurtarmak imkân..."

Sustu. Kızın nabzını yeniden yokladı.

"Ne? *Ne...*"

"Sanki... nabzı hızlanmış gibi..."

"Öyleyse kaldırın onu!" dedi Keiro. "Yanımızda götürelim. Ama gidelim hadi!"

Finn ona kılıcı attı, çömelip Attia'yı kucağına aldı. Tüy gibi hafif olan Attia'yı kolayca taşıyabiliyordu ama kızın kafası ona çarpıp duruyordu. Keiro kapıyı açmıştı bile, dışarı bakıyordu. "Bu taraftan. Ses çıkarmayın."

Dışarı çıkınca onun peşinden gittiler.

Tozlu bir döner merdiveni koşarak çıkıp bir tavan kapağına vardılar; Keiro kapağı açıp yukarıdaki karanlığa çıktı, sonra da Gildas'ı çabucak yanına çekti. "Kız."

Finn, kızı yukarı kaldırdı. Sonra arkasına baktı.

Merdivende tuhaf bir uğultu havayı dalgalandırıyordu sanki. Ürkütücü bir şekilde yaklaşıyordu; Finn telaşla tırmandı ve tavan kapağını kapadı. Keiro duvardaki bir ızgarayı sökmeye çalışıyordu; Gildas da boğumlu elleriyle tutmuştu.

Attia gözlerini kırptı ve sonra açtı.

Finn bakakaldı. "Ölmüş olmalıydın."

Kız hayır anlamında başını salladı, konuşamıyordu.

Izgara çatırdayarak duvardan söküldü; Finn ileride geniş ve karanlık bir oda ve odanın ortasına, yere demir bir kabloyla bağlanmış, havada salınan gümüşi gemiyi gördü. Koştular; Finn, Attia'nın kolunu omzuna atmıştı, pürüzsüz gri zeminde koşan minik figürler gibiydiler, savunmasız ve açıktaydılar, gözlerini fal taşı gibi açmış bir baykuşun seyrettiği fareler gibiydiler çünkü tepelerindeki çatıda büyük bir ekran aydınlandı ve Finn ekranda bir gözün belirdiğini gördü. Bildiği küçük, kırmızı Gözler'den değildi bu; insan gözüydü, gri irisliydi, epeyce büyütülmüştü, sanki güçlü bir mikroskoptan bakıyordu.

Sonra havadaki titreşimler zeminden yükseldi ve hepsinin ayaklarını yerden kesti; öyle güçlü bir Hapishanedepremi'ydi ki Sapient'in kulesinin iğne gibi incecik tepesi sarsıldı.

Keiro yerde yuvarlanıp ayağa fırladı. "Bu taraftan."

Aşağı sarkan parlak bir merdiven vardı. Gildas merdiveni tutup tırmanmaya başladı; Keiro aşağıdaki ucu sımsıkı tutsa da merdiven sarsılıp duruyordu.

"Oraya çıkabilir misin?" dedi Finn.

"Sanırım." Attia yüzüne düşmüş saçlarını geriye attı. Yüzünde hâlâ ceset solgunluğu vardı ama maviliği geçiyordu. Artık nefes alabiliyor gibiydi.

Finn, kızın parmağına baktı.

Yüzük küçülmüştü. İncecik, kırılgan bir halkaya dönüşmüştü ve Attia ipe tutunurken parçalandı; minik parçalar o fark etmeden döküldü. Finn bir tanesine ayağıyla dokundu. Kemiğe benziyordu. Kadim, kurumuş bir kemiğe.

Arkalarındaki tavan kapağı küt diye açıldı.

Finn döndü; Keiro'nun ona kılıcını geri verdiğini ve kendisininkini çektiğini hissetti.

Birlikte, karanlığın içindeki kare biçimine baktılar.

"Yani yarın için her şey hazır." Kraliçe kâğıtların sonuncusunu kırmızı deri masaya bıraktı ve arkasına yaslanıp parmak uçlarını birleştirdi. "Müdür çok cömert davrandı. Çeyizin müthiş, Claudia. Malikâneler, bir sandık dolusu mücevher, on iki siyah at. Seni çok seviyor olmalı."

Tırnakları altın sarısına boyanmıştı. Gerçek altındır herhalde, diye düşündü Claudia. Tapulardan birini alıp göz attı ama dikkati, gıcırdayan ahşap döşemede gidip gelen Caspar'daydı.

Kraliçe Sia başını çevirip baktı. "Caspar. Sessiz ol."

"Acayip sıkıldım."

"Öyleyse git ata bin, şekerim. Ya da ne bileyim, porsuk avına falan çık."

Caspar döndü. "Tamam. İyi fikir. Görüşürüz, Claudia."

Kraliçe kusursuz kaşlarından birini kaldırdı. "Sen Veliaht'sın, nişanlınla öyle konuşmamalısın, Lordum."

Kapıyla arasındaki mesafeyi yarılamış olan Caspar durup geri döndü. "Protokol serfler içindir, anne. Bizim için değil."

"İktidarımızı Protokol'e borçluyuz, Caspar. Bunu unutma."

Delikanlı sırıttı, Claudia'ya zarifçe, hafif eğilerek veda etti, sonra da elini öptü. "Kilise kürsüsünde görüşürüz, Claudia." Claudia kalkıp soğuk bir edayla reverans yaptı.

"Tamam. Gidiyorum."

Caspar kapıyı çarparak çıktı ve çizmeli ayaklarıyla koridorda uzaklaştığını işittiler.

Kraliçe masanın üzerine eğildi. "Biraz baş başa kalmaya fırsat bulabildiğimize çok sevindim, Claudia çünkü sana söyleyeceklerim var. Alınmayacağını biliyorum, canım."

Claudia kaşlarını çatmamaya çalıştı ama dudaklarını birbirine bastırdı. Gidip Jared'ı bulmak istiyordu. Öyle az zamanları vardı ki!

"Fikrimi değiştirdim. Üstat Jared'a Saray'ı terk etmesini söyledim."

"Hayır!"

Claudia kendini tutamamıştı.

"Evet, canım. Düğünden sonra Akademi'ye geri dönecek."

"Buna hakkın yok..." Claudia ayağa kalkmıştı.

"Öyle bir var ki." Kraliçe'nin gülümseyişi tatlı ve ölümcüldü. Öne doğru eğildi. "Birbirimizi iyi anlayalım, Claudia. Burada bir tek kraliçe var. Seni ben eğiteceğim ama rakip istemem. Bu konuda anlaşmalıyız çünkü birbirimize benziyoruz, Claudia. Erkekler zayıftır; baban bile yönetilebilir ama sen halefim olmak üzere eğitildin. Zamanını bekle. Benden çok şey öğrenebilirsin." Arkasına yaslandı, parmaklarıyla kâğıtlara tık tık vurdu. "Otur, canım."

Sesi tehditkârdı. Claudia yavaşça oturdu. "Jared arkadaşım."

"Artık senin arkadaşın ben olacağım. Bir sürü casusum var, Claudia. Bana çok şey anlatıyorlar. Böylesi gerçekten en iyisi olacak."

Uzanıp çanı çaldı; içeri peruğu pudralanmış, üniformalı bir uşak girdi hemen. "Müdür'e söyle, kendisini bekliyorum."

Uşak gidince bir şekerleme kutusunu açtı ve bir an durup bir tane seçtikten sonra kutuyu gülümseyerek Claudia'ya uzattı.

Afallamış halde olan Claudia, hayır anlamında başını salladı. Kendini, eline güzel bir çiçek almış ve o çiçeğin içinin çürük olduğunu, kurtçuk kaynadığını görmüş gibi hissediyordu. Sia'yı asla gerçek bir tehdit olarak görmemiş olduğunu fark etti. Babasından korkmuştu hep. Şimdiyse, ne denli yanılmış olduğunu merak ediyordu.

Sia onu kırmızı dudaklarıyla hafifçe gülümseyerek seyretti. Dudaklarını kenarları dantelli bir mendille sildi. Ve kapılar açılınca koltuğuna yaslanıp kolunu yandan sarkıttı. "Müdür'cüğüm. Seni alıkoyan neydi?"

Adamın yüzü kızarmıştı.

Claudia sıkıntısına karşın bunu hemen fark etti. Babası asla acele etmezdi, oysa şimdi saçları biraz dağınıktı ve siyah ceketinin en üst düğmesi iliklenmemişti.

Adam ağırbaşlılıkla eğilerek selam verdi ama konuşurken biraz nefes nefeseydi. "Üzgünüm, hanımefendi. İlgilenmemi gerektiren bir durum vardı."

Tavan kapağının deliğinden çıkan bir şey yoktu.

"Merdivene tırman," dedi Finn.

Keiro dönerken yer yine sarsıldı. Finn yere baktı. Deprem döşeme taşlarını öyle bir kaldırıyordu ki sanki altlarından gürleyen bir dalga geçiyordu. Kımıldamasına fırsat kalmadan bütün dünya sarsıldı. Finn gürültüyle yere düştü, sonra da aşağı yuvarlanmaya başladı, orada olmaması gereken bir yokuştan aşağı. Bir sütuna çarpınca inledi ve böğrüne acı yayıldı.

Oda yan yatıyordu.

Sapient'in kulesinin yıkılmaya başladığına, ince tabanının parçalandığına emin olan Finn'in midesi bulandı. Sonra ip merdiven sürtününce ona tutundu. Keiro gemiye çıkmıştı bile, gümüşi güvertenin üstünden bakıyordu. Finn hızla tırmandı; yeterince yaklaşır yaklaşmaz elleri birbirini tuttu.

"Onu tuttum. *GİDELİM!*"

Gemi havalandı. Finn korkuyla uluyarak güverteye tırmandı; gemi baştan aşağı sarsıldıktan sonra havada salınmaya başladı; aşağı bağlı halatları birer birer koptu.

İlerideki kule duvarında bir açıklık, Blaize'in pist olarak kullandığı geniş düzlük vardı. Ama Gildas, dümeni var gücüyle çevirince gemi sallandı ve hepsi yere düştüler; yukarıdan güverteye ve yelkenlere moloz yağdı.

"Bir şey bizi tutuyor!" diye gürledi Gildas.

Keiro kenardan eğildi. "Tanrım! Bir çapa var!"

Geri döndü. "Bir vinç olmalı. Hadisenize!"

Bir kapağı açıp güvertenin altındaki karanlığa indiler. Düşen tuğlaların gürültüsü geliyordu yukarıdan.

Koridorlardan ve gemi mutfaklarından oluşma bir labirent buldular. Koşarak kapıları açan Finn, bütün kamaraların boş olduğunu gördü; depo, yük, tayfa yoktu. Bunun üstüne düşünmesine fırsat kalmadan Keiro aşağıdaki karanlıktan seslendi.

En alt güverte karanlıktı. Yuvarlak bir vinç içeriyi doldurmuştu; Keiro vincin kolunu itiyordu. "Yardım et."

Birlikte ittiler. Kol kımıldamadı; mekanizma kaskatıydı, çapa zinciri ağırdı.

Tekrar ittiklerinde Finn, sırt kaslarının çatırdadığını hissetti ve vinç gönülsüzce, uzun uzun inleyerek, ağır ağır harekete geçti.

Finn dişlerini gıcırdatıp tekrar itti; yüzünden ter boşanıyordu; yanındaki Keiro'nun inlediğini ve homurdandığını duyuyordu

Sonra yanlarında başka birisi belirdi. Hâlâ solgun olan Attia, Finn'in yanına gelmişti ve kolu itiyordu.

"Senin... ne faydan... dokunur ki?" dedi Keiro hırıldayarak.

"Yeterince faydam dokunur," diye fısıldadı kız; Finn onun sırıttığını, dağınık saçlarının altındaki gözlerinin parladığını, yüzüne renk gelmiş olduğunu görünce şaşırdı.

Çapa sarsıldı. Gemi sallandı ve sonra birden havalandı.

"Başardık!" Keiro yere sıkıca basarak itti ve birden vinç daha hızlı dönmeye başladı, kalın çapa zinciri yerdeki delikten tangır tungur geçerek yukarı çıktı ve vince itaatkârca dolandı.

Çapayı içeri aldıklarında ve mekanizma durduğunda Finn güverte merdivenini koşarak çıktı ama güverteye fırladığında bir dehşet çığlığı atıp kalakaldı.

Bir bulutun içinde ilerliyorlardı. Bulut etraflarında salınıyordu ve dümenin başındaki Gildas, dalgalanan büyük yelkenler, aşağıdaki bir kuş görünüyordu ara ara.

"Neredeyiz?" diye mırıldandı Attia, Finn'in arkasından.

Sonra gemi sisten çıkınca bir mavi hava okyanusunda olduklarını, Sapient'in eğik kulesinin şimdiden epeyce geride kaldığını gördüler.

Küpeşteye nefes nefese yaslanan Keiro bir sevinç çığlığı attı.

Finn onun yanında durup geriye baktı. "Neden bizi durdurmaya çalışmadı?"

"Kimin umurunda yahu!" dedi kan kardeşi.

Sonra dönüp Finn'in karnına sert bir yumruk geçirdi.

Attia çığlık attı. Finn yere düştü, nefesi kesilmişti; içine, şaşırtıcı bir acı, gözünü karartan bir havasızlık yayılmıştı.

Dümen başındaki Gildas bir şeyler haykırdı ama ne söylediği anlaşılmıyordu.

Acı giderek azaldı. Finn tekrar nefes alabildiğinde yukarı baktı ve Keiro'nun kollarını küpeşteye yaymış olduğunu, ona tepeden bakıp sırıttığını gördü.

"Ne?.."

Keiro elini uzatıp onu yukarı çekti; Finn titreyerek ayaklandı ve yüz yüze geldiler. "Bu sana ders olsun," dedi Keiro. "Bir daha bana kılıç çekme."

27

Sapphique kanatları kollarına bağlayıp uçtu, okyanusların ve ovaların, cam şehirlerin ve altın dağların üstünden uçtu. Hayvanlar kaçıştı; insanlar yukarı bakıp onu gösterdi. Sapphique o kadar uzağa uçtu ki tepesinde gökyüzünü gördü ve gökyüzü ona dedi ki: "Geri dön oğlum, fazla yükseldin."

Sapphique nadiren duyulan kahkahalarından birini patlattı. "Bu sefer, hayır. Bu sefer sana geliyorum, açıldığın yeri bulacağım."

Ama Incarceron sinirlendi ve onu aşağı düşürdü.

SAPPHIQUE EFSANESİ

"Jared'ın gitmesi gerektiğini söyledi." Claudia dönüp babasına öfkeyle baktı; bunun, onun işi mi olduğunu sormak istiyordu.

"Dedim sana. Er geç olacaktı." Müdür onun yanından geçip odasının penceresinin yanındaki koltuğa oturdu ve gezinti bahçelerine, gruplar halinde yürüyen Saray mensuplarına baktı. "Bence boyun eğmek zorundasın, canım. Bir krallık için küçük bir bedel."

Claudia sinirden patlamak üzereydi ama babası dönüp ona baktı; Claudia'nın ödünü koparan, soğuk ve inceleyici ifadeyi takınmıştı. "Hem konuşmamız gereken daha önemli konular var. Gel otur."

Claudia bunu yapmak istemiyordu. Ama yaldızlı masanın yanındaki koltuğa gidip oturdu.

Babası saatine göz attıktan sonra kapağını kapadı ve elinde tuttu.

Usulca konuştu: "Sende bana ait olan bir şey var."

Tehlikeyi sezen Claudia, cildinin karıncalandığını hissetti. Bir an konuşamayacağını sandı ama konuştuğunda sesi şaşılacak kadar sakindi.

"Öyle mi? Ne olabilir acaba?"

Babası gülümsedi. "Sen gerçekten takdire değersin, Claudia. Seni ben yaratmış olsam da beni hep şaşırtıyorsun. Ama seni daha önce uyarmıştım, fazla ileri gitme demiştim." Saati cebine koyup öne eğildi. "Anahtar'ım sende."

Claudia sıkıntıyla derin bir nefes aldı. Babası geriye yaslandı, bacak bacak üstüne attı; deri çizmeleri ışıl ışıldı. "Evet. İnkâr etmiyorsun, akıllılık ediyorsun. Çekmeceye Anahtar'ın görüntüsünü koyman dâhiceydi, gerçekten dâhiceydi. Bunu Jared'a borçluyum sanırım. Alarmların çaldığı gün çalışma odamı kontrol ederken çekmeceyi açıp içine baktım yalnızca; Anathar'ı elime almayı akıl edemedim. Ve uğurböcekleri... Çok parlak bir fikir! Aptal olduğumu düşündün herhalde."

Claudia, hayır anlamında başını salladı ama adam birden ayaklanıp pencerelere gitti. "Jared'la benim hakkımda konuştun mu, Claudia? Anahtar'ı çaldınız diye bana güldünüz mü? Çok hoşuna gitmiştir eminim."

"Aldım çünkü almam gerekiyordu." Claudia ellerini kenetledi. "Bana vermiyordun. Söylemedin de."

Adam durup ona baktı. Şimdi saçlarını geriye yatırmıştı ve gözleri her zamanki gibi sakin ve düşünceliydi. "Neyi söylemedim?"

Claudia yavaşça kalkıp adamın karşısına geçti. "Giles meselesini," dedi.

Babasının şaşırmasını, bir an afallayıp susmasını beklemişti. Oysa adam hiç şaşırmamıştı. Claudia birden babasının bu ismi beklediğine emin oldu; Giles'tan bahsetmekle tuzağa düşmüştü.

"Giles öldü," dedi babası.

"Hayır, ölmedi." Claudia'nın boynundaki mücevherler kaşındırıyordu; birden hiddete kapılıp kolyeyi kopardı ve yere attı, sonra da kollarını kavuşturdu ve söyleyemediği sözler ağzından dökülüverdi. "Ölümü sahteydi. Kraliçe ile birlikte ayarladınız. Giles, Incarceron'a hapsedildi. Onun belleğini sildin, o yüzden kim olduğunu bile bilmiyor. Bunu nasıl yapabildin?" Claudia bir ayak iskemlesini yana tekmeledi; iskemle düşüp yuvarlandı. "Kraliçe'nin neden yaptığını anlıyorum, işe yaramaz oğlunun kral olmasını istiyordu ama sen! Giles'la nişanlanmıştım. Değerli planın zaten yolunda gidiyordu. *Bunu bize neden yaptın?"*

Adam tek kaşını kaldırdı. "Bize mi?"

"Beni saymıyor musun? Caspar'la evlenmek zorunda kalmama aldırmıyor musun? Beni düşündün mü hiç?"

Claudia tir tir titriyordu. Hayatı boyunca birikmiş öfkesi, babasının gidip onu aylarca yalnız bıraktığı onca zaman, ona elini sürmeden tepeden gülümsemekle yetinmesi, bütün bunların yol açtığı öfke şimdi patlak veriyordu.

Adam uzamış sakalını baş ve işaret parmaklarıyla okşadı. "Evet, seni düşündüm." Sesi kısıktı. "Giles'tan hoşlandığın belliydi. Ama o dikkafalı bir çocuktu, fazla iyi kalpliydi, fazla onurluydu. Caspar aptal ve berbat bir kral olacak. Onu idare etmen çok daha kolay olacak."

"Asıl neden bu değildi."

Adam gözlerini kaçırdı. Claudia onun şömineye parmaklarıyla tık tık vurduğunu gördü. Adam ince bir porselen heykeli alıp inceledikten sonra eski yerine bıraktı. "Haklısın."

Susuyordu; Claudia onun konuşmasını öyle çok istiyordu ki çığlık atabilirdi. Adamın koltuğa geri dönüp oturması ve sakince, "Korkarım asıl nedeni asla benden öğrenemeyeceksin," demesi bir asır sürdü sanki.

Claudia'nın şaşkınlığını görünce elini kaldırdı. "Beni küçümsediğini biliyorum, Claudia. Sen ve Sapient'in benim bir canavar olduğumu düşünüyorsunuz eminim. Ama sen kızımsın ve ne yaptıysam senin iyiliğin için yaptım. Hem Giles'ın hapsedilmesi Kraliçe'nin planıydı, benim değil. Beni zorla ikna etti."

Claudia küçümsemeyle güldü. "Zorla! Seni zorlayabiliyor yani!"

Adam birden başını kaldırıp öfkeyle fısıldadı: "Evet. Sen de."

Claudia bir an kendi sesindeki hınçtan irkildi. "*Ben mi?*"

Adam ahşap kolçakların üzerindeki ellerini yumruk yapmıştı. "Boş ver, Claudia," dedi. "Unut gitsin. Sorma çünkü cevabı öğrenince yıkılabilirsin. O kadarını söylüyorum." Ayağa kalktı, uzun boylu ve karanlık görünüyordu, sesi kasvetliydi. "Şimdi, Anahtar'a gelince. Onunla yaptığın hiçbir şey gözümden kaçmadı. Bartlett'ı aradığını, Incarceron'la iletişim kurduğunu biliyorum. Giles olduğuna inandığın mahkûmdan haberim var."

Claudia hayretle bakakalınca adam kuru kahkahasını attı. "Incarceron'da bir milyon Mahkûm var, Claudia ve sen Giles'ı bulduğuna inanıyorsun, öyle mi? Orada zaman ve mekân farklıdır. O çocuk herhangi biri olabilir."

"Doğum lekesi var."

"Demek öyle! Sana Hapishane hakkında bir şey söyleyeyim." Adamın sesi artık zalimdi; Claudia'nın yanına gelip ona tepeden baktı. "Kapalı bir sistemdir. Hiçbir şey girmez. Hiçbir şey çıkmaz. Mahkûmlar ölünce atomları, derileri, organları tekrar kullanılır. *Onlar birbirlerinden yapılıyorlar.* Onarılıyorlar, geri kazanılıyorlar ve organik doku, yoksa metal ve plastikle yamalanıyorlar. Finn'in kartalı hiçbir şey ifade etmiyor. Ona ait bile olmayabilir. Sahip olduğunu sandığı anılar ona ait olmayabilir."

Dehşete kapılan Claudia onu susturmak istedi ama konuşamadı. "O çocuk hırsız ve yalancı." Adam acımasızca devam ediyordu. "İnsanları soyan caniler çetesinin bir üyesiydi. Bunu sana söylemiştir herhalde."

"Evet," dedi Claudia öfkeyle.

"Pek de dürüstmüş. Peki, kendisindeki Anahtar'ı alabilmesi için masum bir kadının uçuruma atılıp öldürüldüğünü de söyledi mi? *Hem de* o kadına başına bir şey gelmeyeceğine dair söz vermişken."

Claudia suskundu.

"Söylememiş," dedi adam. "Tahmin etmiştim." Geri çekildi. "Bu saçmalığın bitmesini istiyorum. Anahtar'ı istiyorum. Şimdi."

Claudia, hayır anlamında başını salladı.

"Şimdi dedim, Claudia."

"Bende değil," diye fısıldadı Claudia.

"Öyleyse Jared'dadır..."

"Jared'ı bu işe karıştırma!"

Adam, Claudia'yı tuttu. Eli soğuktu ve Claudia'nın bileğini demir gibi tutuyordu. "Anahtar'ı ver yoksa bana karşı geldiğine pişman olursun."

Claudia ondan kurtulmaya çalıştı ama adam onu sımsıkı tutuyordu. Claudia, dağılan saçlarının arasından ona öfkeyle baktı. "Bana zarar veremezsin! Planının işlemesi için bana ihtiyacın var, bunu biliyorsun!"

Bir an bakıştılar. Sonra adam başıyla onayladı ve Claudia'yı bıraktı. Kızın bileğinde kelepçe izini andıran, beyaz, kansız bir halka vardı.

"Sana zarar veremem," dedi adam boğuk sesle.

Claudia'nın gözleri fal taşı gibi açıldı.

"Ama Finn var. Jared da var."

Claudia geri çekildi. Titriyordu, sırtı soğuk terle kaplıydı. Bir an bakıştılar. Sonra, konuşacak cesareti olmayan Claudia dönüp kapıya koştu ama tam oraya varmışken babasının sesi onu yakaladı; dinlemek zorunda kaldı.

"Hapishane'den çıkmanın yolu yok. Bana Anahtar'ı getir, Claudia."

Claudia çıkınca kapıyı çarparak kapadı. Oradan geçen bir hizmetçi hayretle baktı. Claudia bunun sebebini karşıdaki aynada gördü; yansıması saçı başı dağılmış, mutsuz halde kaş çatan, kıpkırmızı suratlı bir yaratıktı. Hiddetle ulumak istedi. Bunun yerine odasına gidip kapıyı kapadı ve kendini yatağa attı.

Yastığı kabarttı ve başını oraya gömüp kıvrıldı, küçük kollarını bedenine sardı. Aklı karmakarışıktı ama kımıldayınca yastığın üzerinden kâğıt hışırtısı geldi; başını kaldırınca oraya iğnelenmiş mesajı gördü. Jared'dandı. *Seninle görüşmem gerek. İnanılmaz bir şey keşfettim.*

Claudia okur okumaz kâğıt küle dönüşüp dağıldı.

Claudia gülümseyemedi bile.

Yelken direğine tünemiş olan Finn sımsıkı tutunuyordu; çok aşağıda kükürtsü bir sarı sıvıdan oluşma, yapış yapış, pis kokulu gölleri görüyordu. Bayırlarda hayvanlar otluyordu, buradan bakınca tuhaf ve hantal yaratıklar gibi görünüyorlardı, geminin gölgesi üzerlerine düşünce dehşetle kaçışıyorlardı. İleride de göller vardı, etraflarında yalnızca küçük çalılar bitmişti ve sağda, uzakta bir çöl gölgelerin içine doğru uzanıyordu.

Saatlerdir yolculuk ediyorlardı. Dümeni başta Gildas kullanmıştı, gemiyi yüksekte ve düz rotada tutmuştu; birisinin gelip yerine geçmesini bağırarak, sinirle söyleyince de dümenin başına Finn geçmişti, altındaki tuhaf geminin hava akımlarıyla ve dalgalarla sarsıldığını hissetmişti. Tepesindeki yelkenler kabarmıştı; rüzgârlar beyaz yelken bezlerini titreştiriyordu. Finn gemiyi bulutların içinden geçirmişti iki kez. İkincisinde hava kaygılandırıcı ölçüde soğumuştu ve o karıncalandırıcı grilikten çıktıklarında dümen ve Finn'in etrafındaki güverte buz tutmuştu, küçük buz sarkıtları ahşap zemine düşüp kırılıyordu.

Attia ona su getirmişti. "Bol bol su var," demişti, "ama yiyecek yok."

"Hiç mi?"

"Hiç."

"Karnını nasıl doyuruyordu öyleyse?"

"Gildas'ın yanında biraz yiyecek var o kadar." Finn su içerken kız dümene geçmişti, küçük elleriyle kullanmaya başlamıştı. "Bana yüzük meselesini anlattı," demişti Attia.

Finn ağzını sildi.

"Ben o kadarını hak etmiyorum. Sana iyice borçlandım."

Finn kendini aynı anda hem gururlu hem de huysuz hissetmişti; dümeni Attia'dan geri alarak, "Birbirimizi kollamalıyız," demişti. "Hem işe yarayacağını sanmıyordum."

"Keiro'nun vermesine şaşırdım."

Finn omuz silkmişti. Kız ona yakından bakıyordu. Ama sonra gözlerini gökyüzüne çevirmişti. "Baksana! Muhteşem bir manzara. Hayatım kulübelerle dolu, küçük, karanlık bir tünelde geçti ve şimdi bu enginlik..."

"Ailen var mı?" demişti Finn.

"Ağabeylerim ve ablalarım var."

"Annen, baban?"

"Yok." Kız başını sallamıştı. "Bilirsin..."

Finn biliyordu. Hapishane'de hayat kısaydı ve sürprizlerle doluydu. "Onları özlüyor musun?"

Kız kımıldamıyordu, dümeni sımsıkı tutmuştu. "Evet. Ama..." Gülümsedi. "Hayat ne tuhaf. Yakalanınca hayatım bitti sanmıştım. Ama şimdi buradayım."

Finn başıyla onayladı. Sonra, "Sence seni yüzük mü kurtardı? Yoksa Gildas'ın kusturucu ilacı mı?" diye sordu.

"Yüzük," dedi kız kendinden emin bir şekilde. "Sence?"

Finn emin değildi.

Güvertede tembellik eden Keiro'ya bakarken sırıttı. Kan kardeşi sırası gelince dümene çağrıldığında, o büyük tekere göz attıktan sonra aşağı inip halat getirmişti; sonra halatı dümene bağlamış ve oturup ayaklarını yukarı dayamıştı. "Neye çarpabiliriz ki?" demişti Gildas'a.

"Sersem," diye hırlamıştı Gildas. "Gözünü dört aç yeter."

Bakır tepelerin ve cam dağların, metal ağaç ormanlarının üzerinden geçmişlerdi. Finn ulaşılamaz vadilerde izole olmuş yerleşim merkezleri görmüştü; şehirler, bir keresinde de taretlerinde bayraklar dalgalanan bir kale. O zaman korkmuştu, aklına Claudia gelmişti. Yukarıda gökkuşakları uzanıyordu; tuhaf atmosferik efektlerin, bir adanın yansımasının, sıcak bölgelerin, titreşen morlu sarılı alevlerin içinden geçmişlerdi. Bir saat önce, uzun kuyruklu kuşlardan oluşan bir sürü birden geminin üzerinde öterek turlamaya ve pike yapmaya başlayınca Keiro çömelmişti. Sonra kuşlar geldikleri gibi bir anda gidivermişlerdi, ufukta salınan noktalara dönüşmüşlerdi. Bir keresinde gemi epeyce alçalmıştı; Finn aşağı bakınca kilometrelerce uzanan pis kokulu kulübeler, teneke ve ahşaptan yapılma derme çatma evlerden fırlayıp kaçan insanlar, topal ve hastalar, halsiz çocuklar görmüştü. Rüzgâr gemiyi yükseltince sevinmişti. Incarceron bir cehennemdi. Ama Anahtar'ı Finn'deydi.

Anahtar'ı çıkarıp kontrollerine dokundu. Daha önce de denemişti ama bir şey olmamıştı. Şimdi de bir şey olmayınca Anahtar'ın bir daha çalışıp çalışmayacağını merak etti. Ama Anahtar ılıktı. Doğru yönde, Claudia'ya doğru ilerledikleri anlamına mı geliyordu bu? Ama Incarceron çok büyükse, çıkışı kaç insan ömrü uzaklıktaydı?

"Finn!"

Keiro sertçe seslenmişti. Finn başını kaldırıp baktı.

İleride bir şeyler kımıldıyordu. Finn önce onları ışık sandı; sonra o loşluğun Hapishane'nin her zamanki karanlığı değil, tam yollarının üzerinde bulunan siyah fırtına bulutları olduğunu gördü. Telaşla aşağı inerken kabloya sürtünen elleri acıdı.

Keiro dümeni hızla çözüyordu.

"O ne?"

"Bulutlar."

Kapkaraydılar. İçlerinde şimşek çakıyordu. Ve yaklaşırlarken hafifçe gök gürledi, neşeli ve karanlık bir kıkırtı gibi.

"Hapishane," diye fısıldadı Finn. "Bizi buldu."

"Gildas'ı getir," diye mırıldandı Keiro.

Finn, Sapient'i aşağıda buldu; adam gıcırdayan lambanın altında haritaları inceliyordu. "Şunlara baksana." Yaşlı adam başını kaldırdı; kırışık yüzü lamba ışığında gölgeliydi. "Nasıl bu kadar geniş olabilir? Bu kadar yolu nasıl aşıp da Sapphique'in izinden gideceğiz?"

Finn masadan kayıp düşen, yeri kaplamış haritalara bakakaldı. Incarceron bu kadar büyükse, içinde sonsuza dek yolculuk edebilirlerdi. "Sana ihtiyacımız var. İlerisi fırtınalı."

Attia içeri daldı. "Keiro çabuk olun, diyor."

Gemi buna karşılık verircesine yana yattı. Haritalar kayıp düşerken Finn masaya tutundu. Sonra güverteye geri tırmandı.

Yelken direklerinin üzerinden siyah bulutlar geçiyordu; gümüşi flamalar dalgalanıyordu. Gemi artık neredeyse tamamen yan yatmıştı; Finn tırabzana ve sonra ulaşabildiği her şeye tutunarak dümene gitti.

Keiro kan ter içindeydi, küfrediyordu. "Sapient'in büyüsü bu!" diye seslendi.

"Sanmam. Bu, Incarceron'un işi."

Gök yine gürledi. Fırtına onlara çığlık çığlığa çarptı; dümene sımsıkı tutundular ve onun arkasına sığındılar. Üzerlerine nesneler, metal parçaları, yapraklar, dolu gibi seken moloz parçaları çarpıyordu. Sonra beyaz kumlar, cam parçaları, cıvatalar, taşlar kar gibi yağarak yelkenleri parçaladı.

Finn döndü.

Gildas'ın ana direğin arkasında, yerde yattığını ve adamın bir eliyle direğe tutunurken, diğer kolunu Attia'ya dolamış olduğunu gördü. "Orada kalın!" diye seslendi.

"Anahtar!" Gildas'ın sesi rüzgârda kayboluyordu. "Aşağı götüreyim. Sana bir şey olursa..."

Finn adamın haklı olduğunu biliyordu. Yine de Anahtar'dan ayrılma düşüncesinden nefret ediyordu.

"Dediğini yap," diye homurdandı Keiro dönmeden.

Finn dümeni bıraktı.

Anında geriye savruldu, bir yere çarptı ve güverteye düştü. Ve Hapishane onun üzerinde pike yaptı. Finn onun kendisinde odaklandığını gördü ve yana yuvarlanırken dehşetle haykırdı.

Gökyüzünden, fırtınanın ortasından bir kartal iniyordu, gökgürültüsü gibi karaydı, pençelerinde şimşekler çakıyordu. Pençelerini Anahtar'a uzattı; Finn'i ve onu kapmaya hazırdı.

Finn kendini yana attı. İç içe geçmiş halatlara çarptı; en yakındakini kapıp yukarı savurdu; halatın ağır, katranlı ucu kuşun göğsünün öyle yakınından geçti ki hayvan yön değiştirip yukarı süzüldü, epeyce yükseldikten sonra da dönüp tekrar dalışa geçti.

Finn, Gildas'ın yanından fırlayıp güvertede saklandı.

"Geri geliyor!" diye haykırdı Attia.

"Anahtar'ı istiyor." Gildas eğildi. Üzerlerine yağmur yağdı; yine gökgürültüsü duyuldu ve bu seferki çok yüksek bir insan sesiydi, çok uzaktan ve çok yukarıdan gelen öfkeli bir mırıltıydı.

Kartal pike yaptı. Dümenin yanında açıkta olan Keiro büzüldü. Kuşun tur attığını ve gagasını ardına kadar açarak öfkeyle bağırdığını gördüler. Sonra birden doğuya sapıp uzaklaştı.

Finn, Anahtar'ı çıkardı. Ona dokununca Claudia belirdi hemen; kızın gözleri yaşlıydı ve saçları dağınıktı. "Finn," dedi kız. "Dinle beni. Ben..."

"Asıl sen dinle." Gemi sarsılırken Finn sımsıkı tutundu. "Yardıma ihtiyacımız var, Claudia. Babanla konuşmalısın. Fırtınayı durdursun yoksa hepimiz öleceğiz!"

"Fırtına mı?" Claudia hayır anlamında başını salladı. "Babam... yardım etmez. Ölmeni istiyor. Her şeyi öğrendi, Finn. Biliyor!"

"Öyleyse..."

Keiro bağırdı. Finn başını kaldırıp baktı ve gördüğü şey Anahtar'ı sımsıkı tutmasına yol açınca, bağlantının kesilmesinden önceki birkaç saniyede Claudia da aynı şeyi gördü.

Büyük, sağlam bir metal duvar. Dünya'nın Sonundaki Duvar.

Bilinmeyen derinliklerden yükselip göğün gizli yerlerine uzanıyordu.

Ve dosdoğru ona gidiyorlardı.

28

İçeri'ye Portal'dan girilebilir. Sadece Müdür'de anahtar olacaktır ve ancak anahtar sayesinde dışarı çıkılabilecektir. Gerçi her hapishanenin kendine özgü yarık ve çatlakları vardır.

PROJE RAPORU; MARTOR SAPIENS

Vakit geçti; Abanoz Kule'deki çan on kez çaldı. Claudia kemerli yoldan telaşla geçerken yaz akşamının karanlığında bahçelerde pervaneler uçuşuyordu ve uzaktan bir tavus kuşunun sesi geldi. Yanından geçen uşaklar eğilip selam vermeye çalışıyorlardı; koltuklar, duvar halıları, iri geyik butları taşıyorlardı. Şölen hazırlıkları saatlerdir sürmekteydi. Claudia sıkıntıyla kaşlarını çattı; hiçbirine, Jared'ın odasının yerini sormaya cesaret edemiyordu.

Ama Jared bekliyordu.

Claudia dört tane taştan kuğu heykeline sahip bir fıskiyenin yanındaki nemli köşeyi saparken Jared elini uzatıp onu tuttu. Bir kemerli geçide çekilen Claudia, Jared meşe kapıyı neredeyse tamamen kapayıp aralıktan bakarken, nefes nefese bir halde durdu.

Birisi geçip gitti. Claudia, babasının sekreterini tanır gibi oldu. "Medlicote. Beni takip mi ediyor?"

Jared parmağını dudaklarına götürdü. Her zamankinden de solgun ve çökmüş görünüyordu; kaygılı enerjisi Claudia'yı endişelendiriyordu. Claudia'yı taş basamaklardan indirdi ve bakımsız bir avludan geçirerek tepesinden sarısalkımlar sarkan bir yola soktu. Yolun yarısında durup fısıldadı: "Burada kullandığım bir bina var. Odamı dinliyorlar."

Saray'ın üzerinde büyük bir ay asılıydı. Binanın cephesinde Hiddet Yılları'ndan kalma, çiçek bozuğunu andıran izler vardı; sıcak yüzünden açık tutulan baklava desenli pencerelerden yansıyan gümüşi ışık, meyveliği ve seraları aydınlatıyordu. Bir odadan hafif bir müzik sesi, insan sesleri, kahkahalar ve tabak şıngırtıları geliyordu. Siyahlara bürünmüş olan Jared, üzerinde dans eden ayı desenleri bulunan iki taş sütunun, lavanta ve oğul otu kokan çalıların arasından geçip duvarlı bahçenin en bakımsız köşesindeki duvarın dibine inşa edilmiş küçük bir yapıya gitti. Claudia bir taret, sarmaşıklarla kaplanmış harap bir korkuluk gördü bir an.

Jared kapıyı açıp Claudia'yı içeri soktu.

İçerisi karanlıktı ve nemli toprak kokuyordu. Claudia'nın tepesinde ışık titreşti; küçük bir meşaleyi yakmış olan Jared bir iç kapıyı gösterdi. "Çabuk."

Kapı küflenmişti, ahşabı öyle yumuşamıştı ki dokununca ufalanıyordu. Ardındaki loş odanın pencereleri sarmaşık kaplıydı; Jared lambaları yakarken Claudia etrafa bakındı. "Evde gibiyim." Sarsak bir masanın üzerine elektron mikroskobunu kurmuş olan Jared, içinde aletler ve kitaplar bulunan birkaç kutuyu açtı.

Döndü; alevlerin ışığında yüzü yorgun görünüyordu. "Claudia, buna bakmalısın. Bu her şeyi değiştiriyor. Her şeyi."

Adamın ızdırabı Claudia'yı ürküttü. "Sakin ol," dedi usulca. "İyi misin?"

"Yeterince iyiyim." Adam mikroskoba eğildi ve uzun parmaklarıyla mikroskobu ustaca ayarladı. Sonra geri çekildi. "Çalışma odasından aldığım metal parçasını hatırlıyor musun? Ona bir bak."

Claudia lensin üzerine şaşkınlıkla eğildi. Görüntü bulanıktı; biraz ayar yaptı. Sonra donakaldı, öyle ki Jared onun gördüğünü ve durumu kavradığını anladı.

Gidip yere, sarmaşık ve ısırganların arasına oturdu bezgince; üzerindeki Sapient cübbesinin eteği topraktaydı. Bakakalan Claudia'yı seyretti.

Dünya'nın Sonundaki Duvar'dı bu.

Sapphique sahiden de onun tepesinden aşağı düştüyse bu yıllar sürmüş olmalıydı. Finn yukarı bakarken, o engin duvara çarpıp gürleyerek geri dönen rüzgârı hissetti. Incarceron'un merkezinden gelen kalıntılar yukarı fırlatılıyordu ve ardından sonsuz bir girdaba yakalanıyordu; o rüzgâra kapılan hiçbir şey kurtulamazdı.

"Geri dönmeliyiz!" Gildas sendeleyerek dümene gidiyordu; Finn onu telaşla takip etti. Birlikte Keiro'nun yanına sıkışıp gemiyi yukarı esen rüzgâra kapılmadan önce geri döndürmeye çalıştılar.

Birden gök gürledi ve Işıksönmesi oldu.

Finn karanlıkta Keiro'nun küfrettiğini işitti, Gildas'ın dümene asıldığını hissetti. "Finn. Kolu çek! Güvertedeki."

Finn el yordamıyla bulup kolu çekti.

Geminin pruvasında iki yatay hüzme belirdi titreşerek. Finn, Duvar'ın ne kadar yakın olduğunu gördü. Işık diskleri evlerden büyük çivilerin üzerinde geziniyordu; sürgülü paneller muazzamdı, çarpan parçalar yüzünden yıpranmışlardı, üzerlerinde çok uzun çatlaklar oluşmuştu ve aşınmışlardı.

"Geri geri gidebilir miyiz?" diye seslendi Keiro.

Gildas ona küçümseyici bir bakış fırlattı. O anda düştüler. Gemi, Duvar'ın önünde büyük bir gümüşi melek gibi, direkleri ve serenleriyle, halatlarıyla birlikte düşüyordu; yelkenleri birkaç saniyede parçalandı ve tam geminin parçalanacağını sanırlarken hava akımına kapıldılar. Ana direk kırıldı, gümüşi gemi fırıl fırıl dönerek gerisin geri yukarı savruldu; farlar Duvar'ı kesik kesik aydınlatırken karanlık, bir perçin çivisi, yeniden karanlık göründü. Halatlara takılmış olan Finn, muhtemelen Keiro'ya ait olan bir kola tutunuyordu. Aşağıdaki gürleyen karanlıktan yükselen azgın rüzgâr onları yukarı savuruyordu ve yükseldikçe hava serinliyordu, bulutlarla fırtına çok aşağıda kalmıştı, Duvar onları kendine çeken sarp bir kâbustu. O kadar yakındılar ki Finn duvarın oyuklu yüzeyinin çatlaklar ve küçük kapılarla kaplı olduğunu gördü; bunlardan fırlayan yarasalar rüzgârda kolayca geziniyorlardı.

Gemi sarsıldı. Finn geminin ters döneceğine emin oldu upuzun bir an boyunca; Keiro'ya sımsıkı tutunup gözlerini kapadı ama açtığında gemi düzelmişti ve Keiro halatların arasında çırpınırken Finn'e çarpıyordu.

Gemi birden döndü. Yüksek gıcırtılar duyuldu ve gemi şiddetle sarsıldı.

Gildas haykırdı. "Attia! Çapayı attı!"

Attia aşağı inip vinci çalıştırmış olmalıydı. Yelkenler parçalanırken geminin yükselişi yavaşladı. Gildas doğrulup Finn'i kendine çekti. "Duvar'a yaklaşıp atlamalıyız."

Finn bakakaldı. "Tek çıkış yolu bu!" dedi Sapient sertçe. "Gemi sonsuza dek yükselip alçalacak! Gemiyi Duvar'a yaklaştırmalıyız!"

İşaret etti. Finn kara bir küp gördü. Aşınmış metallerin arasındaydı, içi boş bir karanlık açıklıktı. Küçücük görünüyordu; oraya ulaşmaları çok ufak bir olasılıktı.

"Sapphique bir *küpe* atlamıştı." Gildas, Finn'e tutunmak zorunda kalıyordu. "Orası olmalı!"

Finn, Keiro'ya göz attı. Kararsızca bakıştılar. Attia güverteye çıkıp sürünerek yanlarına gelirken, Finn, kan kardeşinin, yaşlı adamın deli olduğunu, arayışını saplantı haline getirmiş olduğunu düşündüğünü anladı. Ama başka şansları var mıydı?

Keiro omuz silkti. Dümeni fütursuzca çevirip gemiyi dosdoğru Duvar'a yöneltti. Geminin ışıklarıyla aydınlanan küp bekliyordu, siyah bir gizemdi.

Claudia konuşamıyordu. Kapıldığı şaşkınlık ve sıkıntı bunu engelliyordu.

Hayvanlar görüyordu.

Aslanlar.

Onları afallamış halde saydı; altı, yedi... üç yavru. Bu bir aslan sürüsüydü. "Gerçek olamazlar," diye mırıldandı.

Arkasındaki Jared iç geçirdi. "Ama gerçekler."

Aslanlar. Canlıydılar, geziniyorlardı, biri kükrüyordu, geri kalanlarsa etrafı çevrili bir alanda horul horul uyuyorlardı; çimenler, birkaç ağaç ve içinde su kuşlarının yüzdüğü bir göl vardı.

Claudia geri çekildi, mikroskoba bakakaldı, sonra tekrar yaklaştı.

Yavrulardan biri, bir diğerini tırmaladı; yuvarlanarak boğuştular. Bir dişi aslan esneyerek uzandı ve patilerini yere dayadı.

Claudia döndü. Lambaların aydınlattığı, pervanelerin uçuştuğu odada Jared'a baktı ve adam bakışlarına karşılık verdi; bir an için söyleyecek söz yoktu, Claudia'nın düşünmeye cesaret edemediği düşünceler, aklına getirmekten korktuğu olasılıklar vardı sadece.

"Ne kadar küçük?" dedi sonunda.

"İnanılmayacak kadar küçük." Adam uzun, siyah saçlarının uçlarını ısırdı. "Bir milyon nanometre civarına kadar küçültülmüş... Ölçülemeyecek kadar küçük."

"Peki ama... nasıl orada kalıyorlar?.."

"O bir çeşit yerçekimi kutusu. Kendini ayarlıyor. Bu teknik unutuldu sanıyordum. Koca bir hayvanat bahçesine benziyor. Filler var, zebralar..." Sustu; başını salladı. "Belki de bir prototiptir... Önce hayvanlar üstünde denenmiştir. Kimbilir?"

"Yani..." Claudia söylemekte zorlandı. "Yani Incarceron..."

"Dev bir bina, bir yeraltı labirenti arayıp durduk. Bir dünya." Adam ileri, karanlığa bakıyordu. "Ne körmüşüz, Claudia! Akademi'nin kütüphanesinde böyle şeylerin –boyut değişimlerinin– bir zamanlar mümkün olduğunu gösteren kayıtlar var. O bilgiler Savaş'ta kaybolmuştu. En azından öyle sanıyorduk."

Claudia ayağa kalktı; daha fazla oturamazdı. Tenindeki atomlardan küçük aslanlar, üzerinde yattıkları daha da küçük otlar, patileriyle ezdikleri minicik karıncalar, postlarındaki pireler... Bütün bunları kabullenmek güçtü. Ama onlara göre dünyaları normaldi. Peki ya Finn'e göre?..

Fark etmeden ısırganların arasında yürüdü. *"Incarceron küçücük,"* dedi.

"Korkarım evet."

"Portal..."

"Bir giriş yöntemi. Vücuttaki bütün atomlar çöküyor." Adam başını kaldırıp bakınca Claudia onun ne kadar hasta göründüğünü fark etti. "Anlıyor musun? Korktukları her şeyi içinde tutacak bir Hapishane yarattılar ve çok küçülttüler, Müdür onu avucunda tutabilsin diye. Aşırı nüfus sorununa müthiş bir çözüm bu, Claudia. Dünya'nın sorunlarına müthiş bir çözüm. Ve birçok şeyi açıklıyor. Uzamsal uyuşmazlık. Zaman farklılığı da olabilir çok az."

Claudia mikroskoba geri dönüp aslanların yuvarlanmalarını ve oyun oynamalarını seyretti. "Demek bu yüzden kimse dışarı çıkamıyor." Başını kaldırıp baktı. "İşlem tersine döndürülebilir mi, Üstat?"

"Ne bileyim? Yeterince araştırma yapmadan..." Sustu. "Portal'ı, girişi görmüştük, farkında mısın? Babanın çalışma odasında bir sandalye vardı."

Claudia masaya arkasını yasladı. "Işık. Tavan slotları."

Dehşet vericiydi bu. Claudia tekrar ortalıkta dolanmak zorunda kaldı, kendini düşünmeye zorladı. Sonra konuştu: "Benim de sana söyleyeceğim bir şey var. Babam biliyor. Anahtar'ın bizde olduğunu biliyor."

Jared'a bakmadan, adamın gözlerindeki korkuyu görmek istemeden ona babasının öfkesinden, taleplerinden bahsetti. Anlatacaklarını bitirdiğinde, lamba ışığında Jared'ın yanına çömelmiş ve sesini alçaltmış olduğunu fark etti. "Anahtar'ı geri vermeyeceğim. Finn'i dışarı çıkarmalıyım."

Adam susuyordu; boynu cübbesinin yüksek yakasıyla çevriliydi. "Bu mümkün değil," dedi karamsarca.

"Bir yolu olmalı..."

"Ah, Claudia." Claudia'nın öğretmeninin sesi yumuşak ve acıydı. "Nasıl bir yol olabilir ki?"

İnsan sesleri. Birisi kahkaha attı.

Claudia hemen ayağa fırladı ve lambaları üfleyerek söndürdü. Jared umursamayacak kadar moralsiz gibiydi. Karanlıkta beklediler, sarhoş âlemcilerin bağrışmalarını ve meyvelikte uzaklaşan birisinin berbat bir sesle söylediği baladı dinlediler. Claudia'nın kalbi sessizlikte öyle hızlı atıyordu ki neredeyse canını acıtıyordu. Saat kulelerinden ve Saray ahırlarından, saatin on bir olduğunu belirten hafif çan sesleri geldi. Bir saat sonra Claudia'nın düğün günü başlayacaktı. Claudia pes etmeyecekti. Henüz değil.

"Artık Portal'ı ve ne yaptığını bildiğimize göre... onu çalıştırabilir misin?"

"Olabilir. Ama geri gelmek mümkün değil."

"Deneyebilirim." Claudia hızlı konuşmuştu. "İçeri girip Finn'i arayabilirim. Burada kalsam ne olacak ki? Ömrüm Caspar'la geçecek..."

"Hayır." Adam doğrulup ona döndü. "Oradaki hayatı hayal edebiliyor musun? O şiddet ve zulüm cehennemini? Ve burada... düğün yapılmazsa Çelik Kurtlar hemen saldırırlar. Korkunç bir katliam olur." Claudia'nın ellerini tuttu. "Umarım sana gerçeklerle her zaman yüzleşmeyi öğretebilmişimdir."

"Üstat..."

"Evlenmelisin. Tek seçenek bu. *Giles'a geri dönemezsin.*"

Claudia geri çekilmek istedi ama adam onu bırakmadı. Claudia onun bu kadar güçlü olduğunu bilmiyordu. "Giles'ı kaybettik. Yaşıyor olsa bile."

Claudia ellerini indirdi ve adamınkileri ızdırapla sımsıkı tuttu. "Bunu kabullenebilir miyim bilmiyorum," diye fısıldadı.

"Biliyorum. Ama cesursun."

"Yapayalnız kalacağım. Seni gönderiyorlar."

Adamın parmakları serindi. "Dedim ya. Öğreneceğin çok şey var." Karanlıkta, nadir gülümsemelerinden birini takındı. "Bir yere gittiğim yok, Claudia."

Başaramazlardı. Dümeni hep birlikte çekseler de gemi sabit durmuyordu. Yelkenleri paçavraya dönmüştü, halatları her yerde geziniyordu, direkleri parçalanmıştı, yine de gemi zikzaklar çizip duruyordu, çapası sallanıyordu ve pruva, küpe yaklaşıp uzaklaşıyor, yükselip alçalıyordu.

"İmkânsız," diye homurdandı Keiro.

"Hayır." Gildas çok keyifli gibiydi. "Başarabiliriz. Güçlü olun." Dümeni kavrayıp ileri doğru baktı.

Gemi birden alçaldı. Pupa feneri, küpün girişini aydınlattı; yaklaştıklarında Finn girişin, bir kabarcığın yüzeyini andıran, tuhaf, yapışkan bir zarla kaplı olduğunu gördü. Zarın üzerinde gökkuşağı renkleri ışıldıyordu.

"Dev salyangozlar," diye mırıldandı Keiro. Şimdi bile espri yapabiliyor, diye düşündü Finn.

İyice yaklaştılar. Artık gemi o kadar yakındı ki fener ışıklarının büyük ve çarpık yansımalarını görebiliyorlardı. O kadar yakındı ki geminin cıvadrası zara dokunup onu deldi; usulca delinen zar hafif ve hoş kokulu bir hava esintisiyle içeri çekilip gözden kayboldu.

Yukarı doğru esen rüzgâra direnen gemi karanlık küpe girdi yavaşça. Sarsıntılar hafifledi. Engin gölgeler far ışıklarını yuttu.

Finn o dörtgen karanlığa bakakaldı. Karanlık onu yutmak istercesine açılırken kendini küçücük hissetti; kıvrılmış bir örtünün, çok uzaklarda ve çok eskiden çimenlere serilmiş bir piknik örtüsünün üzerinde yürüyen bir karıncaydı o; örtünün üzerindeki yedi mumlu doğum günü pastasının yarısı yenmişti ve kıvırcık, kahverengi saçlı bir kız, Finn'e kibarlıkla altın bir tabak uzatıyordu.

Finn, kıza gülümseyip tabağı aldı.

Gemi çatırdadı. Ana direk çatladı, sarsıldı, tahta parçaları üzerlerine yağdı. Attia düşüp Finn'e çarptı, Finn'in gömleğinden kayıp düşen ışıltılı bir kristali yakalamaya çalıştı. "Anahtar'ı al," diye haykırdı.

Ama gemi küpün arka tarafına çarpınca Finn'in üstüne karanlık çöktü. Karıncayı ezen bir parmak gibi. Devrilen bir ana direk gibi.

Kayıp Prens

29

Umutsuzluğum derin. Rüyaları yutan bir uçurum. Dünya'nın sonundaki bir duvar. Onun ardında ölümü bekliyorum. Çünkü onca emeğimizin sonucu bu oldu.

LORD CALLISTON'IN GÜNLÜĞÜ

Düğün sabahı sıcak ve güzeldi.

Hava bile planlanmıştı; ağaçlar çiçeklerle bezeliydi ve kuşlar cıvıldıyordu, gökyüzü mavi ve bulutsuzdu, hava sıcaklığı mükemmeldi, hafif hafif esen rüzgâr güzel kokuyordu.

Claudia arabalar dolusu hediyeyi kan ter içinde indiren uşakları penceresinden seyrediyordu, elmas ve altınların ışıltısını bulunduğu yerden bile görebiliyordu.

Çenesini taş denizliğe koyup pürüzlü yüzeyin sıcaklığını hissetti.

Hemen yukarıda bir kuş yuvası vardı; bir kırlangıç oraya gagasıyla solucan taşıyordu düzenli aralıklarla. Görünmeyen yavrular anneleri gelip giderken telaşla ötüyorlardı.

Claudia kendini çok yorgun hissediyordu. Geceyi uyumadan yatarak geçirmişti, yatağın kırmızı cibinliğine bakmıştı, odanın sessizliğini dinlemişti; geleceği, üzerine düşmek üzere olan ağır bir perde gibiydi. Eski hayatı bitmişti... Özgür olmak, Jared'la ders çalışmak, atla uzun gezintiler, ağaçlara tırmanmalar ve istediğini yapabilmenin verdiği fütursuzluk. Bugün Steen Kontesi olacaktı, Saray yaşamındaki kumpas ve hıyanet savaşına katılacaktı. Bir saat içinde gelip onu yıkayacaklar, saçını yapacaklardı, tırnaklarına oje süreceklerdi, onu bir oyuncak bebek gibi giydireceklerdi.

Aşağı baktı.

Çok aşağıda bir taretin eğimli çatısı vardı. Bütün yatak örtülerini birbirine bağlarsa yavaşça aşağı inip o sıcak kiremitlere ayak basabileceğini hayal etti bir an için. Taretten inip ahırdan bir at çalabilir ve kaçabilirdi, üzerinde beyaz geceliğiyle uzak tepelerdeki yeşil ormanlara kaçabilirdi.

İçini ısıtan bir düşünceydi bu. *Ortadan kaybolan kız. Kayıp Prenses.* Bu düşünce onu gülümsetti. Ama sonra aşağıdan birisi seslenince hayallerden sıyrıldı; aşağı doğru göz atınca, mavi ve ışıl ışıl bir kakım kürkü giymiş olan Lord Evian'ın kendisine baktığını gördü.

Adam seslenirken bir şeyler söyledi; Claudia, adamın ne dediğini anlayamayacak kadar yüksekteydi ama gülümseyerek onu başıyla onayladı; Evian eğilerek veda etti ve yürüyerek uzaklaştı; alçak topuklu ayakkabıları tak tuk sesler çıkarıyordu.

Claudia onu seyrederken Saray'daki herkesin onun gibi olduğunu, Saray'ın parfümlü ve süslü görünüşünün ardında bir nefret ve gizli cinayetler ağının yattığını, çok yakında kendisinin de o dünyadaki rolünü oynayacağını ve hayatta kalmak için o insanlar kadar sert olması gerektiğini anladı. Finn asla kurtarılamazdı. Claudia bunu kabullenmeliydi.

Kalkıp kırlangıcın panikle kaçmasına yol açtı ve makyaj masasına yürüdü.

Masanın üzeri tek tek ve küçük demetler ya da buketler halinde çiçeklerle kaplıydı. Sabah boyunca çiçekler gelip duruyordu, bu yüzden odada tatlı ve ağır bir koku vardı. Claudia'nın arkasındaki yatağa beyaz gelinlik tüm süsüyle serilmişti. Claudia kendine baktı.

Pekâlâ. Caspar'la evlenip kraliçe olacaktı. Bir kumpas varsa ona katılacaktı. Cinayetler işlenirse o sağ kurtulacaktı. İnsanları yönetecekti. Bir daha kimse ona ne yapacağını söylemeyecekti.

Tuvalet masasının çekmecesini açıp Anahtar'ı çıkardı. Kristal Anahtar ışıldıyordu, gün ışığını yansıtıyordu, kartalı göz kamaştırıcıydı.

Ama önce Finn'e söylemeliydi. Kaçışın mümkün olmadığını söylemeliydi.

Artık nişanlı olmadıklarını.

Elini Anahtar'a uzattı ama dokunduğu anda kapı hafifçe çalınınca Anahtar'ı hemen çekmeceye geri koydu ve bir saç fırçasını kaptı. "Gel, Alys."

Kapı açıldı. "Alys değil," dedi babası.

Esmer adam yaldızlı kapı çerçevesinin içinde zarifçe duruyordu. "Girebilir miyim?"

"Evet," dedi Claudia.

Adamın ceketi yeniydi, simsiyah kadifedendi, klapasında beyaz bir gül vardı; kısa pantolonu satendi. Ayakkabıları tokalıydı ve saçları siyah bir kurdeleyle toplanmıştı. Zarifçe otururken ceketinin kuyrukları sallandı. "Bütün bu hazırlıklar zahmetli. Ama insan böyle bir günde kusursuz olmalı." Claudia'nın sade elbisesine bakarken saatini çıkarıp açınca gün ışığı zincirin ucundaki gümüş küpten yansıdı. "Sadece iki saatin kaldı, Claudia. Artık giyinmelisin."

Claudia dirseğini masaya dayadı. "Bunu söylemeye mi geldin?"

"Ne kadar gurur duyduğumu söylemeye geldim." Gri gözleri Claudia'nınkilere bakıyordu ve gözlerinin içindeki ışık keskin ve parlaktı. "Bugünü on yıllardır planlıyorum. Sen doğmadan çok önceden beri. Bugün Arlex'ler iktidarın merkezine ulaşacaklar. Hiçbir terslik olmamalı." Kalkıp pencereye gitti; gerginlik yüzünden kıpır kıpırdı sanki. Gülümsedi. "Bunu düşünmekten gözüme uyku girmediğini itiraf ediyorum."

"Uyumayan sadece sen değilsin."

Adam ona dikkatle baktı. "Korkmamalısın, Claudia. Her şey ayarlandı. Her şey hazır."

Adamın ses tonundaki bir şey Claudia'nın başını kaldırıp bakmasına yol açtı. Bir an babasının maskesinin ardını gördü, iktidar hırsı yüzünden her şeyi feda edebilecek bir adam vardı. Ve adamın iktidarı paylaşmayacağını görünce soğuk soğuk ürperdi. Babası iktidarı ne Kraliçe'yle paylaşacaktı ne de Caspar'la. "Ne demek... her şey?"

"Yani senin için her şey yolunda gidecek. Caspar bir basamak sadece."

Claudia ayaklandı. "Biliyorsun, değil mi? Suikast planını... Çelik Kurtları. *Onlardan biri misin?"*

Adam bir adımda odayı katedip Claudia'nın kolunu öyle sıkı kavradı ki kız inledi. "Bağırma," dedi adam öfkeyle. "Burada dinleme cihazları yok mudur sanıyorsun?"

Claudia'yı pencereye götürdü ve pencereyi açtı. Aşağıdan ut ve davul sesleri, bir muhafızbaşının adamlarına bağırarak verdiği emirler geliyordu. Müdür o gürültüde boğuk sesle fısıldadı. "Sen rolünü oyna yeter, Claudia. Gerisine karışma."

"Sonra onları öldüreceksin." Claudia kolunu çekip kurtardı.

"Sonrası seni ilgilendirmez. Evian'ın sana durumu anlatmaya hakkı yoktu."

"Sahi mi? Peki beni ne zaman engel olarak görmeye başlayacaksın? Ben ne zaman *atımdan düşeceğim*?"

Claudia onu afallatmıştı. "Öyle bir şey asla olmayacak."

"Öyle mi?" Claudia alaycı ve öfkeliydi; babasını incitmek istiyordu. "Kızınım diye mi?"

"Seni zamanla sevdiğim için, Claudia."

Adamın sesindeki bir şey Claudia'yı etkiledi. Bir tuhaflık. Ama adam sırtını döndü. "Şimdi. Anahtar."

Claudia kaşlarını çattı, makyaj masasına gitti ve çekmeceyi açtı. Anahtar ışıldıyordu; Claudia onu alıp masanın üzerine, çiçeklerin arasına koydu.

Müdür gelip Anahtar'a baktı. "Senin o kıymetli Jared'ın bile bu cihazın bütün sırlarını keşfedemez."

"Vedalaşmak istiyorum," dedi Claudia kararlılıkla. "Finn'le ve diğerleriyle. Onlara durumu açıklamak istiyorum. Sana Anahtar'ı vereceğim. Düğünde."

Adamın gözleri soğuk ve berraktı. "Sabrımı zorlamasan olmaz, Claudia."

Claudia bir an adamın Anahtar'ı zorla alacağını sandı. Ama Müdür kapıya doğru yürüdü.

"Caspar'ı fazla bekletme. Sonra çok... somurtkan oluyor."

Adam çıkınca Claudia kapıyı kilitledi ve Anahtar'ı iki eliyle birden tutarak oturdu. *Seni zamanla sevdim.* Babası buna gerçekten inanıyor bile olabilirdi.

Görüntü alanını çalıştırdı.

Sonra birden geriye sıçrayınca Anahtar yere düşüp tıkırdadı.

Attia odadaydı.

"Bize yardım etmelisin," dedi kız hemen. "Gemi kaza yaptı. Gildas yaralı."

Alan genişledi; Claudia karanlık bir yer gördü ve uzaklardan gelen, rüzgâr sesine benzer bir uğultu duydu. Oradaki rüzgâr burada da esiyormuşçasına, Claudia'nın masasındaki taç yaprakları havalandı.

Attia yana itildi; Finn, "Lütfen. Claudia," dedi. "Jared yardım edebilir mi?.."

"Jared burada değil." Claudia tuhaf bir taşıtın yere saçılmış enkazına acizce baktı. Keiro bir yelken bezini şeritler halinde yırtıp Gildas'ın koluyla omzuna sarıyordu; Claudia sargıların şimdiden kanlandığını gördü. "Neredesiniz?"

"Duvar'dayız." Finn bezgin görünüyordu. "Yolun sonuna geldik sanırım. Burası Dünya'nın Sonu. Aşağıda bir geçit var ama Gildas yürüyebilir mi emin..."

"Tabii ki yürüyebilirim," dedi Gildas öfkeyle.

Finn yüzünü ekşitti. "Çok uzağa gidemez. Kapıya yakın olmalıyız, Claudia."

"Kapı yok." Claudia sesinin duygusuz çıktığını biliyordu.

Finn ona baktı. "Ama demiştin ki..."

"Yanılmışım. Üzgünüm. Her şey bitti, Finn. Kapı yok, çıkış yok. Asla da olmayacak. Incarceron'dan çıkış yok."

Jared, Büyük Salon'a girdi. İçerisi Saray mensuplarıyla ve prenslerle, büyükelçilerle, Sapientlerle, düklerle ve düşeslerle doluydu. Rengârenk saten elbiselerin, kesif ter ve güçlü parfüm kokularının hâkim olduğu bu baş döndürücü mekân kendini biraz güçsüz hissetmesine yol açtı. Duvarın dibinde sandalyeler vardı; gidip birine oturdu, başını arkadaki serin taş duvara yasladı. Etrafındaki düğün davetlileri çene çalıp gülüşüyorlardı. Damadı gördü; uçarı genç arkadaşlarıyla çevrili olan delikanlı içmeye başlamıştı bile ve bir espriye kahkahalarla gülüyordu. Kraliçe henüz gelmemişti, Müdür de.

Yanından gelen bir ipek hışırtısı başını çevirip bakmasına yol açtı. Lord Evian eğilerek selam verdi. "Biraz yorgun görünüyorsunuz, Üstat."

Jared, adamın bakışlarına karşılık verdi. "Gece uyuyamadım, efendim."

"Ah, evet. Ama yakında bütün tasalarımız sona erecek." Şişman adam gülümsedi ve küçük bir siyah yelpazeyle kendini yelledi. "Claudia'ya en iyi dileklerimi iletin lütfen."

Tekrar eğildi ve arkasını döndü. Jared birden konuştu: "Bir saniye, Lordum. Geçen gün... bir söz vermiştiniz..."

"Evet?" Evian'ın kibirli halinden eser kalmamıştı; ihtiyatlı görünüyordu.

"Dokuz Parmaklı'dan bahsetmiştiniz."

Evian öfkeyle baktı. Jared'ı kolundan tutup kalabalığın içine çekti; öyle hızlı hareket ediyordu ki iterek yanından geçtiği insanlar arkasından baktılar. Koridora çıktıklarında adam hiddetle fısıldadı: "Sakın o ismi yüksek sesle söyleme. Ona inananlar için kutsal, mukaddes bir isimdir."

Jared kolunu çekip kurtardı. "Bir sürü tarikattan ve inançtan söz edildiğini duydum. Kraliçe'nin hangilerine izin verdiğini bilirim. Ama bu..."

"Bugün dinden bahsetmenin sırası değil."

"Hayır, tam sırası." Jared'ın gözleri dikkatli ve berraktı. "Ve çok az zamanımız var. Sizin bu kahramanınızın başka ismi var mı?"

Evian öfkeyle soludu. "Cidden söyleyemem."

"Söyleyeceksiniz, Lordum," dedi Jared tatlı bir edayla, "yoksa şimdi suikast planınızı bağıra çağıra öyle bir anlatırım ki Saray'daki bütün muhafızlar duyar."

Evian'ın alnında ter damlaları belirmişti. "Sanmıyorum."

Jared aşağı baktı; şişman adamın elinde bir hançer vardı, Jared'ın karnına dayanmış bir hançer. Jared kendini adamın gözlerine bakmaya zorladı. "Zaten yakalanacaksınız, Lordum. Benim tek istediğim bir isim."

Bir an yüz yüze durdular. Sonra Lord Evian konuştu: "Cesur adamsın, Sapient ama sakın bir daha bana karşı gelme. İsme gelince, evet, bir tane var; zamanla kaybolmuş, efsanelerle birlikte unutulmuş bir isim. Incarceron'dan kaçtığını iddia eden o kişinin ismi. En gizemli ayinlerimizde ondan Sapphique diye bahsedilir. Merakını giderdim mi?"

Jared bir an ona bakakaldı. Sonra onu yana itti. Ve koştu.

Keiro öfkeden deliye dönmüştü; o ve Gildas, Claudia'ya bağırıyorlardı. "Bizi nasıl terk edersin?" dedi Sapient hiddetle. "Sapphique kaçmıştı! Çıkış tabii ki var!"

Claudia susuyordu. Finn'e bakıyordu. Finn güvertenin parçalanmış bir kısmına yaslanmıştı ve kaskatı, perişan halde oturuyordu. Ceketi yırtılmıştı ve yüzünde çizikler vardı ama Claudia şimdi onun Giles olduğuna eskisinden de çok emindi. Artık çok geç olsa da.

"Ve onunla evleneceksin," dedi Finn usulca.

Gildas küfretti. Keiro kan kardeşine ters ters baktı. "Kiminle evleneceğinin ne önemi var! Belki de onu senden daha çok beğendiğine karar vermiştir." Ellerini beline koyup döndü ve Claudia'ya küstahça baktı. "Mesele bu mu, Prenses? Bütün bunlar senin için biraz eğlence, hoş bir oyun muydu?" Başını kaldırdı. "O çiçekler ne güzel! Elbisen de pek şıkmış!"

Öyle yaklaştı ki elini uzatıp Claudia'yı tutacaktı sanki ama sonra Finn, "Kapa çeneni, Keiro," dedi. Kalkıp Claudia'nın karşısına geçti. "Sebebini söyle yeter. Neden imkânsız?"

Claudia söyleyemedi. Bunu onlara nasıl söyleyebilirdi ki? "Jared bazı şeyler keşfetti. Bana inanmalısın."

"Nasıl şeyler?"

"Incarceron'la ilgili. Bitti, Finn. Lütfen. Orada kendine bir hayat kur. Dışarı'yı unut..."

"Peki ya ben ne olacağım?" dedi Gildas öfkeyle. "Altmış yıldır kaçmayı planlıyorum! Bu Yıldızgörücü'yü bulmak için ömrümü harcadım, başka birini de bulamam! Dünya'nın Sonu'na kadar geldik kızım! Hayatım boyunca kurduğum hayallerden vazgeçmem!"

Claudia kalkıp hiddetle ona doğru yürüdü. "Sen onu tıpkı babamın beni kullandığı gibi kullanıyorsun. O senin çıkış yolun sadece; onu umursadığın yok! Hiçbiriniz umursamıyorsunuz!"

"Bu doğru değil!" diye fısıldadı Attia öfkeyle.

Claudia ona aldırmadı. Finn'e yoğun bir dikkatle bakarak, "Üzgünüm," dedi. "Keşke durum farklı olsaydı. Üzgünüm."

Claudia'nın oda kapısının ardından sesler geldi; Claudia dönüp seslendi: "Kimseyi görmek istemiyorum! Defedin gitsinler!"

"Neden kaçtığımı biliyor musun?" dedi Finn. "Kendimi bilmemekten kaçıyorum. İçimdeki karanlıktan, boşluktan kaçıyorum. Onunla yaşayamam. Beni burada bırakma, Claudia!"

Claudia daha fazla dayanamadı. Keiro'nun öfkesine, sinirli yaşlı adama, Finn'e. Finn canını acıtıyordu, oysa bütün bunların hiçbiri Claudia'nın suçu değildi, hiçbiri. Elini Anahtar'a uzattı. "Elveda, Finn. Anahtar'ı vermem gerekiyor. Babam her şeyi biliyor. Buraya kadarmış."

Anahtar'ı tuttu. Kapının ardından tartışma sesleri geliyordu,

Sonra Attia, *"O senin baban değil, Claudia,"* dedi.

Hepsi ona döndüler.

Kız yerde oturuyordu, kollarını dizlerine dolamıştı. Kalkmadan, daha fazla konuşmadan, sebep olduğu şaşkın sessizlikte öylece oturdu; ince yüzü kirli ve sakindi, siyah saçları yağlıydı.

Claudia, kızın yanına gitti. "Ne?" Sesi hafif ve tuhaf çıkmıştı.

"Bu maalesef doğru." Attia sakin ve soğuktu. "Sana söylemeyecektim ama beni mecbur bıraktın; hem zaten artık bilmenin zamanı gelmişti. Incarceron Müdürü baban değil."

"Seni yalancı, küçük kaltak!"

"Hayır, doğru söylüyorum."

Keiro sırıttı.

Claudia'ya dünya sarsılıyormuş gibi geldi. Dışarıdan gelen gürültüye dayanamadı birden; onlara sırtını dönüp kapıyı açtı. Karşısında Jared'ı ve onu tutan iki muhafızı buldu.

"Ne oluyor?" Sesi sertti. "Bırakın girsin."

"Leydim, babanızın emirleri..."

"Babamın," diye haykırdı Claudia, "cehennemin dibine kadar yolu var!"

Jared, Claudia'yı odanın içine itti ve kapıyı sertçe kapadı. "Claudia, dinle..."

"Lütfen, Üstat! Şimdi olmaz!"

Jared ışıkalanını gördü. Claudia oraya geri döndü. "Tamam. Anlat bakayım," dedi.

Attia bir an konuşmadı. Sonra ayağı kalkıp çıplak kollarını temizledi. "Senden başından beri hoşlanmadım. Kibirlisin, bencilsin, şımarıksın. Kendini bir şey sanıyorsun ama burada on dakika bile dayanamazsın. On taneniz bir Finn etmezsiniz."

"Attia," diye homurdandı Finn ama Claudia sertçe konuştu: "Bırak konuşsun."

"Sapient'in kulesinde buradaki gelmiş geçmiş bütün Mahkûmların listelerini bulduk. Bunların hepsi kendi isimlerini aradılar ama ben öyle yapmadım." Attia, Claudia'ya yaklaştı. "Ben senin ismini aradım."

Finn ürpererek döndü. "Listelerde yok demiştin."

"Incarceron'da yok, dedim. Ama eskiden buradaymış."

Finn buz kesmişti. Claudia'nın yüzünün bembeyaz kesildiğini gördü; Jared usulca konuştu: "Ne zaman?"

"Burada doğmuş ve bir hafta kalmış. Sonrası yok. Kayıtlarda. Birisi bir haftalık bir kızı Hapishane'den çıkarmış ve bakın, o kız şimdi Müdür'ün kızı. Bir kızı olmasını çok istiyordu herhalde. Sanırım eskiden kızı vardı, yoksa bir erkek çocuk seçerdi."

Keiro, "Onu bir bebek fotoğrafından mı tanıdın?" dedi. "Bu çok..."

"Sadece bebek değil." Attia, gözlerini Claudia'dan ayırmıyordu. "Birisi deftere onun fotoğraflarını koymuş. Hepimizinki gibi görüntüler. Büyürkenki halleri. İstediği her şeye sahip olmuş, elbiselere, oyuncaklara, atlara. Bir de şey vardı..."

"Nişanlandığı zamanki hali mi?" dedi Keiro kurnazca.

Finn inleyerek döndü. "Orada mıydım? O resimde ben de var mıydım? Attia!"

Attia kendinden emin bir şekilde konuştu. "Hayır."

"Emin misin?"

"Orada olsan söylerdim." Kız dönüp içtenlikle konuştu. "Söylerdim, Finn. Sadece Claudia vardı."

Finn, Claudia'ya baktı. Kız afallamış gibiydi. Finn, Jared'a göz atınca adam, "Ben de burada Sapphique ismini duydum," dedi. "Anlaşılan o sahiden kaçmış."

Gildas döndü ve iki Sapient bakıştılar. "Bunun ne anlama geldiğini biliyorsun." Yaşlı adam muzafferdi. Yaralarından kan akıyordu ve topallıyordu ama bütün vücudundan enerji yayılıyordu. "Kızı dışarı çıkarmışlar. Sapphique de çıkmış. Yani çıkmak mümkün. Belki Anahtarlar'ı birleştirirsek kilidi açabiliriz."

Jared kaşlarını çattı. "Claudia?"

Claudia bir an kımıldayamadı. Sonra birden başını kaldırıp Finn'in gözlerine dikkatle baktı; Finn, kızın sert ve acı acı baktığını gördü. "Anahtar'ı sürekli açık tutun," dedi kız. "İçeri girdiğimde sizi bulmam gerekecek."

30

Yaşadığım onca yıl bu ana getirdi beni

Katettiğim onca yol bu duvara getirdi.

Bütün sözlerim bu sessizliğe getirdi beni

Gururum bu düşüşe yol açtı.

SAPPHIQUE ŞARKILARI

Claudia çalışma odasında kaygıyla dolanıyordu; üzerinde siyah bir ceket ve pantolon vardı. "Eee?"

"Beş dakika." Jared başını kaldırmadan kontrollerle uğraşmayı sürdürdü. Sandalyenin üzerine bir mendil koyup cihazı çalıştırmıştı; mendil ortadan kaybolmuştu ama Jared onu geri getirememişti.

Claudia yere bakıyordu.

Gelinliğini kendisini bile şaşırtan bir hiddetle parçalamıştı, dantelleri lime lime etmişti ve fırfırlı eteği yırtmıştı. Bütün bunlar geride kalmıştı. Protokol geride kalmıştı. Artık savaştaydı. Karanlık mahzenlerde koşarak buraya gelirken öfke, şaşkınlık ve harcanmış bir geçmişten kalma boşluğu hissetmişti.

"Pekâlâ." Jared başını kaldırıp baktı. "Neyin ne olduğunu anladım galiba ama bu makinenin seni nereye götüreceğini..."

"Beni nereye götüreceğini biliyorum. *O adamdan* uzağa götürecek." Müdür'ün babası olmadığı bilgisi kafasının içinde haykırılıyordu sanki, durmadan yankılanıyordu; o kızın usulca söylediği yıkıcı sözlerden başka bir şey duymayacaktı sanki bir daha.

"Sandalyeye otur," dedi Jared.

Claudia kılıcını kavrayıp sandalyeye gitti ve durdu. "Peki ya sen? Müdür durumu öğrenince..."

"Beni merak etme." Jared onu kolundan hafifçe tutup oturttu. "Babana direnmemin zamanı geldi. Benim için iyi olacak eminim."

Claudia'nın yüzü karardı. "Üstat... sana zarar verirse..."

"Sen sadece Giles'ı bulup geri getirme konusuna odaklan. Adalet yerini bulmalı. İyi şanslar, Claudia." Adam, Claudia'nın elini kaldırıp kibarca öptü. Claudia onu bir daha asla görmeyeceğini düşündü bir an; tek istediği ayağa fırlayıp ona sarılmaktı ama adam geri çekilip cihaz paneline gitti ve başını kaldırıp baktı. "Hazır mısın?"

Claudia konuşamadı. Başıyla onayladı. Sonra, tam adamın parmakları panele dokunurken, çabucak konuştu: "Hoşça kal, Üstat."

Adam mavi düğmeye bastı. Tavan slotlarından bir beyaz ışık kafesi iniverdi; köreltici bir şekilde parlaktı ve bir anlığına belirip kaybolunca geride, Jared'ın retinasındaki siyah izi kaldı sadece.

Jared ellerini yüzünden indirdi.

Oda boştu. Havada hafif tatlı bir koku vardı.

"Claudia?" diye fısıldadı.

Karşılık gelmedi. Sessizlikte uzun süre bekledi. Kalmak istiyordu ama çıkması gerekiyordu; Müdür olanları mümkün olduğunca geç öğrenmeliydi ve kendisini burada bulurlarsa... Ayarları telaşla eski haline getirdi, büyük bronz kapıdan usulca çıktı ve ardından kapıyı kilitledi.

Mahzenlerden geçip yukarı çıkarken yol boyunca ecel terleri döktü. Gözden kaçırdığı, tarayıcısının saptayamadığı bir alarm çalıyor olmalıydı. Her adımda karşısına Müdür'ün ya da Saray muhafızlarının çıkmasını bekliyordu; koridorlara çıktığında beti benzi atmış halde tir tir titriyordu ve bir girintiye yaslanıp da derin, kontrollü nefesler alırken oradan geçen bir hizmetçinin meraklı bakışlarına maruz kaldı.

Büyük Salon'daki kalabalığın gürültüsü iyice artmıştı. İnsanların arasından geçerken gerilimin giderek arttığını, neredeyse histerikçe denebilecek bir hevesle beklediklerini sezdi. Claudia'nın inmesi beklenen merdiven her yerden görülüyordu; pudralanmış peruklarıyla uşaklar merdivende iki sıra halinde dizilmişlerdi. Jared şöminenin yanındaki bir sandalyeye otururken, muhteşem bir altın sarısı elbise giyip elmaslı taç takmış olan Kraliçe'nin merdivene sinirle göz attığını gördü.

Ama gelinlerin gecikmesi âdettendi.

Jared arkasına yaslanıp bacaklarını uzattı. Korkudan ve yorgunluktan başı dönüyordu ama tuhaf bir huzur hissediyor olması da şaşırtıcıydı. Bunun ne kadar süreceğini merak etti.

Sonra Müdür'ü gördü.

Claudia'nın babası olmayan adam uzun boylu ve ağırbaşlıydı. Jared, Müdür'ün gülümsemesini, kafa sallamasını, bekleyen Saray mensuplarıyla zarifçe çene çalmasını seyretti. Adam bir ara saatini çıkarıp göz attı ve kulağına götürdü; sanki o gürültüde saatinin çalışıp çalışmadığını anlaması gerekiyordu. Sonra saati cebine koyup kaşlarını çattı.

Giderek sabırsızlanıyordu.

Kalabalık mırıldanmaya başlamıştı. Caspar gelip annesine bir şeyler söyledi; kadın onu tersleyince de yandaşlarının yanına geri döndü. Jared, Kraliçe'yi seyretti. Kadının saçları zarifçe yukarıdan toplanmıştı, beyazlatılmış yüzündeki dudakları kıpkırmızıydı, giderek şüphelendiği sakin ve kurnaz gözlerinden okunuyordu.

Kadın, Müdür'ü parmağıyla yanına çağırdı. Biraz konuştular. Kırçıl saçları yatırılmış bir uşak çağrıldı ve adam eğilerek usulca kalabalığa karıştı.

Jared yüzünü ovuşturdu.

Yukarıda, Claudia'nın odalarında panik hâkimdi herhalde, hizmetçiler onu arıyorlardı, ellerinde kzın gelinliğini tutuyorlardı, canlarının derdine düşmüşlerdi. Muhtemelen hepsi kaçıyordu. Jared, Alys'in onların arasında olmadığını umdu, yoksa yaşlı kadın suçlanırdı. Jared duvara yaslandı ve tüm cesaretini toplamaya çalıştı.

Fazla beklemesi gerekmedi.

Merdivenden sesler geldi. Başlar o tarafa çevrildi. Kadınlar görmek için boyunlarını uzattılar, elbise hışırtıları duyuldu ve başlayan hafif alkışlar yerini şaşkınlığa bıraktı çünkü kırçıl saçlı uşak koşarak iniyordu, nefes nefeseydi ve ellerinde gelinliği, daha doğrusu gelinliğin kalıntılarını tutuyordu. Jared dudağındaki teri sildi. Claudia'nın o gelinliği parçalarkenki hiddetine daha öncesinde hiç tanık olmamıştı.

Kaos başladı.

Öfkeli bir haykırış duyuldu; emirler verildi; silahlar tokuşturuldu.

Jared yavaşça ayağa kalktı.

Kraliçe'nin yüzü bembeyazdı; Müdür'e döndü. "Bu ne? Kız nerede?"

Müdür buz gibi bir sesle konuştu. "Hiçbir fikrim yok, madam. Ama bence..."

Sustu. Gri gözleriyle, kargaşa içindeki kalabalığın arasından Jared'la bakıştı.

Birbirlerine baktılar ve ansızın sessizlik çöktü; bakıştıklarını fark eden kalabalık geri çekilmişti, sanki insanlar o öfke koridorunda durmaktan korkuyorlardı.

"Üstat Jared," dedi Müdür. "Kızım nerede, biliyor musunuz?"

Jared hafifçe gülümsemeyi başardı. "Bunu maalesef söyleyemem, efendim. Ama şu kadarını söyleyebilirim. Evlenmekten vazgeçti."

Kalabalıktan çıt çıkmıyordu.

Gözleri hiddetle parlayan Kraliçe, "Oğlumu terk mi etti?" dedi.

Jared, kadını eğilerek selamladı. "Fikrini değiştirdi. Birden oldu ve bunu ikinize de söyleyemeyeceğini düşündü. Saray'dan ayrıldı. Kendisini bağışlamanız için yalvarıyor."

Claudia'nın bu son sözden nefret edeceğini düşündü ama çok dikkatli olması gerekiyordu. Kendini gelecek tepkiye hazırladı. Kraliçe tamamen fesatça bir kahkaha attı; Müdür'e döndü. "Sevgili John, bu sana ne büyük bir darbe oldu! Kurduğun onca plandan, kumpastan sonra! Bana başından beri iyi bir fikir gibi gelmemişti zaten. O kız... hiç uygun değildi. Kızının yerini alacak kişiyi yanlış seçtin."

Müdür gözlerini Jared'dan ayırmıyordu; Jared bu kertenkele bakışlarının karşısında cesaretinin giderek taşlaştığını hissetti. *"Nereye gitti?"*

Jared yutkundu. "Eve."

"Tek başına mı?"

"Evet."

"Faytonla mı?"

"At sırtında."

Müdür döndü. "Hemen peşine düşün. *Çabuk!"*

Adam buna inanmış mıydı? Jared emin değildi.

"Ailevi sorunların üzücü tabii," dedi Kraliçe zalimce, "ama bir daha asla böyle bir hakarete tahammül etmeyeceğimin farkındasındır elbette. Düğün olmayacak Müdür, o kız emekleye emekleye gelip de yalvarsa bile olmayacak."

Caspar, "Vay düzenbaz, nankör kaltak," diye mırıldandı ama annesi onu bir bakışta susturdu.

"Odayı boşaltın," dedi sert bir sesle. "Herkes dışarı."

Bu bir işaretmişçesine kalabalıktan bağrışmalar, heyecanla sorulan sorular, afallamış insanların fısıltıları yükseldi.

Jared kımıldamadan duruyordu ve Müdür ona bakıyordu; o gözlerde Sapient'in artık katlanamadığı bir ifade vardı. Sırtını döndü.

"Sen kal." John Arlex'in buyurgan sesi boğuk ve tanınmazdı.

"Müdür." Lord Evian kalabalığın içinden ite kaka geçerek onlara yaklaştı. "Haberi... yeni duydum... doğru mu?"

Yapmacık tavırlarından eser kalmamıştı; beti benzi atmıştı ve pürdikkat bakıyordu.

"Doğru. Gitti." Müdür ona kasvetle göz attı. "Her şey bitti."

"Öyleyse... Kraliçe?"

"Hâlâ Kraliçe."

"Ama... planımız..."

Öfkeyle kızaran Müdür onu susturdu. "Yeter be adam! Dediğimi duymuyor musun sen? Pudra ponponlarına ve parfümlerine geri dön. Elimizde başka bir şey kalmadı."

Evian olanları anlayamıyormuşçasına daracık, buruşuk takım elbisesini kaygıyla çekiştirince bir düğme koptu. "Böyle bitmesine izin veremeyiz."

"Başka şansımız yok."

"Bütün hayallerimiz. Dönem'in sona ermesi." Bir elini ceket cebine soktu. "İzin veremem. Vermeyeceğim."

Öyle hızlı harekete geçti ki Jared olanları anlayamadı; parıldayan bıçak Kraliçe'ye doğru savruldu. Kadın dönerken bıçak omzuna saplandı; şoka giren Kraliçe çığlığı bastı. Altın sarısı elbisesine kan akmaya başladı hemen, ufak ufak fışkırıyor ve derecikler halinde akıyordu; kadın inleyerek Caspar'a tutundu ve Saray mensuplarının kollarına yığıldı.

"Muhafızlar!" diye haykırdı Müdür. Kılıcını çekti.

Jared döndü.

Evian sendeleyerek geri çekiliyordu; pembe ceketine kan bulaşmıştı. Başaramadığını görmüş olmalıydı; Kraliçe histerik bir haldeydi ama yaşıyordu ve tekrar bıçaklamak mümkün değildi. En azından Kraliçe'yi. Koşarak gelen askerler sivri mızraklarını uzatarak Evian'ın etrafını çelik bir halkayla çevirdiler. Evian, Jared'a görmeyen gözlerle baktı ve ardından bakışlarını Müdür'e, korkudan beti benzi atmış Caspar'a çevirdi.

"Bunu özgürlük için yapıyorum," dedi sakince. "Özgürlüğün bulunmadığı bir dünyada."

Birden bıçağı çevirip kendi kalbine iki eliyle birden sapladı. İki büklüm oldu, yere yığıldı, bir an titredi ve sonra hareketsiz kaldı. Jared muhafızların arasından ite kaka geçip de adamın üzerine eğilince, neredeyse anında onun öldüğünü anladı; ipek kumaşa hâlâ yavaşça kan yayılıyordu.

Jared o tombul yüze, açık gözlere dehşet içinde baktı.

"Aptaldı," dedi Müdür arkasından. "Ve zayıftı." Elini uzatıp Jared'ı ayağa kaldırdı ve sertçe kendine çevirdi. "Peki *sen* zayıf mısın, Üstat Sapient? Ben öyle olduğunu düşündüm hep. Haklı olup olmadığımı yakında göreceğiz." Muhafıza baktı. "Üstat'ı odasına götürüp kilitleyin. Orada bulduğunuz bütün cihazları bana getirin. Kapıda iki adam nöbet tutsun. Odasından çıkmayacak ve ziyaretçisi olmayacak."

"Başüstüne." Adam eğildi.

Kraliçe dışarı çıkarılmış ve kalabalık dağıtılmıştı; Büyük Salon birden bomboş görünmeye başlamıştı. Turuncu çelenkler açık pencelerden esen rüzgârla kımıldıyordu. Jared kapıya götürülürken yere düşmüş taç yapraklarına ve yapışkan tatlılara bastı; asla gerçekleşmeyecek bir evliliğin kalıntılarıydı bunlar.

Tam onu dışarı iterlerken dönüp geriye bakınca Müdür'ün yüksek şömineye ellerini koyarak eğilmiş olduğunu gördü. Adam beyaz mermerin üzerindeki ellerini yumruk yapmıştı.

Beyaz bir ışıktan başka bir şey olmadı. Claudia gözlerini açtığında yanma hissediyordu; görüşü bulanıktı ve gözlerinin önünde bir dakika kadar salınan siyah noktalar hücrenin duvarlarını loşlaştırdı.

Bir hücrede olduğu kesindi. İçerisi pis kokuyordu. Koku öyle kesifti ki öğürdü ve tekrar nefes almamaya, o rutubet, sidik ve çürümüş ceset kokusunu içine çekmemeye çalıştı.

Her tarafta samanlar vardı; samanların üzerinde oturuyordu ve aradan sıçrayan bir pire kızın eline kondu. Claudia tiksintiyle tıslayarak ayağa fırlayıp pireyi üzerinden silkeledi, ürperdi ve kaşındı.

Burası Incarceron'du demek.

Tam tahmin ettiği gibiydi.

Hücrenin duvarları taştandı ve taşların üzerine kazınmış kadim isimlerle tarihler liken ve alg kaplıydı. Yukarıdaki çapraz tonoz karanlıkta görülmüyordu. Duvarda, yüksekte bir pencere vardı ama üzeri örtülmüştü sanki. Başka bir şey yoktu. Ama hücre kapısı açık gibiydi.

Claudia bir nefes daha aldı ve öksürmemeye çalıştı. Soğuk, rutubetli hücrenin sessizliği ağır, iç karartıcıydı. Dinleyen bir sessizlikti. Ve hücrenin köşesinde bir Göz'ün durduğunu gördü. Onu kayıtsızca izleyen küçük, kırmızı bir Göz'dü bu.

Claudia kendini normal hissediyordu. Karıncalanma hissi, mide bulantısı yoktu. Kendine baktı; elleri Anahtar'ı sımsıkı tutuyordu. Gerçekten küçücük mü olmuştu? Yoksa boyut göreceli miydi, burası normal miydi ve dışarıdaki Diyar bir devler dünyası mıydı?

Kapıya gitti. Kapının epeydir kilitlenmediği belliydi. Üzerindeki zincirler sarkıyordu ayrıca zincirler paslıydı ve menteşeler aşındığından kapı eğik duruyordu. Kapının altından eğilerek geçip koridora girdi.

Burası taştandı, pisti ve karanlığa uzanıyordu.

Anahtar'a baktı, görüntüleyiciyi çalıştırdı. "Finn?" diye fısıldadı.

Bir şey olmadı. Ama koridorda, uzakta bir şey uğuldadı. Hafif bir iniltiydi, bir makine çalıştırılmıştı sanki. Claudia hemen Anahtar'ı kapadı; kalbi küt küt atıyordu. "Sen misin?"

Karşılık gelmedi.

İki adım attıktan sonra durdu. O ses yine işitilmişti, hemen ilerisinden gelen hafif ve tuhaf bir şekilde arayış içinde bir sesti. Claudia kırmızı bir Göz'ün açıldığını, yarım daire biçiminde döndüğünü, sonra da durup yeniden kendisine döndüğünü gördü. Hiç kımıldamadan durdu.

"Seni görüyorum," dedi bir ses usulca. *"Seni tanıyorum."*

Finn'in sesi değildi. Claudia'nın tanıdığı birisinin sesi değildi.

"Çocuklarımın hiçbirini asla unutmam. Ama sen bir süredir burada değildin. Bunu anladığıma emin değilim."

Claudia kirli eliyle yanağını sildi. "Kimsin? Seni göremiyorum."

"Görebiliyorsun. Üzerimde duruyorsun, beni nefes olarak içine çekiyorsun."

Claudia geri çekildi, aşağı baktı ama sadece taş zemin, karanlık vardı.

Kırmızı Göz onu seyrediyordu. Claudia pis havayı içine çekti. "Sen Hapishane'sin."

"Öyleyim." Ses şaşkın gibiydi. *"Sen de Müdür'ün kızısın."*

Claudia konuşamadı. Jared, Hapishane'nin zekâsı olduğunu söylemişti ama Claudia bu kadarını beklememişti.

"Birbirimize yardım edelim mi, Claudia Arlexa?" Ses sakindi ve biraz yankılıydı. *"Finn'i ve arkadaşlarını arıyorsun. Değil mi?"*

"Evet." Claudia bunu söylemekle iyi mi etmişti?

"Seni onlara götüreceğim."

"Bunu Anahtar yapar."

"Anahtar'ı kullanma. Sistemlerime müdahale ediyor."

Claudia yanılıyor muydu, yoksa Hapishane telaşla, neredeyse sinirli mi konuşmuştu? Koridorun karanlığına doğru yavaşça yürümeye başladı. "Anlıyorum. Peki, karşılığında ne istiyorsun?"

Bir ses. İç geçirme veya hafif bir gülüş olabilirdi. *"İlk kez duyduğum bir soru değil bu. Bana, Dışarı'yı anlatmanı istiyorum. Sapphique geri gelip bana anlatacağına söz vermişti ama gelmedi. Baban da anlatmıyor. Dışarı'nın varlığından şüphelenmeye başladım; Sapphique öldü mü ve siz algılayamadığım bir yerde mi yaşıyorsunuz diye merak etmeye başladım. Bir milyar Göz'üm var, algılarım var ama Dışarı'yı göremiyorum. Kaçma hayalini sadece Mahkûmlar kurmuyor, Claudia. Ama kendimden nasıl kaçabilirim ki?"*

Claudia bir köşeye vardı. Koridor ikiye ayrılıyordu; iki kolu da karanlıktı, rutubetliydi ve birbirinin aynısıydı. Claudia kaşlarını çatıp Anahtar'ı sımsıkı tuttu. "Bilmiyorum. Benim de yapmaya çalıştığım şey o. Pekâlâ. Beni Finn'e götür. Yolda sana Dışarı'yı anlatırım."

İleride ışıklar titreşerek yandı. *"Bu taraftan."*

Claudia duraksadı. "Yerlerini sahiden biliyor musun? Yoksa numara mı yapıyorsun?"

Sessizlik. Sonra: *"Ah, Claudia. Baban küplere binecek. Öğrenince."*

31

Bütün gün ve bütün gece düştü. Karanlık bir çukura düştü. Taş gibi, kanadı kırık bir kuş gibi, cennetten kovulmuş bir melek gibi düştü. Yere çarpınca dünyayı yaraladı.

SAPPHIQUE EFSANELERİ

"Değişti." Keiro, Anahtar'a dikkatle bakıyordu. "Renkler."

Finn kristali titreşen bir ışığa kaldırdı. Kırmızı ışıklar uğulduyordu, titreşerek sessiz bir gökkuşağına karışıyordu. Elindeki Anahtar ısınmış gibiydi.

"Claudia İçeri'dedir belki."

"Öyleyse neden bizimle konuşmuyor?"

İlerideki Gildas döndü; karanlıkta topallayan bir gölgeydi. "Bu taraftan mı? Finn?"

Finn'in hiçbir fikri yoktu. Gemi enkazı çok geride kalmıştı; küp bir huniye dönüşmüştü, içinde telaşla yürürlerken giderek daralıyordu, yan tarafları ve tavanı giderek sıkıştırıyordu, siyah taşa dönüşüyordu, duvarlarda tanıdık obsidiyen parıltıları görülüyordu.

"Yanımdan ayrılmayın," diye mırıldandı. "Koruyucu alanın büyüklüğünü bilmiyoruz."

Gildas onu belli belirsiz duydu. Jared'la konuşunca arayış tutkusu depreşmişti; heyecanla topallayarak önden gidiyordu, duvarlardaki hafif çizikleri inceliyordu, kendi kendine mırıldanıyordu. Yaralarını umursamaz gibiydi ama Finn o yaraların adamın belli ettiğinden daha ağır olduklarını tahmin ediyordu.

"Aptal moruk kafayı yiyor," diye mırıldandı Keiro tiksintiyle. Döndü. "Şu kız da ayrı bir mesele."

Attia geriden geliyordu. Bilinçli olarak yavaş yürüyor gibiydi; gölgelerde düşüncelere dalmış gibi görünüyordu.

"İyi numaraydı." Keiro yürümeyi sürdürdü. Finn'e keskin bir bakış fırlattı. "Tam bel altından vurdu."

Finn başıyla onayladı. Claudia donakalmıştı. Ağır bir yara almış birisinin acı çekmemek için kımıldamadan durması gibi.

"Ama," dedi Keiro, "dışarı çıkmak mümkünmüş. Yani biz de çıkabiliriz."

"Kalpsizsin. Yalnızca kendini düşünüyorsun hep."

"Bir de seni kardeşim." Kan kardeşi dikkatle etrafa bakındı. "Dışarı'sı sahiden varsa ve sen orada bir çeşit kralsan, sana gözüm gibi bakarım. Prens Keiro olmak bana yeter."

"Krallık yapabilir miyim... kral olabilir miyim emin değilim."

"Olabilirsin. Altı üstü rol yapacaksın. Sen yalan söylemekte ustasın, Finn." Keiro ona yan yan baktı. "Krallığı havada karada yaparsın."

Bir an bakıştılar. Sonra Finn, "Bir ses duyuyor musun?" dedi.

Bir mırıltı. Koridordan gelen hafif insan sesleri. Keiro kılıcını çekti. Attia onlara sokuldu. "O ne?"

"İleride bir şey var." Keiro kulak kabarttı ama sesler yeniden işitilmedi. Kımıldamadan, bir elini duvara yaslayarak duran Gildas, "Belki de Claudia'dır," diye fısıldadı. "Bizi buldu."

"Öyleyse, epeyce çabuk buldu." Keiro usulca ilerledi. "Dağılmayın. Finn, sen arkadan git ve Anahtar'a göz kulak ol."

Gildas alaycı biçimde gülse de aralarındaki yerini aldı.

Gelen bir insan sesiydi. İleride bir yerlerde birisi konuşuyordu; usulca yaklaşırlarken koridorun giderek dolduğunu gördüler; şimdi büyük zincirler, kelepçeler, etrafa saçılmış aletler, sırtüstü yatan kırık bir Kınkanatlı vardı. Küçük hücrelerin önünden geçtiler; bazılarının kapısı kilitliydi ve bir tanesinin parmaklığından içeri bakan Finn, küçük ve karanlık bir oda, boş bir tabağın üzerinde gezinen sıçanlar, bir köşede yatan ve ceset olabilecek bir kirli paçavralar yığını gördü. Her şey hareketsizdi. Finn burasının yaratıcıları tarafından bile unutulmuş bir yer, Incarceron'un bile yüzyıllardır ilgilenmediği bir köşe olduğunu hissetti. Maestra'nın adamları Anahtar'ı böyle bir yerde, onu yaratmış ya da çalmış adamın kuru kemiklerinin üzerinde mi bulmuşlardı?

Büyük bir sütunun yanından geçerken Maestra'yı unutmaya başladığını fark etti. Kadın çok eskilerde kalmış gibiydi şimdiden ama yine de köprünün tangırtısı ve kadının o son bakışı Finn'in belleğindeydi hâlâ, adamın uyumasını, boş bulunmasını bekliyordu. Kadının merhameti de.

Attia onu tuttu; Finn yanlarından geçip gitmekte olduğunu fark etti.

"Uyuma, kardeşim." Keiro öfkeyle fısıldamıştı.

Kalbi küt küt atan Finn, zihnini toplamaya çalıştı. Yüzündeki karıncalanma hissi giderek geçti. Derin soluklar aldı.

"İyi misin?" diye fısıldadı Gildas.

Finn başıyla onayladı. Nöbet geçirmesine ramak kalmıştı, az kalsın fark etmeyecekti. Midesi bulandı.

Başını köşeden uzatınca bakakaldı.

O ses, Finn'in hiç işitmediği bir dilde konuşuyordu, tıkırdıyor ve cıyaklıyor ve monoton bir biçimde heceler söylüyordu. Kınkanatlılara, Süpürücülere, Sineklere ve cesetleri taşımak için duvarlardan çıkan metal sıçanlara hitap ediyordu. Büyük bir salonun zemininde, yan yana dizili halatların üzerinde ve havadaki geçitlerde milyonlarcası çömelmiş halde kımıldamadan duruyordu, hepsi de karanlıkta ışık saçan parlak bir yıldıza bakıyordu. Incarceron, yaratıklarına talimatlar veriyordu ve söylediği sözler birbirine eklenmiş farklı farklı seslerden, melodik cızırtılardan ve gürlemelerden ibaretti.

"Duyabiliyorlar mı?" diye fısıldadı Keiro.

"Sadece sözlerle konuşmuyor." Bir titreşim de vardı, karanlığın ortasından gelen tok bir sesti, dev bir kalbin çarpması ya da büyük bir saatin işlemesi gibiydi.

Konuşan ses kesildi. Makineler hemen dönüp sıra halinde sessizce uzaklaştılar, karanlıkta gözden kayboldular; sonuncusu da neredeyse hiç ses çıkarmadan gitti.

Finn harekete geçti ama Keiro onu sımsıkı tuttu.

Göz hâlâ seyrediyordu. Işığı boş salonu aydınlatıyordu. Sonra ses usulca konuştu: *"Anahtar'ı getirdin mi Finn? Şimdi alayım mı?"*

Finn inledi. Kaçmak istedi ama Keiro onu bırakmadı. Finn, Hapishane'nin hafifçe, neşeyle güldüğünü işitince dudağını ısırdı. *"Claudia İçeri'de. Bunu biliyor muydun? Sizi birbirinizden ayrı tutmak niyetindeyim elbette. Öyle büyüğüm ki bunu yapmak çok kolay olacak. Benimle konuşmayacak mısın, Finn?"*

"Burada olup olmadığımıza emin değil," diye fısıldadı Keiro.

"Bana emin gibi geldi."

Finn, Anahtar'ın güvenliğini terk etmek, kollarını açıp dışarı çıkmak istedi mantıksızca. Ama Keiro onu bırakmadı ve Attia'ya döndü. "Geri gidin. Çabuk."

"Ben sadece bir makineyim elbette," dedi Incarceron acı acı. *"Senin aksine. Peki, sen insan mısın? Hepiniz safi insan mısınız? Belki ben de küçük bir deney yapmalıyım."*

Keiro, Finn'i panikle itti. "Kaçın!"

Çok geçti. Bir hışırtı ve çatırtı duyuldu. Keiro'nun kılıcı elinden fırlayıp duvara tangırdayarak çarptı ve orada aşağı dönük halde hareketsiz kaldı.

Finn geriye çekildi, taşlara savruldu, kemerindeki Anahtar onu duvara çiviledi, elindeki hançer kolunu muazzam bir güçle duvara yatırdı.

"Ah. Şimdi seni hissediyorum, Finn. Şimdi korkunu hissediyorum."

Finn kımıldayamıyordu. Bir an duvarın içine çekildiğini düşündü panikle; sonra Gildas kendisini çekiştirmeye başlayınca bıçağı bıraktı ve eli serbest kalınca duvarın mıknatısa dönüşmüş olduğunu fark etti. Demir ve tunç parçaları şiddetli bir yatay tipi halinde uçuyorlardı; duvar birden aletlerle, dev zincirlerle kaplandı. Finn kulağının hemen yanına bir zincir şangırdayarak yapışınca eğilip küfretti. "Kurtarın beni!" diye haykırdı.

Vücudu, Anahtar'la mıknatısın arasında eziliyordu.

Gildas kristali tutmuştu bile; yaşlı adam çekerken, "Yardım edin," diye inleyince Attia onu küçük elleriyle sımsıkı tuttu. Anahtar'ı yavaşça, görünmez parmaklardan kurtarırcasına çekip Finn'in üzerinden aldılar; Finn tökezleyerek öne düştü.

"Gidin. *Gidin!*"

Incarceron derinden bir kahkaha attı. *"Ama gidemezsin. Kardeşini almadan."*

Kaçmaya hazırlanan Finn kalakaldı.

Keiro duvarın yanında duruyordu. Elinin tersi siyah duvara yaslıydı tuhaf bir şekilde. Finn bir an onun kılıcı kurtarmaya çalıştığını düşünerek, "Boş ver onu!" diye fısıldadı ama sonra Keiro başını çevirip ona soğuk bir hiddetle baktı.

"Kılıç değil."

Finn, kan kardeşinin kolunu tutup çekti.

Kol yerinden kımıldamıyordu.

"Bırak."

"Bir şey tutmuyorum," diye fısıldadı Keiro öfkeyle. Yüzünü diğer tarafa çevirdi. Finn yakından baktı.

"Ama..."

Kardeşi başını çevirip bakınca Finn onun gözlerindeki öfke karşısında afalladı. "Ben yapıştım, Finn. Anlamıyor musun? O kadar aptal mısın? Ben yapıştım!"

Sağ işaret parmağının tırnağı. Duvara sımsıkı yapışmıştı ve Finn kardeşinin elini tutup çekse de tırnak olduğu yerde kaldı, mıknatısa yapışmış küçük bir kalkandı ve onu hiçbir şey yerinden kımıldatamazdı.

"Onu bırakayım mı?" dedi Hapishane kurnazca.

Finn, Keiro'yla bakıştı. "Evet," diye fısıldadı.

Duvarlardaki bütün metaller aynı anda, hepsini irkilten bir gürültüyle yere düştü.

Claudia durdu. "O neydi?"

"Ne?"

"O gürültü!"

"Hapishane'de hep gürültü olur. Lütfen Kraliçe'den bahsetmeye devam et. O çok..."

"Şuradan geldi." Claudia içinden geçtiği loş, kemerli geçide bakıyordu. İleride en fazla kendi boyunda, örümcek ağlarıyla kaplı bir geçit gördü.

Incarceron güldü ama neşesinde kaygı vardı. *"Finn'i bulmak istiyorsan dümdüz devam etmelisin."*

Claudia suskundu. Birden etrafında Incarceron'un gergin varlığını hissetti; sanki Incarceron soluğunu tutmuş bekliyordu. Kendini küçük ve aciz hissetti. "Bence yalan söylüyorsun," dedi.

Bir an hiçbir şey olmadı. Geçitte koşan bir sıçan onu görünce geri döndü. Sonra ses düşünceli bir şekilde konuştu: *"Finn'i çok aptalca, romantik bir gözle görüyorsun; kayıp Prens, hapsedilmiş kahraman. Küçük bir çocuğu hatırlıyorsun ve Finn'in o olmasını istiyorsun. Ama Finn sahiden Giles'sa bile bu çok eskidendi, bir ömür önceydi ve Finn artık aynı değil. Onu değiştirdim."*

Claudia karanlığa baktı. "Hayır."

"Ah, evet. Baban haklıydı. Burada insanlar sağ kalmak için varlıklarının özüne dönerler. Başkalarının acısını bile görmeyen, umursamaz hayvanlara dönüşürler. Finn hırsızlık yaptı, belki de insan öldürdü. Öyle bir adam nasıl tahta geri dönüp de hükümdarlık yapabilir? Ona bir daha nasıl güvenilebilir? Sapientler bilgeydiler ama kurtulması imkânsız bir sistem yarattılar, Claudia. Acımasız bir sistem."

Sesi, Claudia'nın içini donduruyordu. Claudia o ikna edici sesi dinlemek, şüphelere kapılmak istemiyordu.

Anahtar'ı çalıştırıp basık geçide saptı ve koşmaya başladı.

Yere saçılmış kalıntılara, kemiklere ve samanlara basıp kayıyordu; bir yaratığın leşi öyle çürümüştü ki Claudia onun üzerinden atlarken leş dağılıverdi.

"Claudia. Neredesin?"

Hapishane her yerdeydi, Claudia'nın karşısındaydı, altındaydı.

"Lütfen dur. Yoksa seni durdurmak zorunda kalacağım."

Claudia karşılık vermedi. Bir kemerin altından eğilerek geçince karşısına kesişen üç tünel çıktı ama Anahtar artık öyle sıcaktı ki neredeyse elini yakıyordu; soldaki tünele dalıp açık hücre kapılarının önünden koşarak geçti.

Hapishane gürledi. Yer sarsıldı, Claudia'nın altında halı gibi dalgalandı. Claudia havalanırken inledi; yere düşünce çığlık attı, bir bacağı kanlanmıştı ama doğrulup koşmaya devam etti çünkü Anahtar'ı varken Hapishane onun yerini tam olarak bilemezdi.

Dünya sarsılıyordu. Sağa sola yatıyordu. Karanlık yaklaşıyordu, duvarlardan pis kokular yayılıyordu, yarasalar sürü halinde dönüyordu. Claudia çığlık atmayacaktı. Taşlara tutunarak ilerledi; kendini zorladı, geçit yükselip bir tepeye, sarp ve kaygan bir tepeye dönüştüğünde ve üzerindeki molozlar aşağı kaydığında bile.

Sonra, tam tutunmayı bırakıp da gerisin geri aşağı kaymaya razı olmuşken, insan sesleri işitti.

Keiro parmaklarını oynattı. Yüzü kızarmıştı ve Finn'le göz göze gelmiyordu. Sessizliği Gildas bozdu. "Bir yarımadamla yolculuk ediyormuşum meğer."

Keiro ona aldırmadı. Finn'e bakınca, "Ne kadar zamandır biliyorsun?" dedi Finn.

"Hayatım boyunca." Finn'in kan kardeşinin sesi kısıktı.

"Ama sen. Onlardan en çok sen nefret ederdin. Onları küçümserdin..."

Keiro sinirli sinirli kafa salladı. "Evet. Elbette. Onlardan nefret ediyorum. Onlardan nefret etmek için senden daha fazla nedenim var. Ödümü kopardıklarını anlamıyor musun?" Attia'ya göz attıktan sonra Hapishane'ye seslendi. "Ve sen! Kalbini bir bulsam onu ortadan ikiye yarıveririm, yemin ederim!"

Finn ne hissettiğini bilmiyordu. Keiro öyle mükemmeldi ki hayatı boyunca olmak istediği her şeydi. Yakışıklıydı, cesurdu, kusursuzdu, Finn'in hep kıskandığı hoş bir özgüveni vardı. Onun ödü kopmazdı asla.

"Bunu bütün oğullarım düşünür," dedi Incarceron kurnazca.

Keiro duvarın dibine çöktü. İçindeki ateş sönmüş gibiydi. "Beni korkutuyor çünkü boyutunu bilmiyorum," dedi. Elini kaldırıp parmağını oynattı. "Gerçek gibi görünüyor, değil mi? Kimse anlayamaz. Peki, başka yerlerimin de öyle olmadığını nereden bileyim? İç organlarımın, kalbimin. Nasıl bilebilirim?" Bu soruyu ızdırapla sormuştu, sanki kendine milyonlarca kez sormuştu ve küstahlığı asla sergilemediği korkusuydu aslında.

Finn etrafa bakındı. "Hapishane söyleyebilir."

"Hayır. Bilmek istemiyorum."

"Benim için önemi yok." Finn, Gildas'ın küçümseyici gülüşüne aldırmadan Attia'ya göz attı.

Kız usulca konuştu. "Hepimiz kusurluyuz. Sen bile. Üzgünüm."

"Sağ ol." Keiro aşağılayıcıydı. "Bir köpek-kız ve bir Yıldızgörücü bana acıyor. Şimdi kendimi gerçekten daha iyi hissettim."

"Biz sadece..."

"Boş ver. İhtiyacım yok." Finn'in uzattığı eli itip ayağa kalktı. "Ve bunun beni değiştirdiğini düşünmüyorum. Ben hâlâ benim."

Gildas topallayarak yanlarından geçti. "Eh, ben sana hiç acımıyorum. Haydi, yola devam edelim."

Keiro, adamın sırtına öyle nefretle ve kaskatı baktı ki Finn araya girdi; kan kardeşi yerdeki kılıcı kaptı ama Sapient'in peşinden bir adım atınca Hapishane sallanıp sarsıldı.

Finn duvara tutundu.

Dünya hareketsiz kaldığında hava ağırlaşmıştı ve toz doluydu; toz, sis gibi havada asılı duruyordu ve Finn'in kulakları çınlıyordu. Gildas acıyla tıslıyordu. Attia eğildi; miyasmanın arasından işaret etti. "Finn. Şu nedir?"

Finn bir an bilemedi. Sonra onun bir yüz olduğunu gördü. Tuhaf bir şekilde temiz, parlak ve zeki gözlere sahip, alelacele toplanmış saçları darmadağın olmuş bir yüz. Finn'e geçmişin sislerinden, bir pastanın üzerindeki mumların Finn'in eğilip de tek nefeste söndürdüğü küçük alevlerinin arasından bakan bir yüz.

"Sen misin?" diye fısıldadı kız.

Finn başıyla onayladı, onun Claudia olduğunu bilerek.

32

Bize bunun için teşekkür edeceksiniz. Gereksiz makinelere enerji harcamayacağız. Kıskançlığa ve arzulara kapılmadan, sade yaşamayı öğreneceğiz. Ruhlarımız, dalgasız deniz kadar sakin olacak.

KRAL ENDOR'UN FERMANI

Askerler iki saat sonra geldiler.

Jared onları bekliyordu; sessiz odadaki sert yatakta yatıp Saray'ın açık pencereden gelen seslerini dinlemişti; çok aşağıda dörtnala koşan atları, faytonları, koşuşturmaları, bağrışmaları. Sanki Claudia bir karınca yuvasına çomak sokmuştu ve şimdi hepsi panikle koşturuyorlardı, Kraliçeleri yaralanmıştı ve huzurları kaçmıştı.

Kraliçe. Jared kaskatı doğrulup adamlara bakarken, Kraliçe'nin hiddetine maruz kalmayacağını umdu.

"Üstat." Üniformalı uşak utanıyor gibiydi. "Bizimle gelir misiniz, efendim."

Protokol'den şaşmak yoktu hiç. Böylece gerçeklerle yüzleşmekten kurtuluyorlardı. Merdivenden inerlerken ihtiyatla peşlerinden gelen muhafızlar baltalı kargılarını kral asası gibi taşıyorlardı.

Jared hissedebileceği bütün duyguları çoktan hissetmişti. Dehşet, isyan, umutsuzluk. Şimdi geriye sadece uyuşukça bir teslimiyet kalmıştı. Müdür'ün yapacağı her şeye katlanması gerekiyordu. Claudia'ya zaman kazandırmalıydı.

Onu makam odalarının önünden geçirmelerine şaşırdı (Kaygılı elçilerin tartıştığı bu odalara ulaklar girip çıkıyordu); doğu kanadındaki küçük bir odaya götürüldü. Onu içeri soktuklarında burasının Kraliçe'nin özel misafir odalarından biri olduğunu gördü; içeride zarif, yaldızlı mobilyalar ve şömine rafındaki meleksi ve yapmacık gülümsemeli çoban kız heykellerinin arasında süslü bir saat vardı.

Odada Müdür'den başkası yoktu.

Adam masada oturmuyordu, kapıya dönük halde ayakta duruyordu. Şöminenin önüne iki koltuk çapraz yerleştirilmişti; şömine yanmıyordu ve içine büyük bir kâse dolusu kurutulmuş çiçek konmuştu.

Yine de burası bir tuzak gibi geliyordu.

"Üstat Jared." Müdür bir koltuğu uzun parmağıyla gösterdi. "Otur lütfen."

Jared memnuniyetle oturdu. Nefes nefeseydi ve başı dönüyordu.

"Biraz su." Müdür bir kadehi suyla doldurup getirdi. Jared suyu içerken Claudia'nın babasının (Hayır, kızın babası değildi) kendisini dikkatle izlediğini hissetti.

"Teşekkürler."

"Yemek yemedin mi?"

"Hayır... sanırım... o hengâmede..."

"Kendine daha iyi bakmalısın." Adamın sesi sertti. "Yasak cihazlara fazla zaman ayırıyorsun."

Adam elini salladı. Jared pencerenin yanındaki masanın üzerinde deneylerinde kullandığı cihazları, tarayıcıları, görüntüleyicileri, alarm engelleyicileri gördü. Bir şey demedi. "Bütün bunların illegal olduğunu biliyorsundur tabii." Müdür'ün gözleri buz gibiydi. "Sapientlere biraz hoşgörülü davrandık hep ama sen abartmış gibisin." Sonra, "Claudia nerede, Üstat?" dedi.

"Dedim ya..."

"Bana yalan söyleme. Evde yok. Eksik at da yok."

"Belki de... yaya gitmiştir."

"Herhalde." Müdür, Jared'ın karşısına oturdu; siyah satenden yapılma binici pantolonu zarifçe buruştu. "Belki de *ev* derken yalan söylemediğini düşünüyordun."

Jared fincanı bıraktı. Bakıştılar.

"Nasıl öğrendi?" dedi John Arlex.

Jared birden gerçeği söylemeye karar verdi. "Hapishane'deki kız söyledi; Attia, Finn'in arkadaşı. Bazı kayıtlar bulmuş."

Müdür yavaşça kafa salladı. "Ah, evet. Claudia öğrenince nasıl karşıladı?"

"O... çok şaşırdı."

"Kızdı mı?"

"Evet."

"Tahmin etmiştim."

"Ve yıkıldı."

Müdür ona dik dik baktı ama Jared bu bakışa soğukkanlılıkla karşılık verdi. "O kızınız olarak kendini hep güvende hissetmişti, efendim. Kim olduğunu biliyordu. Sizi... önemsiyor."

"Bana yalan söyleme." Adamın sesindeki ani öfke afallatıcıydı. Müdür kalkıp odada dolandı. "Claudia, hayatında tek bir kişiyi önemsedi, Üstat Sapient. Seni."

Jared kımıldamadan oturdu. Kalbi küt küt atıyordu. "Efendim..."

"Beni kör mü sandın?" Müdür döndü. "Kör değilim. Ah, dadıları ve hizmetçileri vardı ama Claudia kendisinin onlardan çok üstün olduğunu çabucak anladı. Eve ne zaman gelsem sizi gülüşüp konuşurken görüyordum, hava soğuksa senin ceketinin önünü ilikliyor, sana ballı sütler ve tatlılar getirtiyordu, özel esprileriniz vardı, birlikte çalışıyordunuz." Adam kollarını kavuşturup pencereden dışarı baktı. "Bana karşı mesafeliydi, soğuk davranıyordu. Beni tanımıyordu. Ben bir yabancıydım, Müdür'düm, Saray'da önemli bir şahsiyettim, arada sırada gelip giden birisiydim. Çekinilecek birisiydim. Ama sen, Üstat Jared, sen onun öğretmeni ve ağabeyiydin ve ona benden çok babalık ettin."

Jared artık buz kesmişti. Müdür'ün demir gibi otokontrolünün ardında yoğun bir nefret vardı; Jared bu nefretin derinliğini ilk kez fark ediyordu. Sakince nefes almaya çalıştı.

"Sence ne hissediyordum, Üstat?" Müdür birden döndü. "Bunu hissetmiyor muyum sanıyordun? Ne yapacağımı, bu durumu nasıl değiştireceğimi bilemediğim için acı çekmediğimi mi sanıyordun? Söylediğim her sözle onu kandırdığımın farkındaydım; her gün, sırf orada olmakla, çocuğum olduğunu sanmasına izin vermekle."

"O... bunu affetmez."

"Bana onun ne düşündüğünü söyleme!" John Arlex gelip adamın tepesine dikildi. "Seni hep kıskandım. Bu aptalca, değil mi? Bir hayalperesti, ailesiz bir adamı, birkaç darbede ölüverecek kadar çelimsiz bir adamı kıskandım. Incarceron Müdürü kıskançlıktan geberiyor."

Jared, "Ben... Claudia'yı çok severim..." demeyi başardı.

"Hakkınızda dedikodular çıktığını biliyorsundur tabii." Müdür birden dönüp uzaklaştı ve tekrar oturdu. "Onlara inanmıyorum; Claudia başına buyruktur ama aptal değildir. Ama Kraliçe inanıyor ve sana şunu söyleyeyim ki Jared, Kraliçe şu an intikam çığlıkları atıyor. Birilerinden intikam almak istiyor, kim olursa olsun fark etmez. Evian öldü ama kumpasa başkalarının da karıştığı belli. Örneğin senin."

Jared ürperdi. "Bunun doğru olmadığını biliyorsunuz, efendim."

"Ama biliyordun. Değil mi?"

"Evet, ama..."

"Ve hiçbir şey yapmadın. Kimseye söylemedin." Adam öne eğildi. "Bu ihanettir, Üstat Sapient ve senin asılmana kolayca yol açabilir."

Sessizlikte dışarıdan birisi seslendi. Odada vızıldayarak uçan bir sinek pencereye çarptı ve onu aşmaya çalıştı.

Jared düşünmeye çabaladı ama zaman yoktu. Müdür, "Anahtar nerede?" diye sertçe sordu.

Jared yalan söylemek istedi. Bir şeyler uydurmak. Bunun yerine sustu.

"Yanına aldı, değil mi?"

Jared cevap vermedi. Müdür küfretti. "Bütün dünya Giles'ı ölü sanıyor. Claudia her şeye sahip olabilirdi, Diyar'a, tahta. Caspar'ın, onun yoluna çıkmasına izin vereceğimi mi sanıyordu?"

"Kumpasa siz de mi katıldınız?" dedi Jared yavaşça.

"Kumpasmış! O saf Evian'ın Protokol'süz dünya hayalleri! Dünya, Protokol'süz olmadı hiç. Çelik Kurtlar'ın, Kraliçe'yle Caspar'ın işlerini bitirmelerine göz yumacaktım, sonra da onları idam ettirecektim, bu kadar basit. Ama şimdi Kraliçe bana düşman oldu."

Adam odada boşluğa bakıyordu. Jared usulca konuştu: "Annesiyle... ilgili söyledikleriniz."

"Onlar doğruydu. Ama Helena öldüğünde bebek hastaydı ve onun da öleceğini biliyordum. O ölürse planlarım ne olacaktı? Bir kıza ihtiyacım vardı, Üstat. Ve nereden bulacağımı biliyordum." Karşıdaki koltuğa oturdu. "Incarceron tam bir fiyasko. Bir cehennem. Biz Müdürler bunu epeydir biliyoruz ama yapacak bir şey yok, o yüzden gizli tutuyoruz. Oradan en azından bir kişiyi kurtarayım, dedim. Hapishane'nin derinliklerinde bir kadın buldum; öyle kötü durumdaydı ki yeni doğmuş kızından ayrılmaya razı oldu. Böylece diğer çocuklarını besleyebildi."

Jared başıyla onayladı. Müdür sesini alçaltmıştı; kendi kendine konuşuyor gibiydi, sanki bu sözleri yıllarca bahane olarak kendine tekrarlamıştı.

"Kraliçe'den başka fark eden olmadı. O büyücü, çocuğu görür görmez anladı."

Jared birden bir şeyi kavradı. Hayretle konuştu: "Claudia, Giles'a karşı kurulan kumpasa katılmayı neden kabul ettiğinizi merak ediyordu hep. Bunun nedeni Kraliçe'nin size..." Jared sustu, uygun sözcükleri bulamadı ama Müdür ona bakmadan başıyla onayladı.

"Şantaj yaptı, Üstat Sapient. Oğlunu Claudia'yla evlendirmek istiyordu. Kabul etmezsem Claudia'nın kim olduğunu açıklayacağını, onu bütün Diyar'a rezil edeceğini söyledi. Buna dayanamazdım."

Bir an hülyalı bir mesafeliliğe, sakinliğe büründü. Sonra başını kaldırdı ve Jared'ın bakışını görünce yüzü soğuklaştı. "Bana acıma, Üstat. Buna hiç ihtiyacım yok." Ayağa kalktı. "Onun Incarceron'a gittiğini biliyorum. Şu Finn için gitti. Her şeyi zaten biliyorum, merak etme. Ve Anahtar'ı yanına aldı." Acı acı güldü. "Aldığı iyi olmuş. Anahtar'sız dışarı çıkamaz."

Birden kapıya gitti. "Beni takip et."

Şaşıran Jared ayağa kalkarken korkusunu bastırmaya çalıştı ama Müdür koridora çıkıp muhafızlara sabırsızca el salladı. Adamlar bakıştılar. Bir tanesi çekinerek konuştu: "Kraliçe yanınızdan ayrılmamamızı emretti, efendim. Sizi korumamızı söyledi."

Müdür yavaşça başını sallayıp onayladı. "Beni korumanızı. Anlıyorum. Öyleyse lütfen burada kalın ve ben girdikten sonra bu kapıyı koruyun. Peşimizden kimse gelmesin."

Adamların itiraz etmesine fırsat vermeden lambrideki gizli bir kapıyı açtı ve rutubetli basamaklardan mahzenlere inmeye başladı. Yolun yarısında Jared geriye baktı. Muhafızlar açık kapıdan merakla bakıyorlardı.

"Anlaşılan, Kraliçe benden de şüpheleniyor," dedi Müdür sakince. Duvardan aldığı bir fenerin içindeki mumu yaktı. "Çabuk olmalıyız. Buradaki çalışma odasının evdekinin aynısı olduğunu fark etmişsindir. Bu dünyayla Hapishane'nin arasındaki bir mekân orası, mucit Martor'un deyişiyle bir Portal."

"Martor'un yazıları kayıp," dedi Jared, adamın peşinden koştururken.

"Bendeler. Saklıyorum." Siyahlara bürünmüş adam hızlı yürüyordu; yükseğe kaldırdığı fenerinin gölgeleri duvarda titreşiyordu. Arkasına bakıp da Jared'ın şaşkınlığını görünce gülümsedi. "Onları asla göremeyeceksin, Üstat." Fıçıların arası zifirî karanlıktı; çok yukarıdan muhafızların şaşkın fısıltıları geliyordu.

Bronz kapıya vardıklarında Müdür çabucak şifreyi tuşladı; kapı sarsılarak açıldı ve geçerlerken Jared önceki gibi tuhaf bir boyut değiştirme hissine kapılıp ürperdi.

Beyaz oda kendi kendine düzenlenmişti. Her şey aynen Jared'ın bıraktığı gibiydi. Birden kaygıya kapıldı. Claudia neler yaşıyordu? Güvende miydi?

"Onu tehlikelerin farkında olmadan gönderdin." Müdür kontrol panelini çıkardı ve sensörlere dokundu. "Hapishane'ye girmek fiziksel ve psikolojik açıdan tehlikelidir."

Raflar geri kaydı. Ekran aydınlandı.

Jared ekranda binlerce görüntü gördü. Titreşiyorlardı, bir dama tahtası oluşturan küçük karelerdi ve boş odaları, kasvetli okyanusları, uzak kuleleri, tozlu köşeleri sergiliyorlardı. Jared insanlarla dolu bir sokak, sakat çocuklarla dolu berbat bir mağara, tuhaf bir hayvanı döven bir adam, bir bebeği şefkatle emziren bir kadın gördü. Şaşkınlıkla ilerleyip görüntülerin altına kadar gitti; titreşmelerini, acıları, açlıkları, tuhaf arkadaşlıkları, vahşi pazarlıkları seyretti.

"Burası Hapishane." Müdür masaya yaslandı. "Bütün bu görüntüleri Gözler görüyor. Claudia'yı bulmanın tek yolu bu."

Jared korkunç bir kedere kapıldı. Akademi'dekilerin gözünde Deney antik Sapientlerin en büyük başarılarından biriydi; dünyanın son enerji rezervlerinin iflah olmazları, yoksulları, ezilenleri kurtarmak için soyluca harcanmasıydı. Ve sonuç bu olmuştu.

Müdür, Jared'ı seyrediyordu; dalgalanan görüntülerin karşısındaki bir silüetti. "Sadece Müdürlerin gördüğü şeyi görüyorsun, Üstat."

"Neden... neden bize söylenmedi?.."

"Yeterince güç yok. O binlerce insanı geri getirmek mümkün değil. Onları kaybettik." Saatini çıkarıp Jared'a verdi; adam saati şaşkınca alıp baktı. Müdür zincirin ucundaki gümüş küpü gösterdi.

"Tanrı gibisin, Jared. Ellerinde Incarceron'u tutuyorsun."

Jared hissettiği acının yoğunlaştığını hissetti. Elleri titriyordu. Incarceron'u bırakmak, geri çekilmek, uzaklaşmak istiyordu. Küp küçücüktü; Jared onu saat zincirinin ucunda binlerce kez görmüştü ve pek dikkat etmemişti ama şimdi huşuya kapılmıştı. Gördüğü dağlar, gümüş ağaçlardan oluşma ormanlar, birbirlerinin fakirliğiyle beslenen kılıksız insanlarla dolu şehirler o küpün içinde olabilir miydi? Terleyerek küpü sımsıkı tuttu; Müdür usulca konuştu: "Korktun mu, Jared? Koca bir dünyayı görmek güç ister. Seleflerimin çoğu bakmaya bile cesaret edemediler. Gözlerini kapadılar."

Hafif bir çan sesi.

Başlarını kaldırıp baktılar. Ekran titreşmeyi kesmişti; görüntüler birer birer kayboldu ve sağ alt köşedeki bir tanesi büyüdü, piksel piksel büyüyüp sonunda bütün ekranı kapladı.

Claudia'ydı.

Jared saat zincirini masanın üzerine titreyen ellerle koydu.

Claudia mahkûmlarla konuşuyordu. Jared, Finn denen çocuğu ve diğerini, taş bir duvara yaslanmış dinleyen Keiro'yu tanıdı. Biraz ileride Gildas çömelmiş haldeydi; Jared, yaşlı adamın yaralı olduğunu, Attia'nın onun yanında durduğunu hemen gördü.

"Onlarla konuşabilir misiniz?"

"Konuşabilirim," dedi Müdür. "Ama önce dinleyelim."

Bir düğmeye bastı.

33

Bir milyar mahkûmun arasında tek bir anahtar neye yarar ki?

LORD CALLISTON'IN GÜNLÜĞÜ

"Seni bulmamı engellemeye çalıştı," dedi Claudia.

Loş koridorda Finn'e doğru yürüdü.

"İçeri gelmemeliydin." Finn çok şaşkındı. Claudia buraya hiç uymuyordu, Finn'e işkence eden bir gül kokusu ve tuhaf bir canlılık yayıyordu. Finn'in zihninde bir yer kaşınıyordu sanki; orayı kaşıyamayacağı için gözlerini eliyle bitkince ovuşturdu.

"Hemen benimle birlikte geri dön." Claudia elini uzattı. "Gel çabuk!"

"Dur bir dakika." Keiro ayağa fırladı. "Bensiz hiçbir yere gitmiyor."

"Veya bensiz," diye mırıldandı Attia.

"Öyleyse hepiniz gelebilirsiniz. Mümkündür herhalde." Sonra Claudia'nın yüzü asıldı.

"Ne oldu?" dedi Finn.

Claudia dudağını ısırdı. Bu işi nasıl yapacağını bilmediğini fark etmişti birden. Bu tarafta portal, sandalye ve kontrol paneli yoktu; Claudia kendini o boş hücrede buluvermişti. Ve oraya geri dönüş yolunu bilmiyordu, önemli bir yer idiyse bile.

"Yapamıyor," dedi Keiro. Gelip Claudia'ya yakından baktı ve Claudia buna sinirlense de delikanlının bakışlarına sakince karşılık verdi.

"En azından bende bu var." Claudia Anahtar'ı cebinden çıkarıp kaldırdı. Bunun bildikleri Anahtar'ın benzeri olduğunu gördüler ama işçiliği daha iyiydi, hareketsiz kartal kusursuzdu.

Finn elini cebine soktu. Cebi boştu. Kaygıyla döndü.

"Burada, salak çocuk." Gildas duvara tutunup ayağa kalktı. Yüzü kül rengi ve terliydi. Anahtar'ı öyle sıkı tutuyordu ki parmak eklemleri kemik beyazlığındaydı.

"Sahiden Dışarı'dan mısın?" dedi soluk soluğa.

"Evet, Üstat." Claudia ona doğru yürüdü ve dokunsun diye elini uzattı. "Ve Sapphique sahiden kaçtı. Jared, Dışarı'da onun bazı müritlerini buldu. Ona, Dokuz Parmaklı diyorlar."

Gildas başıyla onayladı; gözlerinin yaşlı olduğunu gördüler. "Bunu biliyorum. Gerçek olduğunu hep biliyordum. Bu çocuk onu imgelemlerinde gördü. Yakında ben de göreceğim."

Sesi sertti ama Finn'in ilk kez duyduğu bir şekilde titriyordu. Finn tuhaf bir korkuyla, "Anahtar'a ihtiyacımız var, Üstat," dedi.

Sapient'in, Anahtar'ı bırakmayacağını düşündü bir an; Gildas'la birlikte kristali sımsıkı tuttu. Yaşlı adam başını eğdi. "Sana hep güvendim, Finn. Dışarı'dan olduğuna hiç inanmadım, bu konuda yanılmışım ama imgelemlerinde gördüğün yıldızlar bizi kaçmaya yöneltti, ki bunu biliyordum, ilk günden beri, o at arabasının üzerinde kıvrılmış yattığını gördüğüm günden beri biliyordum. Hayatımı bu an için yaşadım."

Parmakları açıldı; Finn, Anahtar'ın ağırlığını hissetti.

Claudia'ya baktı. "Şimdi ne olacak?"

Claudia derin bir nefes aldı ama karşılık veren ses, onunki değildi. Attia, Keiro'nun arkasındaki gölgelerdeydi; öne çıkmadı ama sertçe konuştu. "Güzel elbiseye ne oldu?"

Claudia kaşlarını çattı. "Parçaladım."

"Peki ya düğün?"

"İptal."

Attia, kollarını zayıf gövdesine sarmıştı. "Yani şimdi Finn'i istiyorsun."

"Giles. Onun adı Giles. Evet, onu istiyorum. Diyar'ın Kral'ına ihtiyacı var. Saray'ın dışını görmüş, Protokol'süz hayatı görmüş birisine. O hayatın derinlerine inmiş birisine." Can sıkıntısını sözcüklerine yüklüyordu; onu öfkeye dönüştürüyordu. "Senin de istediğin bu değil mi? Incarceron'dakilerin çektiği acılara son verebilecek çünkü bunun nasıl bir şey olduğunu bilen birisi?"

Attia omuz silkti. "Bunu Finn'e sormalısın. Onu bir hapishaneden alıp bir başkasına götürüyor da olabilirsin."

Claudia ona baktı, Attia da baktı. Sessizliği Keiro'nun alaycı kahkahası bozdu. "Bence bu meseleyi Dışarı'daki cesur yeni dünyada halledelim. Hapishane tekrar sarsılmaya başlamadan."

"Haklı," dedi Finn. "Bunu nasıl yapacağız?"

Claudia yutkundu. "Şey... herhalde... Anahtarlar'ı kullanarak."

"Ama kapı nerede?"

"Kapı yok." Bu kısmı anlatmak güçtü; hepsi ona bakıyorlardı. "Düşündüğünüz... gibi değil."

"Buraya nasıl geldin, peki?" diye sordu Keiro.

"Açıklaması... güç." Claudia konuşurken parmakları Anahtar'ın gizli kontrollerinde gezindi; Anahtar uğuldadı, içinde ışıklar hareket etti.

Keiro öne atıldı. "Ah, hayır, Prenses!" Anahtar'ı ondan kaptı; Claudia, Anahtar'a doğru hamle yaptı ama Keiro kılıcını çıkarıp kızın boğazına dayadı. "Numara yok. Ya hep birlikte gideriz ya da hiçbirimiz gitmeyiz."

"Plan bu zaten," dedi Claudia hiddetle.

"Silahı indir," dedi Gildas sertçe.

"Finn'i götürmeye çalışıyor. Bizi burada bırakacak."

"Ben öyle bir şey..."

"Benden cansız bir şeymişim gibi bahsetmeyi *kesin*!" Finn'in öfkeli sesi hepsini susturdu. Finn elini saçlarında gezdirdi; alnı ıslaktı ve gözleri yanıyordu. Nefesi kesiliyor gibiydi. Şimdi nöbet geçirmemeliydi ama elleri titriyordu ve nöbetin usulca yaklaştığını hissediyordu.

Sonra onun içine düştüğünü anladı, öyle olmalıydı çünkü Gildas'ın arkasındaki duvar titreyerek yok oldu ve gölgelerin içinden bakan, devasa Blaize belirdi.

Sapient'in gri gözleri hepsini inceledi; temiz duvarlı, beyaz bir odadaydı ve görüntüsü çok büyüktü. "Korkarım," dedi, "kaçmak kızımın sandığı kadar kolay değil."

Donakalmışlardı. Keiro kılıcı indirdi. "Demek öyle," dedi. "Bak, kızın seni gördüğüne ne kadar sevindi."

Finn, Claudia'nın görüntüye doğru dönmesini seyretti. Müdür'ün yüzünün tanıdık olduğunu ama artık yüzünde yara kabukları bulunmadığını fark etti; ayrıca bakışları kibar ve gergindi.

Claudia başını kaldırıp görüntüye baktı. "Bana kızım deme sakın." Sesi sert ve soğuktu. "Ve beni durdurmaya çalışma. Hepsini dışarı çıkarıyorum ve sen..."

"Hepsini dışarı çıkaramazsın." Müdür onun gözlerine bakıyordu. "Anahtar tek bir kişiyi dışarı çıkarabilir. Onlardaki kopya için de aynı şey geçerli, çalışıyorsa eğer. Kartalın siyah gözüne dokun. Orada kaybolup burada belireceksin." Adam sakince gülümsedi. "Kapı bu, Finn."

Clauida adama afallamış halde bakakaldı. "Yalan söylüyorsun. Beni dışarı çıkarmıştın."

"Daha bebektin. Küçücüktün. Riski göze aldım."

Odadan birisinin sesi geldi; adam döndü ve Claudia onun arkasında Jared'ın beti benzi atmış ve yorgun bir halde durduğunu gördü.

"Üstat! Doğru mu bu?"

"Hiç bilmiyorum, Claudia." Jared mutsuz görünüyordu, siyah saçları dağınıktı. "Anlamanın tek yolu var, denemek."

Claudia, Finn'e baktı.

"Sen değil." Keiro öne çıkmıştı. "Önce Finn'le ben gideceğiz; işe yararsa dönüp Sapient'i alırım." Keiro ve Claudia aynı anda kılıçlarını çektiler. "İndir şunu, Prenses, yoksa boğazını keserim."

Claudia deri kabzayı sımsıkı tuttu ama Finn, "Söylediğini yap, Claudia. Lütfen," dedi.

Keiro'ya bakıyordu; Claudia kılıcı indirirken Finn'in, Keiro'ya yaklaşarak, "Onları burada bırakıp gideceğimi mi düşündün cidden? Anahtar'ı ona geri ver," dediğini duydu.

"Hayatta olmaz."

"Keiro..."

"Sen aptalsın, Finn. Bunun bir numara olduğunu görmüyor musun! Senle kız ortadan kaybolacaksınız, o kadar. Bizi almaya kimse gelmeyecek."

"Ben gelirim."

"İzin vermezler." Keiro ona yaklaştı. "Kayıp Prenslerini bulduktan sonra suçlu Pislikleri neden umursasınlar ki? Köpek-kızı ve yarımadamı? Sen de sarayına geri dönünce bizi neden düşünesin ki?"

"Yemin ederim geri geleceğim."

"Tabii tabii. Sapphique de öyle dememiş miydi?"

Sessizlikte Gildas birden oturuverdi; gücü tükenmişti sanki. "Beni burada bırakma, Finn," diye mırıldandı.

Finn tamamen bezgince, hayır anlamında başını salladı. "Ne olursa olsun Claudia'yı burada bırakamayız. O bizi kurtarmaya geldi."

"Ne olmuş yani?" Keiro'nun mavi gözleri amansızdı. "O eskiden Mahkûm'du, yine olabilir. Önce ben gidiyorum. Dışarıda bizi ne bekliyor bir bakayım. Dediğim gibi, bir terslik yoksa geri dönerim."

"Yalancı," diye fısıldadı Attia öfkeyle.

"Beni durduramazsınız."

Müdür hafifçe güldü. "Kahraman Giles'ın bu muymuş, Claudia? Diyar'a hükmedecek adam? Bu ayaktakımına bile hükmedemiyor."

Finn hemen harekete geçti. Anahtar'ı Claudia'ya attı; Keiro'yu gafil avlayıp kılıca atıldı. İçinde öfke kabarmıştı; hepsine öfkeliydi, Müdür'ün küçümseyici gülümseyişine, kendi içindeki korkuya ve acizliğe. Keiro sendeleyerek geriledi; kendini çabucak toplayıp kılıcı yukarı kaldırdı ve birlikte tuttular; sonra Finn onu elinden çekip aldı.

Keiro yüzünün önünde gezinen kılıçtan irkilmedi. "Onu benim üzerimde kullanmazsın."

Finn'in kalbi küt küt atıyordu. Göğsü inip kalkıyordu. Arkasından Attia öfkeyle fısıldadı: "Neden olmasın, Finn? O Maestra'yı öldürdü. Bunu biliyorsun, baştan beri biliyorsun! Köprüyü kestirten oydu. Jormanric değil."

"Doğru mu bu?" Finn kendi fısıltısını tanıyamayacaktı neredeyse.

Keiro gülümsedi. "Sen karar ver."

"Söyle."

"Hayır." Kan kardeşi, Anahtar'ı yumruğunda tutuyordu. "Senin seçimin. Ben kimseye davranışlarımı mazur göstermeye çalışmam."

Finn'in kalbi öyle sesli atıyordu ki canını acıtıyordu. Bu ses Hapishane'yi dolduruyor, bütün koridorlara ve hücrelere yayılıyordu.

Kılıcı yere attı. Keiro kılıca atıldı; Finn kılıcı uzağa tekmeledi. Birden dövüşmeye başladılar; Keiro'nun acımasız bir ustalıkla karnına indirdiği yumrukla nefesi kesilen Finn yere yığıldı. Claudia bağırıyordu, Gildas öfkeyle gürlüyordu ama Finn'in umurunda değildi artık; ayağa fırlayıp Keiro'nun üzerine atıldı ve Anahtar'ı almaya çalıştı. Narin kristali korumaya çalışan Keiro eğildi ve bir yumruk daha attı; Finn onu belinden tutup aşağı çekti ama Keiro'nun attığı bir tekmeyle geriye sendeledi.

Keiro yuvarlanarak ayağa fırladı. Dudağı kanıyordu. "Şimdi göreceğiz, kardeşim," diye fısıldadı. Kuşun siyah gözüne dokundu.

Bir ışık.

Öyle parlaktı ki adamların gözlerini yaktı.

Keiro'nun etrafında genişledi, onu yuttu; içinden bir ses geliyordu, kulak tırmalayan bir inilti, ansızın kesiliveren tiz ve ahenksiz bir nota.

Işık titreşerek söndü.

Keiro hâlâ karşılarındaydı.

Sessizlikte Müdür sakince, esefle güldü. "Ah," dedi. "Anahtar senin işine yaramaz gibi görünüyor maalesef. Vücudundaki metal parçaları yüzünden herhalde. Incarceron kapalı bir sistemdir; onun öğeleri asla dışarı çıkamazlar."

Keiro şaşırıp kalmıştı.

"Asla mı?" diye fısıldadı.

"Öğeler çıkarılmadığı sürece."

Keiro başıyla onayladı. Yüzü ciddiydi ve kızarmıştı. "Gereken buysa." Finn'e yaklaşıp, "Bıçağını çıkar," dedi.

"Ne?"

"Duydun."

"Bunu yapamam!"

Keiro acı acı güldü. "Neden? Dokuz Parmaklı Keiro. Sapphique'in neden parmağını feda ettiğini merak ediyordum hep."

Gildas inledi. "Çocuk, sen ne demek..."

"Belki de vücutlarımızın sandığımızdan daha fazlası Hapishane'ye aittir. Belki sen baştan aşağı öylesindir, moruk. Ama ben tek bir parmak yüzünden burada kalacak değilim. Bıçağı çıkar."

Finn kımıldamadı ama Attia harekete geçti. Üzerinden hiç ayırmadığı küçük bir bıçağı getirip Finn'e uzattı. Finn bıçağı yavaşça aldı. Keiro elini yere koyup parmaklarını açtı. Metal tırnak diğerlerinden farksız görünüyordu. "Yap hadi," dedi.

"Yapamam..."

"Yapabilirsin. Benim için."

Bakıştılar. Finn diz çöktü. Eli titriyordu. Bıçağın keskin tarafını Keiro'nun derisine dayadı.

"Bekle," diye atıldı Attia. Çömeldi. "Düşünsene! Bu yetmeyebilir. Dediğin gibi, hiçbirimiz iç organlarımızın neden yapıldığını bilmiyoruz. Başka bir yol olmalı."

Keiro'nun mavi gözleri umutsuzluktan donuklaşmıştı. Duraksadı.

Uzun bir an boyunca kımıldamadan durduktan sonra elini kapadı ve yavaşça başını sallayıp onayladı. Anahtar'a baktı ve Finn'e uzattı.

"Öyleyse, o yolu bulmam gerekecek. Krallığının tadını çıkar, kardeşim. İyi bir hükümdar ol. Arkanı kolla."

Finn karşılık veremeyecek kadar sarsılmıştı. Uzaktan gelmeye başlayan çekiç sesleri, hepsinin başını kaldırıp bakmasına yol açtı.

"O ne?" diye sordu Claudia.

Jared çabucak konuştu. "Buradan geliyor. Evian suikasta kalkıştı ve öldürüldü. Kraliçe'nin muhafızları kapıdalar."

Claudia, babasına baktı. Adam, "Geri gelmelisin, Claudia," dedi. "Çocuğu da getir. Ona hemen ihtiyacım var."

"O gerçekten Giles mı?" diye sordu Claudia sert bir sesle.

Müdür'ün gülümsemesi buz gibiydi. "Artık evet."

Sözünü bitirirken ekran karardı. Koridor sarsıldı; Finn etrafa kaygıyla bakındı. Tavandan tuğlalar dökülüyordu gürültüyle.

Sonra başını kaldırıp bakınca, küçük kırmızı Göz'ün uğuldayarak ve tıkırdayarak kendisine baktığını gördü.

"Ah, evet," dedi ses usulca. *"Hepiniz beni unuttunuz. Çocuklarımın gitmesine neden izin vereyim ki?"*

34

Uyanınca hepsini etrafında buldu. Yaşlıları, sakatları, hastaları, yarımadamları. Başını gizledi ve utanca, öfkeye kapıldı. "Sizi hayal kırıklığına uğrattım," dedi. "Onca yoldan geldim ve sizi hayal kırıklığına uğrattım."

"Hayır," diye karşılık verdiler. "Bildiğimiz bir kapı var, küçük, gizli bir kapı. Ölürüz diye, hiçbirimiz oradan geçmeye cesaret edemiyoruz. Bizim için geri döneceğine söz verirsen sana gösteririz."

Sapphique esnekti ve zayıftı. Onlara siyah gözleriyle baktı. "Beni oraya götürün," diye fısıldadı.

SAPPHIQUE EFSANELERİ

"Ne oldu?" diye inledi Jared.

"Hapishane müdahale etti," dedi Müdür öfkeyle. Parmakları kontrollerin üzerinde hızla geziniyordu.

"Onu durdurun öyleyse! Ona emredin de..."

"Incarceron'u sözümü dinlemeye zorlayamam." Müdür ona ateş saçan gözlerle baktı. "Yüzyıllardır bunu yapan yok. Hapishane başına buyruktur, Üstat. Onu zorlayamam." Sonra Jared'ın güçlükle duyabileceği kadar kısık sesle ekledi: "Bana gülüyor."

Afallayan Jared boş ekrana baktı. Dışarıda bir yumruk tekrar bronz kapıya vurdu. Bir ses gürledi: "Müdür! Kapıyı açın! Kraliçe sizi çağırıyor."

"Evian suikastı beceremedi," dedi Müdür. Başını kaldırıp baktı. "Merak etme, içeri giremezler. Baltalarla bile."

"Kraliçe sizin de işin içinde olduğunuzu düşünüyor."

"Olabilir. Benden kurtulması için iyi bir bahane. Zaten artık evlilik de olmayacak."

Jared başını salladı. "Öyleyse hepimiz hapı yuttuk."

"Bu durumda yardımın işime yarayabilir, Üstat." Adam gri gözlerini ona çevirmişti. "Claudia'yı kurtarmak için birlikte çalışmalıyız."

Jared yavaşça kafa sallayıp onayladı. Şiddetle çalınan kapıya aldırmamaya çalışarak kontrollerin başına geçti ve onları dikkatle inceledi. "Bu çok eski. Sembollerin çoğu Sapient dilinde." Başını kaldırıp baktı. "Incarceron'la yaratıcılarının diliyle konuşmayı deneyelim."

Hapishanedepremi birden başlayıp bitiverdi. Zemin kıvrıldı; duvarlar yıkıldı. Finn, Keiro'yu tuttu; birlikte çarptıkları bir kapı kırılınca içeri doğru savruldular.

Claudia peşlerinden telaşla gitti ama Attia, "Bana yardım et!" dedi. İki büklüm olmuş inleyen Gildas'ı tutuyordu. Claudia hemen geri dönüp tırmanarak adamın kolunu omuzlarına attı ve birlikte onu hücreye götürdüler; Finn onları içeri çekip kapıyı sımsıkı kapadı ve Keiro'yla birlikte kapının arkasına bir kereste parçası dayadı.

Dışarıdan gelen çökme seslerini kaygıyla dinlediler. Koridorun kapandığı kesindi.

"Ama o kapının beni dışarıda bırakacağını düşünmüyorsunuzdur umarım." Incarceron kahkaha attı. *"Bunu kimse yapamaz. Kimse benden kaçamaz."*

"Sapphique kaçtı." Gildas acıyla hırlayarak ama öfkeyle konuşmuştu. Göğsünü kavrayan elleri zangır zangır titriyordu. "Anahtar'sız nasıl başardı peki? Başka bir yol mu var, sadece onun keşfettiği? Engellenemeyecek kadar gizli, şaşırtıcı bir yol? Kapı ve makine gerektirmeyen bir yol? Mesele bu mu Incarceron? Sürekli seyrediyorsun, sürekli dinliyorsun; korktuğun bu mu?"

"Ben hiçbir şeyden korkmam."

"Bana öyle dememiştin ama," diye atıldı Claudia. Hızlı hızlı soluyordu; Finn'e göz attı. "Geri dönmeliyim. Jared'ın başı dertte. Gelecek misin?"

"Onları bırakamam. İhtiyarı götür."

Gildas güldü, inleyerek sarsılmaya başladı. Attia yaşlı adamın ellerini sımsıkı tuttu; sonra başını çevirdi. "Ölüyor," diye fısıldadı.

"Finn," dedi Sapient çatlak sesle.

Finn çömeldi; gözlerinin arkasındaki karıncalanma yüzünden midesi bulanıyordu. Gildas'ın görünürde yarası yoktu ama elleri titriyordu ve terli yüzü solgundu.

Sapient, ağzını Finn'in kulağına yaklaştırdı. "Bana yıldızları göster," diye fısıldadı.

Finn diğerlerine baktı. "Yapamam..."

"Öyleyse izninizle ben yapayım," dedi Hapishane. Hücredeki ışık söndü. Duvarın köşesinde kırmızı bir Göz parıldıyordu. *"Al sana yıldız, ihtiyar. Görüp göreceğin tek yıldız bu."*

"Ona işkence etmeyi kes!" Finn'in öfkeli haykırışı hepsini irkiltti. Sonra tekrar Gildas'a dönüp adamın elini tutarak hepsini şaşırttı. "Gel benimle," .dedi. "Sana göstereceğim."

Finn baş dönmesine teslim oldu. Peşinden yaşlı adamı sürükleyerek karanlığa kararlılıkla yürüdü; etraflarında göl parıldıyordu, üzerlerinde mavi, mor ve sarı fenerler yüzüyor ve Finn'in içinde yatıp yıldızlara baktığı kayık sallanıyordu.

Yıldızlar yaz gecesinde ışıl ışıldılar. Kozmosa dev bir el tarafından saçılmış gümüşi tozlar gibiydiler ve kadifemsi karanlıkta gizemli, büyülüydüler.

Finn yanındaki yaşlı adamın kapıldığı huşuyu hissetti.

"Bunlar yıldızlar, Üstat. Çok uzaklardaki dünyalar, küçücük görünüyorlar ama aslında bildiğimiz her şeyden büyükler."

Kayığa dalgacıklar vuruyordu.

"Öyle uzaktalar ki. Öyle çoklar ki!" dedi Gildas.

Bir balıkçıl zarifçe kanat çırparak sudan yükseldi. Sahilden tatlı bir müzik sesi geliyordu; insanlar hafifçe gülüşüyorlardı.

Yaşlı adam boğuk sesle konuştu: "Şimdi onlara gitmeliyim, Finn. Gidip Sapphique'i bulmalıyım. Sırf Dışarı'da olmak ona yetmez. Bunu gördükten sonra."

Finn başıyla onayladı. Altındaki kayığın sallandığını hissetti. Yaşlı adamın elini tutarken, adamın parmaklarının gevşediğini hissetti. Ve baktıkça yıldızlar büyüyüp parlaklaşarak alevlere dönüştü, minik mumların uçlarındaki minik alevlere dönüştü ve

Finn onları üfleyerek söndürüyordu, bütün nefesiyle, bütün enerjisiyle onları söndürüyordu.

Gözden kayboldular ve Finn güldü, muzafferce kahkaha attı ve etraftaki bütün insanlar da güldüler, kırmızı ceketli Kral, Bartlett, soluk tenli yeni üvey annesi, bütün Saray mensupları, dadılar, müzisyenler ve güzel beyaz elbiseli küçük kız, o gün gelmiş olan küçük kız, özel arkadaşı olacağını söyledikleri kız.

Kız şimdi ona bakıyordu. "Finn. Beni duyabiliyor musun?" dedi.

Claudia.

"Hazır." Jared başını kaldırıp baktı. "Konuşunca anında tercüme edilecek."

Müdür odada dolanıyordu, dışarıdan gelen sesleri dinliyordu; gelip masanın yanında durdu ve kollarını kavuşturdu.

"Incarceron," dedi.

Sessizlik. Sonra ekranda kırmızı bir ışık noktacığı belirdi. Küçücüktü, yıldız gibiydi. Onlara bakıyordu. *"Eski dilde konuşan kim?"* dedi.

Ses kararsızdı. Yankılı gürlemesi hafiflemiş gibiydi.

Müdür, Jared'a göz attı. Sonra usulca konuştu: "Kim olduğumu biliyorsun, baba. Sapphique'im."

Jared gözlerini fal taşı gibi açsa da sessiz kaldı.

Tekrar sessizlik oldu. Bu sefer sessizliği Müdür bozdu. "Seninle Sapientlerin dilinde konuşuyorum. Sana, Finn'e zarar vermemeni emrediyorum."

"Onda Anahtar var. Hiçbir mahkûmun kaçmasına izin verilmez."

"Ama öfken ona zarar verebilir. Claudia'ya da." Müdür'ün sesi kızın ismini söylerken değişmiş miydi? Jared emin değildi.

Anlık bir sessizlik. Sonra: "*Pekâlâ. Senin için, oğlum.*"

Müdür, Jared'a iletişim kanalını kapaması için işaret etti ama parmağı panele uzanırken Hapishane usulca konuştu: "*Ama sahiden Sapphique'sen, daha önce sık sık konuştuğumuzu hatırlarsın.*"

"O çok eskidendi," dedi Müdür ihtiyatla.

"*Evet. Bana gereken Haraç'ı vermiştin. Peşine düşmüştüm ve beni atlatmıştın. Çukurlarda gizlenip çocuklarımın kalplerini çalmıştın. Söylesene Sapphique, benden nasıl kaçabildin? Sana vurmamdan sonra, karanlıkta korkunç bir biçimde düşmenden sonra, gözümden kaçmış hangi kapıyı buldun? Hangi yarıktan geçtin? Ve şimdi neredesin? Dışarıda, hayal bile edemeyeceğim yerlerde misin?*"

Ses kederliydi; Müdür başını kaldırıp ekrandaki kırpılmayan Göz'e baktı. Usulca cevap verdi. "Bu sırrı söyleyemem."

"*Çok yazık. Anlarsın ya, kendimin dışını görme imkânı vermediler. Kendi zihninde sonsuza dek kısılı kalmanın ve sadece oradaki varlıkları seyretmenin nasıl bir şey olduğunu düşünebiliyor musun, hayal edebiliyor musun Sapphique, gezgin, büyük seyyah? Beni güçlü ve kusurlu yaptılar. Ve bana ancak sen yardım edebilirsin, geri döndüğünde.*"

Müdür hiç kımıldamıyordu. Ağzı kurumuş olan Jared düğmeye bastı. Elleri titriyordu ve ter içindeydi. Göz'ün kaybolmasını seyretti.

Finn bulanık görüyordu ve vücudunun içi bomboş gibiydi. Yan yatıyordu; başı, Keiro'nun kolunun üstündeydi. Ama bir anlığına, Hapishane'nin pis kokusu geri gelmeden önce, dünya geri gelmeden önce Finn, bir prens ve bir prensin oğlu olduğunu, dünyasının sarı gün ışığıyla aydınlandığını, bir sabah bir masaldaki karanlık bir ormana girdiğini ve oradan bir daha çıkmadığını anladı.

"Biraz iç şundan." Attia ona su verdi; Finn bir yudum içmeyi başardı, öksürdü ve doğrulup oturmaya çalıştı.

"Durumu giderek kötüleşiyor," diyordu Keiro, Claudia'ya. "Babanın yüzünden."

Kız ona aldırmadan Finn'in üzerine eğildi. "Hapishanedepremi geçti. Ortalık sessizleşti."

"Gildas?" diye mırıldandı Finn.

"Moruk öldü. Artık Sapphique'e kafa yormasına gerek kalmadı." Keiro'nun sesi sertti. Finn dönünce Sapient'in molozların altında iki büklüm yattığını, gözlerinin uyuyormuşçasına kapalı olduğunu gördü. Adamın parmağında son kurukafa-yüzük gevşekçe ve donukça duruyordu; sanki Keiro boşuna onu kurtarmaya çalışmıştı.

"Ne yaptın?" diye sordu Claudia. "Tuhaf... şeyler söyledi."

"Ona çıkış yolunu gösterdim." Finn'in vücudu ağrıyordu. Şimdi o konudan bahsetmek, hatırladığını düşündüğü şeyleri anlatmak istemiyordu, bu yüzden yavaşça doğrulup oturdu, "Yüzüğü ona sen mi taktın?" dedi.

"İşe yaramadı. Bu konuda da haklıymış. Belki de hiçbiri işe yaramıyordu." Keiro, Anahtar'ı Finn'in ellerine tutuşturdu. "Git. Çabuk git. Sapient'e söyle, bana bir Anahtar yapsın. Kız için de birini gönder."

Finn, Attia'ya baktı. "Geri geleceğim. Yemin ederim."

Attia bitkinlikle gülümsedi ama Keiro, "Gelsen iyi olur," dedi. "Burada onunla kalmak istemem."

"Senin için de geleceğim. Krallığımdaki bütün Sapientleri bu iş için çalıştıracağım. Biz yemin ettik, kardeşim. Unuttum mu sandın?"

Keiro güldü. Yakışıklı yüzü pisti ve morarmıştı, saçları kirden matlaşmıştı, güzel ceketi mahvolmuştu. Ama asıl prens gibi görünen o, diye düşündü Finn. "Olabilir. Veya belki de benden kurtulman için fırsattır bu. Belki de seni öldürüp yerine geçmemden korkuyorsun. Geri gelmezsen bunu yaparım inan."

Finn gülümsedi. Eğik hücrede, parçalanmış kelepçelerin arasında bir an bakıştılar.

Sonra Finn, Claudia'ya döndü. "Önce sen."

"Gelecek misin?" dedi kız.

"Evet."

Kız ona, sonra da diğerlerine baktı. Kartalın gözüne çabucak dokundu ve nefeslerini kesen bir parıltıyla gözden kayboldu.

Finn tuttuğu Anahtar'a baktı. "Yapamam," dedi.

Attia ışıl ışıl gülümsedi. "Sana güveniyorum. Bekleyeceğim."

Ama Finn'in kartalın siyah gözünün üzerindeki parmağı kımıldamıyordu, bu yüzden Attia uzanıp Finn'in parmağını onun üzerine bastırdı.

Claudia kendini sandalyede buldu; insan ve çekiç sesleri işitiyordu. Caspar kapının ardından bağırıyordu. "... vatana ihanetten tutuklusun. Müdür! Duyuyor musun?" Bronz kapıya sert darbeler indiriliyordu.

Claudia'nın babası onu elinden tutup ayağa kaldırdı. "Canım. Genç Prens'imiz nerede?"

Jared bronz kapının içeri göçmesini seyrediyordu. Claudia'ya memnuniyetle baktı bir an.

Kızın saçı başı dağınıktı, yüzü kirliydi. Tuhaf bir koku yayıyordu. "Hemen arkamda," dedi.

Finn de bir sandalyede oturuyordu ama bu oda karanlıktı, küçük bir hücreydi, çok eskilerden anımsadığı bir hücre gibiydi, eskiydi, yağlı duvarlara isimler kazınmıştı.

Karşısında siyah saçlı, zayıf bir adam oturuyordu. Finn onu Jared sandı bir an ama sonra onun kim olduğunu anladı.

Şaşkınlıkla etrafa bakındı. "Neredeyim? Burası Dışarı'sı mı?"

Sapphique duvara yaslanmış oturuyordu, dizlerini yukarı çekmişti. Usulca konuştu: "Hiçbirimiz nerede olduğumuzu pek bilmiyoruz. Belki de hayatımız boyunca nerede olduğumuza kafayı fazla taktık, kim olduğumuzu sormak yerine."

Finn kristal Anahtar'ı sımsıkı tutuyordu. "Bırak gideyim," diye fısıldadı.

"Seni durduran ben değilim." Sapphique'in Finn'e bakan gözleri siyahtı ve derinliklerinde yıldızlar parlıyordu ışık noktacıkları halinde. "Bizi unutma, Finn. Geride kalanları, karanlıkta kalanları, açları ve perişanları, katilleri ve haydutları unutma. Hapishanelerin içinde hapishaneler var ve onlar en derindeler."

Adam elini uzatıp duvardan bir zincir aldı; zincir şıngırdadı, üzerindeki pas döküldü. Adam ellerini halkalara geçirdi. "Senin gibi ben de Dışarı'ya, Diyar'a gittim. Beklediğim gibi değildi. Ve ben de bir söz verdim." Metali yere bırakınca büyük bir gürültü koptu ve Finn, adamın parçalanmış parmağını gördü. "Belki de seni hapseden budur."

Yan dönüp eliyle çağırma hareketi yaptı. Arkasından yükselen bir gölge yaklaşınca Finn az kalsın çığlık atacaktı çünkü gördüğü kişi Maestra'ydı. Değişmemişti, ince ve uzundu, kızıl saçlıydı, gözleri küçümseyiciydi. Kadın durup Finn'e tepeden baktı; Finn bir zincire bağlıymış ve zincirin ucu da kadının elindeymiş gibi hissetti çünkü ellerini ve ayaklarını kımıldatamıyordu.

"Nasıl burada olabilirsin?" diye fısıldadı. "Düşmüştün."

"Ah, evet, düştüm! Diyarların içinden düştüm asırlarca. Kanadı kırık bir kuş gibi, cennetten kovulmuş bir melek gibi düştüm." Finn fısıldayanın kadın mı yoksa Sapphique mi olduğunu anlayamayacaktı neredeyse. Ama o sesteki öfke kadına aitti. "Ve hepsi senin suçundu."

"Ben..." Finn, Keiro'yu ya da Jormanric'i suçlamak istedi. Herhangi birini. Ama, "Biliyorum," dedi.

"Unutma, Prens. Bundan ders al."

"Yaşıyor musun?" Finn'in eski utancı geri gelmişti; konuşmakta zorlanıyordu.

"Incarceron hiçbir şeyi ziyan etmez. Onun derinliklerinde, hücrelerinde, vücudunun hücrelerinde yaşıyorum."

"Üzgünüm."

Kadın her zamanki ağırbaşlılığıyla ceketine sarındı. "Gerçekten üzgünsen başka bir şey istemem."

"Onu burada mı tutacaksın?" diye mırıldandı Sapphique.

"Onun beni tuttuğu gibi mi?" Kadın sakince güldü. "Benim affetmek için fidyeye ihtiyacım yok. Hoşça kal, ürkek çocuk. Kristal Anahtar'ıma iyi bak."

Hücre bulanıklaştı ve açıldı. Finn köreltici bir şekilde sarsılan taşlarla etlerin arasından sürüklendiği hissine kapıldı; sanki tepesinde dev demir tekerlekler gürlüyordu, sanki içi açılıyor ve kapanıyordu, yarılıyor ve onarılıyordu.

Sandalyeden kalkınca o karanlık figür, Finn düşmesin diye ona elini uzattı.

Bu seferki *gerçekten* Jared'dı.

35

Kılıçlardan yapılma bir merdiveni çıktım,

Yaralardan yapılma bir ceket giydim.

Boş yeminler ettim,

Yalanlarım sayesinde yıldızlara gittim.

SAPPHIQUE ŞARKILARI

Kapı sarsıldı.

"Merak etmeyin. Kesinlikle kırılmaz." Müdür, Finn'i sakince süzdü. "Giles olduğunu düşündüğün delikanlı bu demek."

Kız ona öfkeyle baktı. "Asıl senin bilmen gerek."

Finn etrafa bakındı. Odanın beyazlığı rahatsız ediciydi, ışıklar gözlerini acıtıyordu. Blaize olarak tanıdığı adam hafifçe gülüp kollarını kavuşturdu. "Aslında Giles olup olmadığı önemli değil. Madem getirdin, onu Giles diye tanıtman gerekecek. Çünkü seni felaketten kurtaracak tek şey o." Merakla Finn'e yaklaştı. "Peki, sen ne düşünüyorsun, Mahkûm? Kim olduğunu düşünüyorsun?"

Finn titriyordu ve kendini kirli hissediyordu; birden üstünün başının pis olduğunu, bu steril odada leş gibi koktuğunu fark etti. "Ben... hatırlıyorum galiba. Sözlenmiştik..."

"Emin misin? Hapishane'nin sana verdiği, başkasına ait olan dokuların içinde kısılı kalmış anılar, başka birisinin anıları olmasın?" Adam soğukça gülümsedi. "On yıl uzun süre. Ben küçük bir çocuk hatırlıyorum sadece."

"Eskiden olsa öğrenebilirdik," dedi Claudia sertçe. "Protokol'den önce."

"Evet." Müdür ona döndü. "Bu meseleyle ilgilenmeyi sana bırakacağım."

Finn, kızın ne kadar solgun, ne kadar kızgın olduğunu gördü. Claudia, "Hayatım boyunca beni kızın olduğuma inandırdın," dedi. "Hepsi yalandı."

"Hayır."

"Evet! Beni seçtin, eğittin, biçimlendirdin... Hatta bunu kendin de açıkça söyledin! Tam istediğin gibi olacak, sözünü dinleyecek, istediğin kişiyle evlenecek ve istediğin kişi olacak bir yaratık yarattığını. Sonra bana ne olacaktı, peki? Zavallı Kraliçe Claudia da kaza mı geçirecekti, yerine geçecek tek Naip, Müdür mü olacaktı? Planın bu muydu?"

Adam berrak ve gri gözleriyle onun gözlerine baktı. "Planım buysa bile onu değiştirdim çünkü zamanla seni sevdim."

"Yalancı!"

Jared mutsuzca konuştu: "Claudia, ben..." Ama Müdür elini kaldırdı. "Hayır, Üstat, bırak ben açıklayayım. Evet, seni seçtim ve başta sadece planımı düşündüğümü itiraf ediyorum. Olabildiğince az gördüğüm, cıyak cıyak ağlayan bir bebektin. Ama sen büyüdükçe... seni görmek istemeye başladım. Bana reverans yapmanı, çalışmalarını göstermeni, yanımdaki utangaç halini. Seni sevdim."

Claudia ona baktı; bunları duymak, bunlara inanmak istemiyordu. Öfkesini canlı tutmak, darphaneden yeni çıkmış bir bozuk para gibi parlak tutmak istiyordu.

Adam omuz silkti. "İyi bir baba değildim. Üzgünüm."

Aralarındaki sessizlikte birden çekiç sesleri daha da yüksek bir şekilde gelmeye başladı. Jared telaşla konuştu: "Ne yaptığınız ve bu çocuğun kim olduğu pek önemli değil, efendim. Artık hepimizin başı dertte. Ölmek istemiyorsak Hapishane'ye girmeye mecburuz."

"Attia'ya geri dönmeliyim," diye mırıldandı Finn. Diğer anahtarı almak için elini Claudia'ya uzattı; Claudia hayır anlamında başını salladı. "Sen değil. Ben giderim." Elini uzatıp Finn'deki kristal kopyayı aldı ve ikisini karşılaştırdı. "Bunu kim yaptı?"

"Lord Calliston. Çelik Kurt'un ta kendisi." Müdür kristale baktı. "Söylentilerin doğru olup olmadığını, Hapishane'nin derinliklerinde bir kopya olup olmadığını merak ediyordum."

Claudia elini panele uzattı ama Müdür onu durdurdu. "Bekle. Önce kendi güvenliğimizi sağlama almalıyız, yoksa kızın olduğu yerde kalması daha iyi olur."

Claudia ona baktı. "Sana bir daha nasıl güvenebilirim?"

"Güvenmelisin." Adam parmağını dudaklarına götürüp kafa salladı. Sonra beyaz hücrede yürüyüp kapının kontrol paneline dokundu ve geri çekildi.

İki asker odanın içine düşüverdi. Arkalarındaki zincirli şahmerdan boşlukta sallandı. Kılıçlar çekilirken keskin çelik şakırtıları duyuldu.

"Girin lütfen," dedi Müdür kibarca.

Claudia, Kraliçe'nin de orada olduğunu görünce afalladı; kadın siyah bir pelerin takmıştı. Annesinin yanında duran Caspar, Claudia'ya öfkeyle bakıyordu. "Seni asla affetmeyeceğim," diye hırladı.

"Sus." Annesi yanından geçip odaya girdi, eşikte titreşen tuhaf enerjiden geçerken duraksadı ve ardından etrafa bakındı. "Büyüleyici. Portal bu demek."

"Evet." Müdür eğilerek selam verdi. "Sizi iyi gördüğüme sevindim."

"Hiç sanmıyorum." Sia, Finn'in karşısında durdu. Onu tepeden tırnağa süzdü ve sonra beti benzi attı. Kırmızı dudaklarını birbirine sımsıkı bastırdı.

"Evet," dedi Müdür usulca. "Maalesef bir Mahkûm kaçtı."

Kadın hiddetle ona döndü. "Bunu neden yaptın? Nasıl bir hıyanet planlıyorsun?"

"Hiç. Bu işten hepimiz sağ salim kurtulabiliriz. Hepimiz. Ortaya kirli çamaşırlar dökülmeden, suikastlar yapılmadan. İzleyin."

Kontrol masasına gitti, bazı tuşlara dokundu ve geri çekildi. Claudia bakakaldı; duvarda beliren görüntüyü başta tanıyamadı. Geniş bir odada toplanmış Saray mensupları skandaldan bahsediyorlardı. Dev masaların üzerinde yarısı yenmiş yiyecekler duruyordu. Birbirine kaygıyla sokulmuş hizmetçiler dedikodu yapıyorlardı.

Claudia'nın düğün şöleniydi bu.

"Ne yapıyorsun?" diye sordu Kraliçe sertçe ama artık çok geçti. "Dostlarım," dedi Müdür. Odadaki herkes ona baktı. Konuşmaların yerini şaşkın bir sessizlik aldı. Yüz yıllık Protokol'den sonra tahtın arkasındaki dev ekran unutulmuştu herhalde; Finn, Saray'a örümcek ağlarının, bir kir tabakasının ardından bakıyordu.

"Bu gün yaşanan talihsiz olaylar için kusura bakmayın lütfen," dedi Müdür ciddiyetle. "Ve hepinizin bu Protokol ihlalini bağışlamanızı rica ediyorum, denizin ardından gelen büyükelçiler, Saray mensupları, dükler ve Sapientler, leydiler ve zengin dullar. Ama büyük bir gün başlıyor ve büyük bir hata düzeltildi."

Kraliçe konuşamayacak kadar şaşkın gibiydi, Claudia da aynı durumdaydı neredeyse. Ama harekete geçti, Finn'i kolundan tutup kendine çekti; Saray mensuplarının afallamış, şaşkın yüzlerinin karşısında yan yana durdular, babası, "Bakın," derken. "Yitirdiğimizi sandığımız Prens, babasının veliahtı, Saray'ın umudu Giles aramıza geri döndü."

Binlerce göz Finn'e bakıyordu. Finn de onlara baktı, her birinde küçücük bir ışık gördü, onların yoğun meraklarını ve şüphelerini ruhunda hissetti. Kral olmak böyle bir şey mi olacaktı?

"Bilge Kraliçe, Prens'i bir suikasttan korumak için sürgüne gönderdi," dedi Müdür akıcı bir şekilde konuşarak. "Ama nihayet, yıllar sonra bu tehdit sona erdi. Kumpasçılar başarısız oldular ve tutuklandılar. Ortalık tekrar yatıştı."

Kraliçe'ye göz attı; dimdik duran kadın hiddetten köpürse de mutlu bir sesle konuştu. "Dostlarım, öyle sevinçliyim ki! Müdür ve ben o tehdidi ortadan kaldırmak için çok çalıştık. Şimdi bir şölen düzenlenmesini istiyorum çünkü Prens geliyor. Düğün yerine onun evine geri dönüşünü kutlayacağız ama yine de muhteşem bir gün, tam planladığımız gibi."

Saray'da çıt çıkmıyordu. Sonra arkalardan tezahüratlar başladı.

Kadın başını yana çevirdi; Müdür panele dokundu. Ekran karardı.

Kraliçe derin bir nefes aldı. "Bunu asla, asla affetmeyeceğim," dedi sakince.

"Biliyorum." John Arlex bir başka düğmeye dalgınca bastı. Oturup bacak bacak üstüne atınca sırmalı siyah ceketi ışıldadı; sonra uzanıp iki Anahtar'ı Claudia'nın koyduğu yerden aldı ve onları ellerinde tuttu; ışıl ışıldılar.

"Bu parlak kristaller ne küçük," diye mırıldandı. "Ve içlerinde öyle muazzam bir güç var ki! Claudia, canım, insan bir dünyanın efendisi olamıyorsa fethedecek başka bir dünya bulmalı sanırım." Jared'a göz attı. "Onu sana emanet ediyorum, Üstat. Konuşmamızı unutma."

Jared'ın gözleri fal taşı gibi açıldı; adam, "Claudia!" diye haykırdı ama Claudia durumun farkındaydı. Babası, Portal sandalyesinde oturuyordu. Claudia öne atılması, Anahtarlar'ı adamdan alması gerektiğini biliyordu ama kımıldayamıyordu, sanki babasının korkunç irade gücü onu olduğu yere mıhlamıştı.

Claudia'nın babası gülümsedi. "İzninizle, Majesteleri. Bu şölene katılmasam daha iyi olacak." Parmakları panele dokundu.

Odada bir ışık patlaması olunca hepsi sindiler; sandalye şimdi boştu, beyaz odada yavaşça dönüyordu ve ona bakarlarken kontrollerde bir kıvılcım ve ardından bir tane daha çaktı. Keskin kokulu dumanlar yükseldi; Kraliçe yumruklarını sıkıp boşluğa haykırdı: "Bunu yapamazsın!"

Claudia sandalyeye bakakalmıştı; sandalye alev alırken Jared, kızı telaşla geri çekti. Claudia kasvetle konuştu: "Yapabilir. Yaptı bile."

Jared onu seyrediyordu. Claudia'nın gözleri ışıl ışıldı, yüzü kırmızıydı ama başını dik tutuyordu. Kraliçe öfkeden deliye dönmüştü, düğmelere basıp duruyordu ama patlamalara yol açıyordu sadece. Peşinde Caspar'la odadan çıkarken Jared, "Geri gelecek, Claudia. Eminim..." dedi.

"Ne yaptığı umurumda değil." Claudia kendisine dehşetle bakan Finn'e döndü.

"Attia," diye fısıldadı Finn. "Attia ne olacak? Onu almak için geri döneceğime söz verdim!"

"Mümkün değil..."

Finn, hayır anlamında başını salladı. "Anlamıyorsun. Dönmeliyim! Onları orada bırakamam. Özellikle de Keiro'yu." Şaşkın haldeydi. "Keiro beni asla affetmez. *Söz verdim.*"

"Bir yolunu buluruz. Jared bir yolunu bulur. Yıllar sürse bile. Bu da benim sana sözüm olsun." Finn'in elini tutup yıpranmış yenini yukarı çekerek kartal figürünü gösterdi. "Ama artık bunu düşünmemelisin. Buradasın. Dışarı'dasın ve özgürsün. Onlardan, hepsinden kurtuldun. Ve dikkatli olmalıyız çünkü Sia arkamızdan dolaplar çevirecek hep."

Finn ona şaşkınca bakakaldı ve neyi kaybettiğinden kızın habersiz olduğunu fark etti. "Keiro benim kardeşim."

"Elimden geleni yapacağım," dedi Jared usulca. "Başka bir yol olmalı. Baban oraya gidip geliyordu, Blaize olarak. Sapphique de bir yolunu bulmuştu."

Finn başını kaldırıp ona tuhaf bir bakış fırlattı. "Evet. Bulmuştu."

Claudia onun koluna girdi. "Artık dışarı çıkmalıyız," dedi usulca. "Başını dik tut ve prens ol. Tahmin ettiğin gibi olmayacak. Ama burada rol yapmak her şeydir. Babamın dediği gibi, bir oyun. Hazır mısın?"

Finn eski korkularına kapıldığını hissetti. Kendisine kurulmuş büyük bir pusuya doğru yürüdüğünü hissetti. Ama başıyla onayladı.

Beyaz odadan kol kola çıktılar ve Claudia onu mahzenlerden geçirip merdivenlerden çıkardı. Finn bakıp duran insanlarla dolu odaların önünden geçti. Claudia bir kapıyı açınca Finn sevinçle haykırdı çünkü dünya bir bahçeydi ve tepesinde ışıl ışıl yıldızlar asılıydı, milyonlarca yıldız çok yukarıdaydı, Saray'ın kulelerinin ve ağaçların, mis kokulu çiçek yataklarının üstündeydi.

"Biliyordum," diye fısıldadı Finn. "Hep biliyordum."

Jared yalnız kalınca Portal'ın kalıntılarına baktı. Müdür'ün sabotajı tamamen işe yaramış gibiydi. Jared, delikanlıya acıdığı için umut vermişti ama aslında çok korkuyordu çünkü bu yıkımdan sonra geri dönmenin yolunu bulmak zaman alacaktı ve ne kadar zamanı kalmıştı?

"Bizi faka bastırdın, Müdür," diye mırıldandı.

Diğerlerinin peşinden gitti; artık bitkindi, göğsü ağrıyordu. Hizmetçiler yanından koşarak geçiyorlardı; bütün oda ve koridorlarda konuşmalar yankılanıyordu. Jared hızla yürüyerek bahçelere çıktı; akşam serinliği, tatlı kokular hoşuna gitti.

Claudia ve Finn binanın basamaklarında duruyorlardı. Delikanlı gecenin ihtişamı karşısında kör olmuş gibiydi, sanki gecenin saflığı ona acı veriyordu.

Jared yanlarında durunca elini cebine sokup saati çıkardı. Claudia bakakaldı. "O şey değil mi?.."

"Evet. Babanın."

"Sana mı verdi?"

"Öyle denebilir." Jared saati zarif parmaklarıyla tutarken Claudia zincirin ucunda küçük bir gümüş küp, yıldızların altında parıldayan bir tılsım olduğunu fark etti ilk kez.

"Neredeler peki?" diye sordu Finn ızdırapla. "Keiro'yla Attia ve Hapishane?"

Jared, küpe düşünceli bir edayla baktı. "Sandığından daha yakındalar, Finn," dedi.